3 0. MAR. 2016

بسم اللہ الرحمٰن الرحیم

ماؤ میو وال

ناول

ابدال بیلا

سنگِ میل پبلی کیشنز، لاہور

891.4393	Abdaal Bela
	Mao-Meo-Wal / Abdaal Bela.-
	Lahore : Sang-e-Meel Publications,
	2011.
	328pp.
	1. Urdu Literature - Novel.
	I. Title.

2011

نیاز احمد نے
سنگ میل پبلی کیشنز لاہور
سے شائع کی۔

ISBN-10: 969-35-2434-9
ISBN-13: 978-969-35-2434-5

Sang-e-Meel Publications

25 Shahrah-e-Pakistan (Lower Mall), Lahore-54000 PAKISTAN
Phones: 92-423-722-0100 / 92-423-722-8143 Fax: 92-423-724-5101
http://www.sang-e-meel.com e-mail: smp@sang-e-meel.com

حاجی حنیف اینڈ سنز پرنٹرز، لاہور

انتساب

اپنے دوست
بھگوان سٹریٹ، پرانی انارکلی لاہور کے کرشنا

اظہر جاوید

کے نام
جسے ہر ''صاحباں''
سوڈی شاہ مانتی ہے
لیکن اُس کے ٹالنے سے ٹل جاتی ہے

ماؤ میووال

ناول

ابدال بیلا

ترتیب

1-	انتساب	5
2-	پیش لفظ	11
3-	صاحباں	15
4-	ماؤ میووال	39
5-	روپڑ	49
6-	سیتان	65
7-	ابوالفضل	91
8-	ابوالفضل اور فضل	125
9-	اُم الفضل اور بلّو	151
10-	رانی چانن کور	191

219	گرد باد	11-
241	ہیڈ مان پور	12-
275	لاڈو	13-
301	بلاوا	14-

پیش لفظ

پرکھوں کا عہد ہر ایک کو سنہرا لگتا ہے۔

لگنا بھی چاہیے۔ اس عہد میں ہمارے اجداد نے سانس لی ہوئی ہوتی ہے۔ سنہرا پن ہمارے اجداد کی رکی ہوئی سانسوں میں سوئی ہوئی کسی حویلی سے وابستہ ہوتا ہے۔ وہ پرانا گاؤں، مکان، جھونپڑا جو بھی ہو، سو گیا ہوتا ہے، اُسے ملنے کے لیے اُسے جگانا پڑتا ہے۔ گزرے وقت کا پلو ہٹا کے پیچھے جانا پڑتا ہے۔

آؤ، میرے ساتھ چلو۔

ڈرو نہیں۔

اس گاؤں میں ہمارے بزرگوں کی روحیں صدیوں سے کان لگائے ہماری دستک کی راہ تک رہی ہیں۔

دیکھو

بیرونی خستہ چوبی دروازے پر تمہارا ہاتھ لگتے ہی، حویلی کی نس نس میں کیسی ہل چل سی مچی ہے۔ لوہے کی کوئی کل ہلی ہے۔ کھڑاک سے آہنی کنڈا اندر کی طرف گرا

ہے۔ دھیرے دھیرے دروازہ کھل رہا ہے۔ تمہارا دل بھی میرے دل جیسا ہے، کیسے دھک دھک کر رہا ہے۔ اس حویلی کے اندر صدیوں سے رکی روحوں کے بھی دل ہیں۔ اگر سننا آتا ہے تو سنو۔

روحوں کے دل بھی دھک دھک کر رہے ہیں۔

''دروازہ کھلتا ہے''

دیکھو، اندر حویلی کتنی کھلی اور شان وشوکت سے لبریز ہے۔ موہنجوداڑو یہیں تھا۔ ہڑپہ بھی یہیں ہے، یہ پاٹلی پتر، وہ اجودھیا، یہاں ٹیکسلا، اُدھر مول استھان، یہیں کبھی مہابھارت کا شور تھا۔ اسی کے طول وعرض میں رام جی نے بن باس کاٹا، مہاتما بدھ بھی انہی بستیوں سے دور، جنگل جنگل، دریا کنارے، پہاڑوں اور ریگزاروں سے ہوتا ہوا گزرا۔ اسی کے سوہنے ساحلوں پہ سمندر پار سے آئے عربوں نے آ کر کسی مظلوم کی داد رسی کی۔ دار ورسن پرے رکھا اور انصاف اور رواداری کا جھنڈا گاڑھا۔ تین صدیاں گزرنے کے بعد پہاڑ پار سے پھر تیشہ بردار اُترے۔ انہوں نے یہاں کے پتھروں کو تراش تراش کے تاج محل بنا دیا۔ کہیں باغ، کہیں قلعے، کہیں محل۔

یہ پورا دیس ساری دنیا کا جھومر بن گیا۔

پھر سات سمندر پار سے تاجروں کے بھیس میں شکاری آئے۔ انہوں نے شکار کو شکار بننا ہی نہیں، شکار کرنا بھی سکھا دیا۔ مسجدوں، مندروں، گوردواروں اور مقبروں پہ دانہ چگتے اُجلے کبوتر گھائل ہو گئے۔ یہ زخم مندمل ہوئے تو پھر کبوتروں کے پروں میں اڑنے کی آرزو جاگی۔ آزادی کی فضا میں اُڑنے کی جو قیمت تھی، وہ ادا ہوئی۔

کہانی بہت لمبی ہے۔

دیس کی یہ حویلی بہت عظیم الشان ہے۔

''صاحباں'' اس حویلی کی خوش رنگ ڈیوڑھی ہے۔ اس سے گزر کے آگے جانا پڑے گا۔ آگے ''ماڈ میووال'' ہے، ''روپڑ ہے''، بہت کچھ ہے۔

میرا کام تمہیں لے کر چلنا ہے، میں ٹائم مشین سے گزار کے تمہیں صدیوں پیچھے لے جا رہا ہوں۔ تم وہیں رہ ہی نہ جاؤ، اسی لیے تم سے براہِ راست مخاطب ہوں، ہر داستان گو، کسی ایک کی جاگتی چمکتی حیرت بھری آنکھوں میں دیکھ کے پوری کہانی کے رتھ گزار دیتا ہے۔ وہ حیراں معصوم آنکھیں تمہارے چہرے پہ ہونٹ بند کیے بول رہی ہیں، کہہ رہی ہیں۔ آگے بولو۔

میں بول رہا ہوں۔

تم سنتی جاؤ۔ اونگھنا نا۔

ابدال بیلا

صاحباں

تجھے نیاز مندی اور بے نیازی کی بات سمجھ نہیں آنی، جب تک تو صاحباں کا قصہ نہ سن لے۔ یہ مرزا صاحباں والی کہانی نہیں ہے۔ سوڈی شاہ اور صاحباں کی داستان ہے یہ۔

سن بہت پرانی بات ہے۔

برٹش انڈیا کے زمانے کی۔

صاحباں اپنے ضلع کی سب سے تیکھی طوائف تھی۔

جو اسے دیکھتا، اسے سوئیاں چُبھنے لگتیں۔

مرچوں کی کونڈی اس پہ موندی ہو جاتی۔ وہ ایک نظر دیکھ کے اسے مہینوں تک سوں سوں کرتا رہتا۔ ایسا منہ زور حسن تھا اس کا کہ سر پہ چڑھ کے اترنے کا نام نہ لیتا تھا۔ یہ کماو سے اونچا قد، لمبی چکنی گردن، صندل ملے دودھ جیسی رنگت، تیکھے کٹار جیسے نقش، کہانیاں کہتی، بجھارتیں بجھاتی ہوئی بڑی بڑی آنکھیں۔ ایسی روشن کے انہیں آدھی رات کو دیکھ کے لگے کہ صبح ہونے لگی ہو۔ اوپر کمان سی بھونیں جو سپولیوں کی طرح اس کے ماتھے پہ سرسراتیں اور اس کی کہی ان کہی نگاہوں کے نئے نئے مفہوم جگاتیں۔ ایک نظر بھر کے وہ کسی کو دیکھ لیتی تو ہیر سیال سے لے کر مرزا صاحباں تک کی ساری داستانیں کہہ ڈالتی۔

اسے دیکھتے ہوئے دیکھنا ہر کسی کے بس میں نہ تھا۔

کسی کے سامنے وہ دو قدم چل لیتی تو اس سے ایک قدم بھی چلا نہ جاتا۔

اس کا چلنا کوئی عام چلنا نہیں تھا۔اس کے پیروں میں رقص کی ساری مرتیاں اور سومرتیاں بجی تھیں۔

ذرا اس کے جسم کی تراش سوچو۔

یہ چوڑے کندھے، ہیجان بھرا ہوا منہ زور سینہ، نیچے چیتے جیسا کومل پیٹ، پیتل کی گڑوی جیسی پتلی کمر اور اصیل عربی گھوڑی جیسے چوڑے کولہے۔وہ قدم قدم چلتی آتی تو لگتا شراب سے بھری شیشے کی صراحی کسی نے پکڑتے پکڑتے ہلا دی ہو، پکڑی نہ گئی ہو۔وہ یوں مٹک مٹک کے چلتی جیسے رقص کرتے کرتے رکی ہو یا رکی رکی رقص کرنے والی ہو۔وہ چل رہی ہوتی تو اسکے گھٹنوں تک آئے لمبے بالوں کا پراندہ کسی کالے ناگ کی طرح پھن اُٹھائے بانسری کی تان پہ ناچتا رہتا۔اس جیسے بھاری لمبے، ریشمی چمکتے کالے بال شہر بھر میں کسی اور کے نہ تھے۔

جو اسے دیکھتا سہم جاتا،

اوسان خطا ہو جاتے اس کے

ہونٹوں پہ پپڑیاں جم جاتیں،

حلق سے بات نہ نکلتی۔

اس سے بات کرنا ہر ایک کے بس کی بات نہ تھی۔

اس زمانے میں وہ پانچ سو چاندی کے اصلی سکوں کی تھیلی بھر کے لیتی تو مجرے کے لیے ہاں کرتی۔ بڑے بڑے لاٹ صاحبوں، صاحب زادوں اور نواب زادوں کی موٹریں پالکیاں اور بگھیاں اس کے چوبارے کے نیچے کھڑی اپنی باری کا انتظار کرتی تھیں۔سات سازندے تھے اسکے۔ایک سے ایک صاحب کمال ایک سے بڑھ کر ایک رتن۔ہارمونیم، سارنگی، ستار، طبلے، سب اپنے اپنے ہنر میں یکتا۔دو سالم تانگوں میں وہ اپنے ساز و سامان کے ساتھ سماتے تھے۔اس کی اپنی بگھی آگے آگے

ہوتی اور سازندوں کے دو تانگے پیچھے۔ بگھی اور تانگوں کے گھوڑے گھوڑیوں کے پیروں میں بھی پازیبیں ہوتیں۔ پہیوں میں گھنٹیاں لگی ہوتیں۔ ٹک ٹک ٹک گھوڑوں کے پیر زمین پہ چنگاریاں اڑاتے، ان کی پازیبیں بجتی اور گھومتے ان کے پہیوں سے سارے بازار میں گھنٹیاں بج جاتیں۔

ہر کوئی راہ چلتا رُک کے کھڑا ہو جاتا۔

بگھی میں یہ اکیلی یوں گردن اٹھائے بے نیازی سے بیٹھی ہوتی جیسے دیودار کی جلتی ہوئی لکڑی کا کوئی شعلہ ہو جو عین شاہ بلوط کے جنگل بیچ جل رہا ہو اور پورا جنگل اس سے سہا ہوا ہو۔

جہاں بھی وہ ہوتی، ہر منظر سے الگ منفرد اور نمایاں۔ جیسے ستاروں بھرے آسماں پہ پورن ماشی کا چاند یا بیچ سمندر کے تیرتی کسی کشتی کا مستول۔ جدھر سے یہ اپنی بگھی اور تانگوں سے گزرتی سارا شہر جوار بھاٹے میں ابلتا ہوا سمندر بن جاتا۔ اسے دیکھ کے دیکھنے والے کی اندر کی کیمسٹری بدلنے لگتی۔ کیفیت بدل جاتی۔ رکے قدم چلنے لگتے، چلتے رک جاتے۔

صاحباں کو اپنی اس حشر سامانی کا پورا ادراک تھا۔

وہ اپنی شخصی قوت سے آگاہ تھی۔ اپنی حشر گان کرشمہ سازی اور راج بازار کے توسل کے مظاہرے کی رسیا تھی۔ ایک دن اس کی سواری اسی شان و شوکت سے سوڈی شاہ کی جھگی کے آگے سے گزرنے لگی۔ سوڈی شاہ کی جھگی کسی بیابان ویرانے میں نہیں تھی۔ عین شہر کے بیچ، بڑی چوڑی سڑک کے اوپر ایک محل نما بنگلے کے لان میں تھی۔ شہر بھر میں کسی کو علم نہیں تھا کہ سوڈی شاہ آیا کدھر سے ہے۔

بس کہیں سے آیا،

دو چار ساتھی سنگھی ساتھ تھے۔

سڑک سڑک چلتا آیا،

ادھر آ کے شہر کے تحصیل دار کا لان پسند آ گیا وہاں بیٹھ گیا۔ اسکے ساتھی سنگوں

نے اپنی اپنی بکل کے کھیس اتارے، قریب کے درخت سے دو چار ٹہنیاں توڑیں اور ایک جھگی بنا دی۔ سوڈی شاہ بیٹھ گیا۔ لوگ آ آ کر اسکے گرد بیٹھنے لگے، کسی کو ہمت ہی نہ ہوئی کہ کوئی کہے، تو کون ہے، اور ادھر کیوں بیٹھا ہے۔ جھگی کے ساتھ ہی چولہا لگ گیا، چولہے پہ دیگ چڑھ گئی۔

لو لنگر شروع ہو گیا۔

مسافر آ آ کر وہاں رکنے لگے۔ تھوڑے ہی دنوں میں گڈا بھر کے اناج کا وہاں اترنے لگا۔ دو دن میں وہ گندم کی چار بوریاں پسوا کے لوگوں کو کھلا دیتا۔ ایک گڈے والا مستقل اس کی بوریاں ڈھونے لگا۔ اسے بازار سے ڈیوڑھی مزدوری ملتی۔ اس کا ڈیرے پہ دل ہل گیا۔ سوڈی شاہ بھی اس سے پیار کرنے لگا۔ اسے ڈیرے میں آنے میں دیر سویر ہو جاتی تو سوڈی شاہ اپنے بالکوں سے اس کا اتہ پتہ پوچھتا۔

ایک دن وہ نہ آیا۔

دوسرا دن گزر گیا،

وہ پھر بھی نہ آیا۔ سوڈی شاہ کو خبر ملی کہ گڈے والے کا بیل مر گیا ہے۔ ایک ہی بیل تھا اس کا ۔ وہی اس کے گڈے کو ہانکتا تھا۔ اسی سے اسکی دال روٹی جڑی تھی۔ سوڈی شاہ نے سنا تو کندھے پہ رومال رکھ کے اٹھ کھڑا ہوا۔ اور اسکی بستی پہنچ گیا۔ بستی شہر سے باہر تھی۔ کچے پکے سے بوسیدہ ٹوٹے پھوٹے گھر تھے۔ انہیں میں ایک کمرے کا گڈے والے کا بھی گھر تھا۔ سردیوں کے دن تھے۔ ایک ہی کمرے میں گڈے والا رہتا، اسی میں بیل کو کھڑا کر دیتا۔ گھر کے باہر گلی میں گڈا کھڑا رہتا۔ سوڈی شاہ وہاں پہنچا تو وہ گڈے والا اسکے کاندھوں پہ سر رکھ کے رونے لگ گیا۔ شاہ جی نے دلاسا دیا۔

خیر ہے۔ ہر ایک نے مرنا ہے۔

یہاں انسانوں نے سدا نہیں رہنا، یہ تو بیل تھا۔

چلا گیا۔ جانے دو۔

اللہ ہے، وہ اور وسیلا بنا دے گا۔

گڈے والا روتے روتے بولا، سرکار اسکے مرنے کا تو دُکھ ہے ہی، کہ وہ ہی میرا کماؤ پوت تھا۔ ورنہ میرے بچے تو چھوٹے چھوٹے ہیں۔ مگر یہ دیکھیں اور کیا غضب ہو گیا۔ کل سے یہ اندر مرا پڑا تھا۔ میں روتا دھوتا پھرتا رہا۔ اب بستی کے باہر سے مرے ہوئے بیل کو اٹھوانے کے لیے بندے بلوائے ہیں تو یہ دروازے سے نہیں نکل پاتا۔ پھول گیا ہے۔ یہ سب کہتے ہیں دروازے کی چوکھٹ پوری نکالنی پڑے گی۔ اسی دروازے کی چوکھٹ پہ تو کمرے کی چھت کھڑی ہے۔ دروازہ نکالا تو چھت بھی گر جائے گی۔ وہ اور زور زور سے رونے لگا۔ میں کیا کروں میرا تو پہلے ہی ہاتھ ٹوٹ گیا ہے۔ اب سر سے چھت بھی سرکتی نظر آ رہی ہے۔ سوڈی شاہ نے اس کے سر پر ہاتھ پھیرا اور کندھوں پہ تھپکی دی،

بولا خیر اے، تیری چھت نہیں گرتی۔

پھر دو چار قدم آگے کمرے میں مرے پڑے پھولے ہوئے بیل کی لاش کے قریب گیا۔

بیل کے بن سانس کے نتھنوں اور بجھی ہوئی آنکھوں پہ مکھیاں بھنبھنا رہی تھیں۔ سوڈی شاہ نے بیل کی کمر پہ تھپکی دی، اور بولا، اوئے تو کمرے کے اندر کیوں مر گیا، اس غریب کی چھت کا کیوں ویری ہو گیا۔ چل اٹھ میرا سوہنا، باہر جا کے سو جا۔ پھر تھپکی دی۔ اٹھ۔ دو دن کے مرے ہوئے پھولے بیل کی لاش کی ساری کھال میں سرسراہٹ ہوئی، مکھیاں اس کے نتھنوں سے یکا یک اڑیں، اسکی آنکھوں میں روشنی ہلی، اس کی ڈھیلی گری ٹانگوں میں حرکت ہوئی، اور ایک دم سے اس کا پورا گارے مٹی کے پہاڑ جیسا بے جان وجود اٹھ کے کھڑا ہو گیا۔ اور وہ اپنی چاروں ٹانگوں سے چلتا چلتا خاموشی سے دروازے میں سے گزر کے باہر گلی میں آیا اور دھپ سے پھر گر گیا۔ مکھیاں پھر سے اسکے نتھنوں اور آنکھوں میں گھس گئیں۔

ایک ہجوم وہاں موجود تھا۔

پوری بستی میں کھلبلی مچ گئی۔

ہندو، سکھ، مسلمان سب موجود تھے۔

سب کی مت ماری گئی۔

یہ ہوا کیا؟

کوئی کہی سنی بات نہیں تھی، ان کی آنکھوں کے سامنے دن دھاڑے کا واقعہ تھا۔

سب نے دانتوں میں انگلیاں دے لیں۔

ہیں یہ کیا ہوا؟

سوڈی شاہ نے گڈے والے کے کندھے پہ ہاتھ رکھا اور بولا،

اب سوچنا چھوڑ،

سوچنا ہے تو یہ سوچ کہ تیری چھت سے بھی بڑی چھت والا ایک ہے،

جو اسکی چھتر چھاؤں کو مان لیتا ہے، وہ اسکی چھت نہیں گرنے دیتا۔

سب تیری نیک نیتی کا کیا دھرا ہے،

میرا کوئی کمال نہیں اس میں،

نہ، میں تو بس مجبوروں کی مجبوری اسے دکھا دیتا ہوں۔

آگے وہ جانے اور اس کے کام۔

مجھے یوں سہمی ہوئی عزت بھری نظروں سے نہ دیکھو۔

نہ میرا اپینڈا خراب کرو۔

اُدھر دیکھو۔

بڑی چھت والے کو۔

وہ ہے صرف مارنے اور زندہ کرنے والا۔

ہستی نہیں کسی کی۔ جو دخل دے۔ ہاں، ہاتھ بندہ جوڑ سکتا ہے۔ بنتی کرنے والے کو وہ منع تھوڑی کرتا ہے۔ کوئی کر دے۔ تم بھی کیا کرو۔ میں بھی کرتا ہوں۔ وہ سنتا ہے۔ دیکھتا ہے، چلو ہٹو۔ مجھے جانے دو۔

سوڈی شاہ آ کے پھر اپنے ڈیرے پر بیٹھ گیا۔ اور ایک دن اسکے ڈیرے میں بیٹھے لوگوں کے صاحباں کی سواری کی گھنٹیاں سن کے کان کھڑے ہو گئے۔ چھن چھن چھنا چھن کے بیچ بیچ اس کی بگھی کے گھوڑوں کے ٹک ٹک ٹکا ٹک کرتے پیروں کی چاپ پکی سڑک سے آنے لگی۔

ایسے ہی ایک بار پہلے بھی ہوا تھا،

ہوا یوں کہ شاہ جی ڈیرے پہ تھے کہ سامنے سڑک سے دو بیلوں میں جُتا ہوا ایک گڈا گزرا۔ گڈا اناج کی بوریوں سے بھرا ہوا تھا۔ گڈے پہ ایک خوش شکل جواں سکھ بیٹھا تھا اور گڈے کے دونوں بیل بہت ہی اتھرے اور خوبصورت تھے۔ ان کی گردنوں میں پھندنے لگے تھے، کنپٹیوں پہ جھالریں لٹک رہی تھیں اور پیروں میں گھنگھرو بج رہے تھے۔ شاہ جی نے بیل گاڑی کو ڈیرے کے پاس سے گزرتے دیکھا تو ایک دم چلائے،

اوئے میرے بیل ہیں۔

کون لیئے جا رہا ہے انہیں؟

پکڑو۔ پکڑو اسے۔

شاہ جی کے منہ سے یہ بول نکلنے کی دیر تھی۔ ڈیرے سے پانچ چھ بندے اٹھ کے گڈے کے پیچھے بھاگے۔ اور جا کے بیل گاڑی کو روک لیا۔ بیل گاڑی والا سکھ بہتیرا چیخا چلایا، کہ اللہ کے بندو! تمہاری مت ماری گئی ہے، یہ میرا اپنا گڈا ہے، میرا اناج ہے، دونوں بیل میرے ہیں، میں فلاں ہوں، فلاں جگہ کا رہنے والا ہوں۔ نہ میری کوئی غلطی نہ میرا کوئی قصور۔ یوں ہی بلا وجہ میرے سر آ رہے ہو، مجھے جانے دو۔ جلدی ہے مجھے۔ بہت دور، دریا پار دوسرے شہر کی منڈی پہنچنا ہے۔ ہٹو مجھے جانے دو۔

مگر وہاں کون سنے۔

انہوں نے بیل گاڑی موڑی، ڈیرے پہ لا کے بیل کھول کے ایک طرف باندھ دیئے۔ گڈا ایک کونے پر کھڑا کر دیا۔

سکھ جوان تلملاتا ہوا ادھر اُدھر بھاگنے لگا۔

قریب ہی پولیس چوکی تھی، وہاں پہنچ گیا، بولا اس طرح میرے ساتھ ہوا۔ پولیس والے بولے، بھئی اس ڈیرے پہ اپنا تو حکم چلتا نہیں، ویسے بھی شاہ جی نے تیرے بیل کیا کرنے ہیں، ان کی کونسی کھیتیاں ہیں۔ جدھر ہل دینا ہے انہوں نے۔ ہوگی کوئی راز کی بات۔ جا اُدھر ہی جا کے بیٹھ جا۔ اُدھر تو چوریوں کے بھید کھلتے ہیں، لگی پھانسیاں اتر جاتی ہیں، تو ان کا مقدمہ لے کر ہمارے پاس آ گیا ہے۔

جا اُدھر جا،

جدھر سے آیا ہے۔

وہ تھکا ہارا، بے بس ہوا اسی ڈیرے پہ آ کے بیٹھ گیا۔ اسے سمجھ نہ آئے کرے کیا۔ دنیا جہاں میں جو بھی کسی برے ترین آدمی کا تصور ہو سکتا تھا، وہ تصور اس نے سوڈی شاہ کو دے دیا۔ اسی کے ڈیرے کے ایک کونے میں وہ غصے، نفرت اور خوف میں بیٹھا سوڈی شاہ کو دیکھے جا رہا تھا۔ شاہ جی اپنے دھیان میں بیٹھے تسبیح پھیرے جا رہے تھے۔ لوگ ان کے چاروں طرف خاموشی سے بیٹھے ان کے چہرے پہ ٹھہرا ہوا سکون دیکھ رہے تھے۔ گڈے والے سکھ جوان کو یہی چہرا دنیا کا مکار ترین چہرا دکھائی دے رہا تھا۔ اچانک تسبیح پھیرتے پھیرتے شاہ جی نے ایک طرف گردن گھمائی، سامنے دونوں بیل بندھے ہوئے تھے۔ بولے۔

بھئی یہ بیل کس نے باندھے ہیں۔

ایک بالکا ایک دم سے بیٹھا بیٹھا تھوڑا اٹھا، اور بولا،

سرکار میں نے۔

شاہ جی بولے۔ یہ ہیں کس کے؟

دور ایک کونے میں انتہائی بے زاری سے بیٹھا سکھ جوان اچھلا،

یہ میرے ہیں جی۔

دو گھنٹوں سے سب کو کہے جا رہا ہوں۔

تیرے ہیں تو پھر تو لے جا۔

وہ ایک دم سے اٹھا اور بیلوں کو کھول کے اپنے گڈے پہ باندھنے لگا، ساتھ ساتھ دل میں بڑ بڑ بھی کرتا جائے کہ کتنا وقت برباد کر دیا۔ آیا بڑا ڈھونگی، مکار۔ اب کہتا ہے کس کے ہیں یہ۔ وہ بیلوں کو گڈے پہ باندھ کے چلنے لگا تو شاہ جی اٹھ کے اس کے پاس آئے، اور اسکے بیلوں کی کمر کو سہلا کے اس کے کندھوں پہ ہاتھ رکھ کر بولے،

دریا کی طرف جا رہے ہو جوان۔

ہاں جی وہ ابھی تک بیزار تھا۔

کتنی دیر کی راہ ہے دریا کے پل تک؟

شاہ جی نے اسے محبت بھرے انداز میں پوچھا۔

ڈیڑھ دو گھنٹے تو لگیں گے، اتنی دیر ہی یہاں برباد ہو گئی۔

وہ یہ کہہ کے بیل کو ہانکنے لگا تو شاہ جی نے اس کا ہاتھ پکڑ لیا۔ اور اس کے ہاتھ کو سہلاتے ہوئے آہستگی سے بولے دیکھ میرا چن، غصے نہ ہو۔ تو کسی خوش بخت کا پُتر معلوم ہوتا ہے، سوہنا جوان ہے، تیرے بیلوں کی جوڑی بھی بڑی سوہنی ہے۔ تجھے یہاں سڑک پہ جاتے دیکھا تو ڈیڑھ دو گھنٹے بعد جو تیرے ساتھ ہونا تھا وہ نظر آ گیا۔ میں نے بھاگ کے تجھے روک دیا، اور دعا کرنے بیٹھ گیا۔ وہ برا سمے تھا۔ گزر گیا۔ جا اب میرا پتر۔ تجھے ساتوں خیریں۔

جا شاباش۔

وہ سکھ نوجوان ٹیڑھی آنکھ سے انکی باتیں سنتا رہا۔ اسکے چہرے بشرے سے صاف دکھائی دے رہا تھا کہ اسے انکی ایک بھی بات کا یقین نہیں آیا تھا۔ اسے جان چھڑانے کی جلدی تھی۔ اچھا جی، رب راکھا کہہ کے وہ جلدی جلدی اپنے بیل ہانک کے چلا گیا۔ شاہ جی جا کے پھر اپنے ٹاٹ پہ بیٹھ گئے۔ کوئی ڈیڑھ گھنٹہ گزرا ہوگا کہ وہی بانکا سکھ نوجوان بھاگتا ہوا ان کے ڈیرے پر آیا۔ اور آتے ہی ان کے پیروں میں سر دے کے بیٹھ گیا۔ اسے سانس چڑھا ہوا تھا، لگتا تھا دور سے دوڑ کے آ رہا ہے۔ ہاتھ

میں اسکے ایک مٹھائی کا ٹوکرا تھا۔ وہ ان کے پیروں میں سر دے کے ایسا چپکا کہ منہ اوپر نہ اٹھائے۔

او جوان، ہوا کیا،

اٹھ میرا شیر بتا، نا۔ شاہ جی نے اسے کندھوں سے پکڑ کے اٹھایا۔ وہ ہاتھ جوڑ کے بیٹھ گیا۔ بولا میں ذرا شہر سے نکلا تو آگے کچھ چڑھائی تھی۔ سامنے دریا کی طرف سے یک لخت لاری آ گئی۔ اسکی رفتار تیز تھی، اور اوپر سے اس نے ہارن بجا دیا۔ میرے بیل بدک گئے۔ بیچ سڑک کے ٹکر ہو گئی۔ گُرو نے بچالیا، گڈا اُلٹ گیا، گڈے کی مہار ٹوٹ گئی۔ دونوں بیل سڑک کے دونوں طرف لڑھک گئے۔ مگر بیل دونوں بچ گئے، بوریاں بھی بچی رہیں، بس دو بوریاں پھٹیں۔ گرا اناج بھی اکٹھا کر لیا۔ شاہ جی نے اسے اپنی دونوں بانہوں میں لے لیا، اور چپکے سے اس کے کان میں بولے۔ پتر یہی منظر دیکھ کے میں نے تمہیں روکا تھا، یہ ہونا ہی تھا، مگر نہ روکتا تو دریا کے پُل کے اوپر ہونا تھا۔ چل میرا پتر، اب چل۔

نہ بابا جی، اب تو رات میں یہیں رہوں گا،

ساری رات آپ کو دیکھوں گا۔

سویرے چلا جاؤں گا۔

جیسے تیری مرضی۔

ایک دن صبح صبح کی بات ہے، بابا بیٹھا بیٹھا۔ ایک دم اٹھا، جیسے کرنٹ لگا ہو۔ اٹھ کے باہر سڑک پہ شہر کی طرف دوڑا۔ دوڑتے دوڑتے آوازیں مارتا جائے۔ اوئے ٹھہر جا، نہ اوئے، رک جا۔ ٹھہر جا۔ یہ بولے جائے اور بھاگے جائے۔ پیچھے پیچھے بابا سوڈی شاہ کے عقیدت مند بھی بھاگنے لگے۔

سمجھ کسی کو کچھ نہ آئے،

ہوا کیا،

ہونے کیا والا ہے۔

بابا شور مچاتا بھاگے جائے،

ٹھہر جا۔

اوئے نہ۔

آگے چوراہا آ گیا۔

عین چوراہے بیچ ایک سوکھا سا چیتھڑوں میں ملبوس فقیر کھڑا تھا۔ایک بازو اس نے کھولا ہوا تھا، اور اپنی مٹھی کو کھول کے بازو گھمانے والا تھا کہ سوڈی شاہ نے جا کے اسکا ہاتھ پکڑ لیا۔اس فقیر نے سوڈی شاہ کو دیکھا تو اس کا رنگ فق ہوگیا۔ چہرے سے خون جیسے سارا نچڑ گیا۔کپکپی سی لگ گئی۔سوڈی شاہ نے اسکا بازو کھینچ کے پیچھے کیا اور اس کے کندھے پہ ہاتھ رکھ کے اسے اچھی طرح اپنی طرف متوجہ کر کے کہا۔

اوئے،

پھلور میں تو میری ڈیوٹی لگی ہے۔تم ادھر آ کے اسے کیوں غرق کرنے لگے تھے۔ کیسے حوصلہ ہوا تمہیں اس کا۔

وہ فقیر ایک دم بلبلا اٹھا۔

بولا، میں سات دنوں کا بھوکا ہوں۔مسافر ہوں، کسی سے سوال نہیں کیا سات دن۔ابھی صبح سویرے منڈی میں اناج سے بھری اک دکان والے سے ایک روٹی کا سوال کر دیا۔اس نے اس حقارت سے مجھے دھتکارا جیسے میں کتا ہوں۔بھوک تو اور بھی دو چار دن میں سہہ لیتا، مگر وہ توہین نہ سہہ سکا۔میرے دل میں سمایا کہ یہ بستی اب کھڑے رہنے کے قابل نہیں۔اسے مونڈا کر دوں۔طاقت تھی مجھ میں۔ مجھے نہیں علم تھا یہاں آپ کی گدی ہے، میں تو مسافر ہوں۔آپ نے کندھے پہ ہاتھ رکھ کے میری ساری شکتی کھینچ لی۔ مجھے دو کوڑی کا کر دیا۔

مجھ پہ رحم کریں۔

میں نے سال ہا سال سے بوند بوند جمع کر کے یہ طاقت کشید کی تھی۔آپ نے آن کی آن میں پوری بوتل توڑ دی۔ وہ فقیر سوڈی شاہ کے پیچھے پیچھے آہ وزاری کرتا

آئے، اور سوڈی شاہ واپس اپنے ڈیرے کی طرف چلتے آئیں۔

وہ بھاگ بھاگ کے قریب ہو۔

یہ کہنی مار کے اسے کہیں، چل ہٹ۔

تیری یہ ہمت، تو اتنا کٹھور کہ سارا شہر غرق کرنے لگا تھا،

اوئے یہاں لوگ بستے ہیں،

کتنے بچے ہیں یہاں،

عورتیں، مرد، بوڑھے، بیمار۔

سوچا ہے تو نے ان کو۔

کیسے وہ زندگی جیتے ہیں۔

تجھے رب نے طاقت دی تو اسی کے بندوں کا ویری ہو گیا۔

ہٹ جا، مجھے ہاتھ نہ لگا۔

وہ فقیر وہیں ڈیرے پہ بیٹھا رہتا، وہیں بیٹھے بیٹھے مر گیا۔ سوڈی شاہ نے اسے معاف نہیں کیا، وہ جب جب ان کی منتیں کرتا، شاہ جی اسے کہتے تو کم ظرف ہے۔ تیرے پیالے میں اتنی جگہ نہیں جتنی تجھے ہوس ہے۔

ہوس کسے نہیں تھی،

ہر کوئی نہ کوئی خواہش پالے بابا کے ڈیرے آ بیٹھتا۔ بابا مست قلندر تھا۔ موج میں آتا تو بات کر لیتا۔ نہ دھیان آتا تو چپ بیٹھا تسبیح پھیرتا رہتا۔ تسبیح پھیرتے ہوئے اسے یہ بھی دھیان نہ رہتا کہ ہاتھ میں تسبیح ہے کہ نہیں۔ وہ اُس دن بھی اپنے دھیان میں بیٹھا ہوا تھا کہ ڈیرے کے سارے بندے صاحبان کی سواری کی جل ترنگ سے بج اُٹھے۔ شاہ جی نے اس وقت گردن موڑی، جب صاحباں نے اپنی بگھی ڈیرے کے عین سامنے روک کے، اونچی آواز میں بابا کو پکارا۔

شاہ جی۔

کوئی ہمارا بھی حصہ ہے آپ کی دیگ میں کہ نہیں،

صاحباں نے کمال سُر سے اونچی آواز میں بگھی میں بیٹھے بیٹھے دل لگی کے انداز میں بابا کو مخاطب کیا۔ اسکی آواز کوئی عام آواز تھوڑی تھی۔ چار ضلعوں کی سب سے سُریلی گائیکہ تھی وہ۔ رقص کرتے ہوئے گایا کرتی تھی، تو پورا ماحول وجد میں آجاتا تھا۔ اس دن عصر کے وقت جو اس نے بابا کے ڈیرے پہ آ کے یہ نئی سُر چھیڑی تو سارا ڈیرہ ڈگمگانے لگا۔

ڈیرے پہ بیٹھا ہر آدمی چونک گیا۔

پہلے تو سبھی صاحباں کو قریب سے دیکھ کے رُجھنے لگے، اسکی بگھی کو یوں سامنے رکی کھڑی محسوس کر کے انہیں عجیب طرح کا سرور آیا، پھر سبھی اس کی بیباک مسکراتی آواز میں سوڈی شاہ سے عجیب طرح کا سوال ہوتے سُن کے لرز گئے۔

سب چپ۔

خاموشی میں صاحباں کی بگھی کے دونوں اتھرے گھوڑے، کھڑے کھڑے اپنے پاؤں اٹھا اٹھا کے سڑک پہ ٹک ٹک مارنے لگے، ان کے بدن کی جھرجھراہٹ کی آواز خاموشی میں بجنے لگی۔

ایک دو لمحے گزر گئے۔

سوڈی شاہ نے بھی بیٹھے بیٹھے گردن اٹھا کے صاحباں کو دیکھا۔ شاہ جی کا دیکھنا کوئی عام دیکھنا نہیں تھا۔ لوگ کہتے تھے وہ آنکھ بھر کے جسے دیکھ لیتے وہ آکے ان کے چولہے کی آگ جلانے لگتا۔

پچاس پچپن سال کی عمر ہوگی شاہ جی کی۔ ہر وقت، ہر سمے وہ اپنے دھیان میں مست رہتے تھے۔ ایک عجیب طرح کی خوشگوار صبح جیسی روشنی انکے سراپا سے بھاپ کی طرح اٹھتی رہتی تھی۔ دوسری طرف بگھی میں ایک شعلہ انداز سوار تھی۔ وہ لاٹ بنی یوں دہک رہی تھی جیسے آج ساری بستی کو اپنی لپیٹ میں لینے کا ارادہ ہو۔ اللہ جانے اسے جاتے جاتے کیا سوجھی کہ بگھی ان کے ڈیرے پہ رکوا لی۔

پہلے بھی وہ کئی بار ادھر سے گزری تھی۔

لدھیانے کی وہ مشہور رقاصہ تھی۔

جالندھر جاتے ہوئے ادھر پھلور سے جب بھی گزرتی تو یہ ڈیرہ اسکے رستے میں آتا۔ شاید اسے یہ محسوس ہوا ہو کہ باقی ہر جگہ ہر بندہ گردن موڑ کے اسے دیکھتا ہے۔ چار ضلعوں میں ایک بھی ایسا اللہ کا بندہ نہیں جس نے اس سے بے التفاتی برتی ہو۔ پھر یہ سوڈی شاہ کون ہے۔ جو سامنے سے گزرتے ہوئے اس کے مستانہ راج جلوس کو آنکھ اٹھا کے بھی نہیں دیکھتا۔

جیسے وہ صاحباں نہ ہو، کوئی عام زنانی ہو۔

جیسے کچھ بھی نہ ہو۔

دلوں کے بھید تو رب ہی جانتا ہے۔ خدا جانے اس کے من میں اس وقت کیا تھا، ہاں چہرے مہرے سے وہ اٹھکیلی کرتی ہوئی نظر آ رہی تھی۔ چونکہ اسے بات کہنے اور کرنے کا سلیقہ تھا، بے باک تھی مگر گستاخ اور ناتراشیدہ نہ تھی اس لیے اس نے بات ایسی کی کہ گستاخی بھی نہ لگے، مگر تیر بھی نشانے پہ بیٹھے۔

چند لمحے خاموشی میں گزر گئے،

ڈیرے پہ بیٹھے ہوئے کچھ لوگوں نے کن انکھیوں سے ایک ہی نظر میں صاحباں، شاہ جی اور شاہ جی کے ڈیرے پہ چولہے پہ چڑھی دیگ کو دیکھ لیا۔ جس کے بارے میں صاحباں پوچھ رہی تھی۔

ہے کوئی ہمارا حصہ آپ کی دیگ میں؟

یہ کہہ کے وہ ہنسی نہیں تھی مگر اس کے بدن پہ پہنے ہوئے سوڈیڑھ سو تولے کے زیورات کی اک اک پتی اور کلی کھلکھلا کے مسکرائی تھی۔ شاید اس نے بات کرتے سمے سر سے پاؤں تک اپنے جسم کو کسی رقص کی مشکل سی بحر میں چھیڑا ہو۔ بس شاہ جی نے ایک دو لمحے اسے بیراگی آنکھ کی گوشہ نشینی سے اسی طرح بگھی میں سجی راج گدی پہ بیٹھی کو دیکھا، پھر ہاتھ اٹھا کے عجیب اندازِ مستانہ سے بولے۔

ہے! اتنا حصہ ہے کہ تجھ سے سنبھلنا نہیں۔

صاحباں نے شاہ جی کی پوری بات سن لی۔ تو مسکرائی، بولی کچھ نہیں، گردن لمبی کر کے اونچی کی، جیسے جو کہا گیا ہو وہ سن لیا ہو۔ پھر سرخی لگے اپنے ہونٹوں کے کونے دونوں طرف سے پھیلا کے یوں سکیڑے، کہ سنی بات کو سن کے اس کی ہنسی ہونٹوں سے بہہ نہ جائے، اور اپنی نگینوں جیسی آنکھوں کے اوپر دونوں ابروؤں کو باری باری کمان کی طرح سوالیہ نشان بنا کے لہرایا اور بگھی کے کوچوان کو آگے چلنے کا اشارہ کیا، اسی اشارے میں یہ بھی کہنے کی کوشش کر گئی، کہ دیکھیں گے!

اگلے دن پھر صاحباں آ گئی۔

اس بار آئی تو نہ گردن کی وہ اٹھان، نہ بھنوؤں کی کمان۔ آئی اسی طرح بگھی میں بیٹھ کے، اسی طرح پیچھے پیچھے سازندوں کے دونوں تانگے۔ پورا قافلہ آ کے بابے کے ڈیرے پہ رک گیا۔ سارے گہنے موجود تھے۔ ہار، چوڑیاں اور پازیبیں، مگر کوئی چھنا چھن نہ ہوئی اور صاحباں بگھی سے اتری۔ اتر کے قدم قدم چلتی آئی۔ آ کے سوڈی شاہ کے پاس تھڑے کی نکڑ پہ بیٹھ گئی۔

ہیں یہ کیا ہوا۔

سارے ڈیرے کے بندے آنکھیں کھول کھول اسے دیکھنے لگے۔

یہ ہوا کیا۔

دیکھنے میں وہی صاحباں، سر سے پاؤں تک سونے چاندی میں لدی ہوئی۔ کانوں میں یہ بڑے بڑے جھمکے، ماتھے پہ ٹیکا، بالوں میں پھول پتیاں، گلے میں اوپر نیچے ان گنت ہار، گلوبند، انام اور سچے موتیوں کی لڑیاں۔ پیروں میں سونے کی پازیبیں۔ کلائیاں کہنیوں تک چوڑیوں سے لدی ہوئیں۔ انگلیاں انگوٹھیوں سے بھری ہوئی۔ سُچے تاروں سے گندھے ریشم میں سلا ہوا زمین پہ گھسٹتا ہوا سنہری لہنگا۔ سب کچھ وہی تھا، مگر ان سب کے اندر آگ کا شعلہ نہ تھا۔ نہ آنکھوں میں کاٹ، نہ ہونٹوں پہ مسکان، نہ گردن میں وہ ناز اٹھانے والا خم، نہ چال میں ٹھمریاں۔ جو دیکھے وہ پریشان، یہ آج صاحباں کو کیا ہوا۔ آئی اور آ کے تھڑے پہ تھپ سے بیٹھ گئی، کئی لوگوں کے

دلوں پہ گھونسا پڑا۔ ہائے کپڑے میلے ہو گئے، مٹی کا تھڑا تھا اوپر بوریاں بچھی تھیں۔ بوری بھی کہیں تھی کہیں نہیں تھی۔

سوڈی شاہ ابھی تک اپنے مراقبے میں بے خبر تھا۔

صاحباں نے تھڑے پہ بیٹھ کے فرش پہ بچھی بوری پہ آہستہ آہستہ دستک دی۔ تھوڑی سی مٹی اٹھ کر اڑی۔ پھر شاہ جی نے آنکھ کھولی اور گردن موڑ کے اسے دیکھا۔ آج بھی ان کی آنکھوں میں وہی ہمیشہ والی تیاگ پنے کی بے نیازی تھی۔

جیسے کچھ ہوا ہی نہیں۔

اتنی بڑی شہزادی تخت سے اتر کے ان کے بوریے پہ آ کے بیٹھی تھی، اور اُن کی نظریں یوں تک رہی تھیں، جیسے کچھ ہوا ہی نہیں۔ تھوڑی دیر دیکھتے رہے،

بولے کچھ نہیں۔

پھر سر اٹھا کے اوپر کہیں کچھ دیکھ کے سوچنے لگے۔

خاموشی پورے ڈیرے پہ چھا گئی۔

قریب ہی ڈیرے کے ایک کونے میں مٹی کی اینٹوں کے اوپر جلتی لکڑیوں پر پڑی دیگ کے نیچے آگ چٹخنے کی آواز آتی رہی۔ کئی لمحے یوں ہی آگ کی تڑک تڑک میں گزر گئے۔ کوئی کچھ نہ بولا، پھر ایکا ایکی میں صاحباں بولی۔

شاہ جی، میں آ گئی ہوں۔

آج اس کے لہجے کا سُر ہی اور تھا۔

کسی اور ہی سدھ لیے میں اس نے یہ دو لفظ بولے۔

میں آ گئی ہوں شاہ جی۔

شاہ جی اسی طرح بے نیاز سر جھکائے بیٹھے رہے۔

وہ پھر بولی۔ شاہ جی سُن میں نے نہیں جانا۔

تھوڑی دیر بعد شاہ جی نے آنکھ اٹھائی اور بولے۔

چل جا۔ کیوں اپنے گلے میں مصیبت ڈالتی ہو۔

ہُن تے پے گئی شاہ جی۔

چلی جا۔

نہ جی۔ وہ اور پھیل کے بیٹھ گئی۔

پیچھے دونوں تانگوں سے سازندے بھی اتر کے چبوترے کے نیچے اپنے اپنے ساز لے کر آ بیٹھے، ان کے چہروں پہ بھی ہوائیاں اڑی ہوئی تھیں۔ جیسے وہ دودھ پیتے بچے ہوں اور ان کی ماں گھر چھوڑ کے بھاگ آئی ہو۔

اوئے، تم سب اسے سمجھاؤ۔

یہ بےوقوف آسمان سے اتر کے ادھر مٹی میں رُلنے آئی ہے۔ کملی۔

چل اٹھ۔

میں نے اب جانا نہیں شاہ جی۔ وہ فیصلہ سنانے لگی۔

تمہیں ہوا کیا ہے؟

میری آنکھیں کھل گئیں ہیں شاہ جی۔

تیری مت ماری گئی ہے۔

وہ دلیلیں دیتی جائے، شاہ جی اسے ڈانٹتے جائیں۔ وہ کہے، ایک رات میں میری زندگی کی گتھی سلجھ گئی۔ میں مخمل کے بستروں میں سونے چاندی کے بے جان جھمکے کی طرح بے مقصد پڑی تھی۔

مجھے مقصد مل گیا ہے۔

تیرا دماغ خراب ہو گیا ہے۔

تجھے پتہ نہیں تیرے گلے میں سرتیوں اور مرتیوں کے ڈھیر لگے ہیں۔ تو اِدھر راکھ سر پہ ڈالنے آ گئی ہے۔

نہ شاہ جی۔ سدھ سُر کا سرا تو آج ہتھ آیا ہے۔ پہلے تو بےسُری تھی۔

نہ چار ضلعوں کے لوگ سودائی ہیں جو تیرے گیت سن کے سر دھنتے ہیں۔ بےسُرا کہتی ہے خود کو۔

جب سِرا ہی ہاتھ میں نہ ہو تو بندہ بے سُرا ہی ہوتا ہے۔ سِرے بن سُر کی سمجھ کدھر آتی ہے شاہ جی۔

کونسا سِرا ہاتھ آ گیا تیرے؟

اپنی اندر کی الجھی ہوئی ڈور کا۔

کدھر تھا وہ؟

انا کے گچھے میں الجھا ہوا تھا۔

میں، میں کی چکا چوند سے سہا ہوا تھا۔

تیری چکا چوند نقلی نہیں ہے۔ اصلی ہے۔ جا مڑ جا۔ راج کر۔

چل اٹھ، بھاگ جا۔

نہ شاہ جی۔ جتنا بھاگنا تھا، بھاگ لیا۔ سارے رستے دیکھ لیے۔ ہوں تو ابھاگی مگر بھاگی بہت ہوں۔ اب تو بیٹھ گئی ہوں۔

کھڑی ہو جا۔

نا شاہ جی، میں نے نہیں جانا اب۔

اوئے اسے سمجھاؤ۔ بتاؤ اسے کہ یہ رقص کرتی ہے تو وقت کا تمبو تان دیتی ہے۔ شام سے سویر تک کی اک اک ساعت کی لڑیاں پرو دیتی ہے۔ وقت اس کے حُسن پہ راگنی کی تان بن کے شامیانے کے کھونٹوں سے بندھ جاتا ہے۔ سماں رسیوں سے باندھ دیتی ہے یہ۔ سننے والوں کو دیگ میں رکھ کے بھٹی پہ چڑھا دیتی ہے۔ زمانہ سر دھنتا ہے۔ ادھر کیا ملے گا اسے۔ اٹھا لو اسے۔ لے جاؤ اپنے ساتھ۔ وہ سازندوں کو کہتے۔

سازندے بٹر بٹر اپنی رقاصہ کو تکتے۔

جا چلی جا۔ کیوں اپنا آپ میلا کرنے ادھر آ بیٹھی ہے۔ دیکھ اپنا سبک اجلا پن، شہزادیوں والے ہاتھ دیکھ، پیر دیکھ۔ تو ہیرے کی کنی کی کاٹ سے بنی ہے۔ ادھر آ کے کیوں مٹی میں رہنا ہے، جا۔

نہ جی،

ہیرے کی کنی نے تو اب کاٹا ہے۔

اس کاٹ سے تو آئی ہوں۔ پوری رات اس نے مجھے چیرا ہے۔ جسم میرا ادھیڑ دیا ہے ساری روح میری چھیل کے رکھ دی ہے۔ ایک رات میں اپنا آپ نظر آ گیا ہے۔ اب تو دھلے بغیر نہیں ہلوں گی۔ اپنا میلا پن دیکھ کے ہی دھوبی گھاٹ کی بھٹی پہ چڑھنے آئی ہوں۔ سارا میل اتروا کے اتروں گی۔

نہیں جاؤں گی۔

تین دن تک یہی بحث ہوتی رہی۔

اتر جا۔ میل نہیں اترا کرتا۔ بس اسکا شعور ہی کافی ہے۔

ادھر سب میلے لوگ ہیں۔ اجلی ذات صرف اس کی ہے۔

اسی کا پتہ پوچھنے آئی ہوں۔

شاہ جی کو زیادہ غصہ آتا تو اٹھ کے اسے دھکا دے دیتے۔

وہ جاتی، تھوڑی دیر بعد پھر آ جاتی۔

اچھا پھر نہیں جانا، آخر شاہ جی بولے۔

نہیں جی۔

اتار دے اپنے زیور سارے۔

اس نے کھینچ کھینچ کر اپنے سارے ہار، گلوبند، جھمکے، ٹیکے، مندریاں، چوڑیاں اتار دیں۔ جیسے وہ ٹھوئیں ہوں، ڈنگ مار رہے ہوں، اسے چبھ رہے ہوں۔ تھڑے پہ زیوروں کا ڈھیر لگ گیا۔

شاہ جی پھر بولے دے دے یہ سارے ان سازندوں کو۔

صاحباں نے مٹھیاں بھر بھر کے وہ سارے زیور ان میں بانٹ دیئے۔

سازندے شادی مرگ کی سی کیفیت میں کبھی صاحباں، کبھی شاہ جی اور کبھی

سونے چاندی کے زیوروں کو دیکھتے جائیں۔ ان کے چہروں سے لگ رہا تھا، جیسے ان کے ذہن ماؤف ہو چکے ہیں۔

زیور سارے اتر گئے، تو شاہ جی نے لنگر کی دیگ پکاتے نائی کو آواز دی۔ آ جا بھئی اپنی تھیلی لے کر۔

صاحباں،
ابھی بھی وقت ہے،
مڑ جا۔
شاہ جی مڑ کے صاحباں سے بولے۔
دیکھ اپنے سوہنے لمبے بال،
کس طرح مٹی میں رُل رہے ہیں۔
پراندہ تیرا سچی تاروں والا تیرے پیروں میں پڑا ہے۔
کپڑوں کا کیا حال ہو گیا ہے۔
جا اٹھ جا۔
چلی جا اپنے پرستان میں واپس۔
جا مڑ جا اپنی راجدھانی میں۔
راج کر۔

نہ بابا، راج سنگھاٹ میرا سراب تھا۔
پیاس سے تڑپا کے کوئی سمجھا گیا ہے۔
ایک رات میں گتھی سلجھ گئی ہے۔
سارے مغالطے نکل گئے ہیں۔
اپنی اندھی بے منزل رات زندگی کی صبح دیکھ کی ادھر پلٹی ہوں۔ مجھے نہ موڑ واپس اندھیرے میں۔
ایک رات میں تیرے ساتھ ہوا کیا ہے؟

کس نے تیری کایا پلٹ دی۔

شاہ جی شرارت سے مسکرا کے پوچھنے لگے۔

یہ آپ پوچھ رہے ہیں شاہ جی۔ کایا پلٹ بابا۔

لے چار ضلعوں کی پری کا شیش محل کرچی کرچی ہو جائے اور میں نہ پوچھوں اب بھی، مڑ جا۔

ٹوٹے شیشوں کی کرچیوں پہ اب نہ نچا بابا۔

باتیں نہ کر چلی جا۔

نہیں بابا، ہُن نئیں ویلا جان دا۔

اچھا بھئی، کھول لے اپنی تھیلی۔ نکال لے استرا۔ شاہ جی نائی سے بولے۔

نائی استرا نکال کے اسے پتھر کی بٹ پہ رگڑنے لگا۔ ڈیرے پہ بیٹھے سب لوگوں کے پیروں کے نیچے زمین ہلنے لگی۔ ان کے دل و دماغ میں زلزلے آ گئے۔

ہیں یہ کیا ہونے والا ہے۔

کئی مریدوں کے دل میں ابال اٹھ رہے تھے کہ صاحباں کو اٹھا کے بھاگ جائیں۔ اور ساری عمر اس کے لمبے سوہنے بالوں کے واری نیاری ہوتے رہیں۔ نائی نے استرے کی دھار تیز کر کے ہتھیلی پہ رگڑی اور انگلی سے اسے چھو کے دیکھا۔

صاحباں نے نائی کے آگے سر جھکا دیا۔

نائی نے چلّو میں پانی لے کر صاحباں کے بالوں کی لکیر کو گیلا کیا اور استرے کا پھل اپنی بائیں ہتھیلی پہ دونوں طرف سے تھپ تھپ مار کے استرا اٹھا کے صاحباں کے ماتھے کے اوپر بالوں کی کنی پہ رکھ دیا۔

شاہ جی پھر تڑپ کے بولے۔

اوئے ٹھہر جا۔ رک جا۔

نائی کا ہاتھ پہلے ہی کانپ رہا تھا۔ اسے بیٹھے بیٹھے ہی سانس چڑھ گیا۔

وہ استرا پھر بند کر کے تھیلی میں ڈالنے لگا۔

صاحباں اب بھی سوچ لے۔ من جا۔ نہ کر ضد۔
نہیں بابا، ضد نہیں کر رہی، ضد ہی تو چھوڑی ہے۔
تو مڑ جا۔
اتنے عرصے بعد تو مُڑی ہوں۔ اب واپس کیسے مڑوں۔
پھر صاحباں نائی سے مخاطب ہوئی،
نکال استرا اور جلدی کر،
کیوں مجھے دوراہے پہ بٹھا کے ذبح کر رہے ہو،
پوری رات بوٹی بوٹی ہو کے ادھر آئی ہوں۔
پھیرو استرا۔ اور کردو میری راہ آسان۔
ساری عمر انہی بالوں کو سنوارتے گزاری ہے۔ اپنے ہی عشق میں ساری حیاتی مرتی آئی ہوں۔ اب پھیر دے ان پہ چھری۔ مجھے گزر جانے دے اس منزل سے۔
اچھا بھئی۔ یہ نہیں مانتی۔ تو پھر پھیر دو استرا۔
نائی نے گیلا ہاتھ ماتھے کے اوپر بالوں پہ لگایا۔ اور استرا چلا دیا۔ ایک دو لمحوں میں صاحباں کا ڈیڑھ گز لمبا پراندہ سر کے سارے بالوں سمیت کچے چبوترے سے نیچے گر گیا۔
شاہ جی اٹھے،
اپنے سر سے رومال اتارا اور لے جا کے صاحباں کے سر پہ باندھ دیا، اپنے کندھے کی چادر ہاتھ میں لیکر درمیان سے پھاڑی اور لا کے اسے صاحباں کے گلے میں ڈال دیا۔ پھر صاحباں کو کندھے سے پکڑ کے پیار سے اٹھایا، سر پہ ہاتھ پھیرا۔ ماتھا چوما۔ وہ رو پڑی۔ خود بھی روئے، پھر اسکے آنسو پونچھے۔ اور بولے چل پُتر، میری بیٹی چل کے بیٹھ جا لنگر پر۔ چار اینٹوں کی چوکی بنائی، اپنی بوری تہہ کر کے اس پہ رکھی، اور بازو سے پکڑ کے صاحباں کو ادھر بٹھا دیا۔
ہاتھ میں ڈوئی دے دی۔

تو لنگر میں اپنا حصہ پوچھ رہی تھی نا۔

پورا لنگر ہی تیرے ہاتھ میں ہے اب۔

ساری عمر وہ لنگر پکاتی اور برتاتی رہی۔ ساری زندگی میں اس نے ایک بار صرف شاہ جی سے گلہ کیا تھا۔ کہ بابا میں نے تو دل لگی میں پوچھا تھا۔ تو نے سچ مچ دیگ پہ بٹھا دیا۔

شاہ جی بولے تھے،

صاحباں!

نہ تیری دل لگی تیرے بس میں تھی،

نہ میری یہ آرزو کہ تیرے سنورے ہاتھ سے ادھر لنگ چلے۔

لمحے لمحے کا نصیب ہوتا ہے۔

سمے سمے کی بات ہوتی ہے۔

زیادہ سوچا نہ کر ہمارے اختیار میں صرف مغالطے ہیں۔

کھیڈ ساری اس نے اپنے ہاتھ میں لی ہوئی ہے۔

نصیب تیرا کبھی بھی سویا نہیں تھا۔

تُو تو وہ کھلاڑی ہے صاحباں کہ جس میدان میں بھی کھیلی، جیتی۔ اس نے تمہیں تو ادھر بھی ہارنے نہیں دیا۔ بس ایک بار تو نے اس کے نام کے لنگر کی بات کی۔ اس نے میرے منہ میں اپنے بول ڈال دیے۔

میرا کیا قصور ہے۔

اسی کی لاڈلی ہے تو، وہی تجھے ہمیشہ جتاتا آیا ہے۔ تو نے میں میں کے کھیل میں، ''میں'' ہی ہار دی تو وہ کیوں نہ تیرے ہاتھ میں اپنی ڈوئی دیتا۔

اب موجیں کر۔

آئی کچھ بات سمجھ میں۔

تم مجھے سمجھائے جاتی ہو، مڑ جا۔

میں نے کدھر جانا ہے۔ یہ مان کیوں نہیں لیتی۔

بابا سوڈی شاہ بھی نہیں مانتا تھا۔

مرتے سمے بھی اڑی کر گیا۔ مرنے سے پہلے ڈیرے پہ کہہ دیا۔ میرا گرو سائیں بگو شاہ ہے۔ اس سے میرا جنازہ پڑھوانا۔ مر گیا، گرو اس کا نہ ملا۔ لوگوں نے ناچار جنازہ پڑھایا۔ دفنانے لگے تو قبر میں نہ اترے۔ جو قبر کھودیں، وہ چھوٹی ہو جائے، میت پھیل جائے۔ تین دن یہ سلسلہ ہوتا رہا۔ لوگ سہم گئے۔ پھر ساتھ والے گاؤں ماؤ میووال سے ایک شخص آیا۔ اس نے میت کو سلام کیا اور پاس بیٹھ کر بولا،

شاہ جی، آپ کے گرو کہیں دور گئے ہیں۔ میں ان کا وہ یار ہوں جسے اپنے مصلّے پہ وہ ساتھ کھڑا کرتے ہیں۔ ان کے کہیں جانے کا بھید نہ پوچھیں۔

انہیں آنے میں وقت لگے گا۔ میں وعدہ کرتا ہوں، انہی سے جنازہ پڑھوادوں گا۔ ابھی اڑی چھوڑیں۔ آپ تو چلے گئے ہیں۔ پیچھے والوں کا ہی کچھ خیال کریں۔ یہی آپ کی جگہ ہے۔ سما جائیں۔ یہ کہہ کے اس نے میت سامنے رکھی خود امامت کی اور جنازہ پڑھا کے میت اپنے ہاتھوں سے لحد میں اتار دی۔ پھر کچھ دنوں بعد اپنے وعدے کے مطابق شاہ جی کے گرو سے غائبانہ نماز جنازہ بھی پڑھوادی۔

پتہ ہے شاہ جی کو لحد میں اتارنے والا کون تھا؟

وہ میرا دادا تھا۔

تمہیں پوری بات سمجھ نہیں آئے گی، جب تک تم اِن کی روداد نہ سن لو۔ ان کا نام تو کچھ اور تھا مگر میں یہاں انہیں ابوالفضل کہوں گا۔ اس میں بھی اک راز ہے۔ تم جی بھر کے سوال کرنا۔

تمہارے سوالوں کا جواب ہی تو لکھ رہا ہوں۔

□

ماؤ میووال

ماؤ میووال نام تھا، ان کے گاؤں کا۔ دوطرف دریا کا گھیر تھا۔ بیچ اونچے ٹبے پہ گاؤں کھڑا تھا۔ سیانے کہتے ہیں یہ کئی بار اجڑا ہے۔ کئی بار بسا ہے۔ بات ماننے والی تھی۔ نئی دیوار بناتے جب بھی کوئی بنیاد کے لیے زمین کھودتا، اندر سے پرانے وقتوں کی کوئی نہ کوئی چیز نکل آتی۔ کہیں سے برتن نکل آتے۔ مٹی کے لوٹے، کنالیاں، پیالے اور بچوں کے کھیلنے کے لگو گھوڑے۔ پیتل تانبے کے برتن بھی بہتیروں کو ملے۔ بڑے بڑے نقش ونگار سے بھرے گلاس، صراحیاں، بلٹویاں۔ کچھ کو پرانے زمانوں کے تانبے، چاندی اور سونے کے سکے بھی ملے۔ جس کسی کے ہاتھ سونے چاندی کی کوئی چیز لگتی وہ چپکا بیٹھا رہتا۔ اور کھودائی کرتا جاتا۔ جو جو ہاتھ لگتا چوری چوری آدھی رات کے بعد بھٹی جلا کے پگھلا لیتا۔ مدعا غائب کر دیتا۔ سونے چاندی کے سکوں کی باتیں وہاں بہت مشہور تھیں، مگر لگتا ہے ان میں سچائی کم ہے۔ ایسا ہوتا تو وہاں کچھ لوگوں کے تو دن پھرے ہوئے ہوتے۔ مگر وہاں تو سب گھروں میں ایک جیسی مفلسی تھی۔ ایک دو کمروں سے بڑا گاؤں میں کوئی کوئی گھر تھا۔ گھر بھی زیادہ تر کچے تھے۔ دو چار گھروں نے دکھاوے کے لیے باہر گھر کے کمروں کے پکی اینٹیں چنی تھیں۔ اندر سے سبھی گارے مٹی اور توڑی سے بنے ہوئے تھے۔ اور ہوئے تو ایک دو اناج کے بڑولے ہو گئے۔ اناج اندر ہو نہ ہو، بڑولے وہاں ہر گھر میں تھے۔ چار چھ

چار پائیاں۔ اپنے اپنے گھروں کے جیوں کے مطابق۔ چار پائیاں بھی عموماً موٹے بان کی ہوتیں۔ کسی کے گھر کسی کی نئی بہو سوتلی کا پلنگ لے آتی جہیز میں تو سارے گاؤں میں خبر پھیل جاتی۔ گاؤں والیاں آنے بہانے اس گھر میں آ جاتیں۔ کوئی ایک گلاس شکر لینے پہنچ جاتی۔ اور کوئی بہانہ نہ ہوتا تو نئی دلہن دیکھنے کا خود سے اک بہانہ تھا۔ مگر اس بہانے جانے والیوں کو دلہن کے ہاتھ پہ رکھنے کے لیے کچھ نہ کچھ تو لیجانا پڑتا۔

پیسے دھیلے کی تو وہاں فروانی تھی نہیں۔

کسی کسی زنانی نے چاندی کا سالم روپیہ اپنے ہاتھ پہ رکھ کے دیکھا تھا۔ انگریزی پونڈ، نوٹوں اور روپیوں کی باتیں ہونے لگتیں تو گاؤں والیاں، کام روک کے وہ باتیں سنتی جاتیں۔ سارا کاروبار انکا آنہ، ٹکا، دھیلے اور پیسے سے جاری تھا۔ سودا سلف وہ ادھار میں ہی لیتیں، یا یوں کرتیں کہ کپڑا لینے گئی کوئی بنیئے کی دکان پہ تو دو پیالی گھی یا تین گلاس شکر ساتھ لے گئی۔ یہ بھی گھر میں چیزیں نہ ہوئیں تو دو ہانڈیاں بھر کے آٹا گٹھڑی میں ڈال لیا۔ کپڑا وہاں کونسا طرح طرح کا تھا۔ ایک دو قسموں کے کپڑے گاؤں کی ہٹی پہ ہوتے۔

موٹا لٹھا یا موٹی کھدر۔

ساٹن، شنیل اور دوسرے ریشمی کپڑے تو صرف شادی بیاہ کے لیے ہوتے۔ ورنہ وہی لٹھا، کھدر سب پہنتے رہتے۔ رنگ بھی انکے ایک دو ہی ملتے تھے۔ باقی رنگ وہ خود اپنی شوقینی میں گھر میں کڑاھا پانی کا ابال کے ڈال لیتیں۔ اپنی چنی یا قمیض رنگ لیتیں۔ چٹکی رنگ بھی مرضی کا دکان سے ایک جھولی بھری مونٹھوں یا چھلیوں سے مل جاتا۔ چھلیاں بھون بھون کھانے کا ہر ایک کو سواد تھا۔ پھر چھلیاں کھاتے سمے کوئی سوتلی کے نواری پلنگ پہ بیٹھ جائے تو کیا ہی بات ہے۔ بس سنا کہیں، کسی نئی دلہن کے جہیز میں آئے سوتلی کے پلنگ کا تو چل پڑیں کہ چلو چل کے پل بھر اس پہ بیٹھ کے دیکھیں گی۔ دلہن نے بڑے سے ساٹن کے چمکتے گھونگھٹ سے اپنا ہاتھ باہر نکال کے منہ دکھائی مانگی تو آنے والی جھٹ اپنی چنی سے بندھی گڑ کی بھیلی نکال کر اس کی ہتھیلی پہ رکھ

دیتی۔ اور دلہن وہیں گھونگٹ میں منہ ایک طرف موڑ کے گڑ کھانا شروع ہو جاتی۔ گڑ کھاتی بہو پہ ساس کی نظر پڑ جاتی تو فوراً ہی اسکے گھونگٹ میں ہاتھ ڈال کے اسکے منہ سے گڑ کی بھیلی نکال لیتی اور بڑ بڑ کرتی گڑ لیجا کر سروئی میں گڑ کے مرتبان میں ڈال آتی۔ مرتبان کونسے ان کے گھروں میں زیادہ ہوتے تھے۔ کسی میں لال دال، کسی میں ہری۔ اور کسی میں چنے۔ باقی ایک میں اچار ہوتا، ایک میں شکر ایک میں گھی۔ آٹے کے لیے عموماً بڑی بڑی چاٹیاں ہوتیں۔ یہ سب چیزیں گھر میں ہوتیں تو گھرانا خوشحال کہا جاتا۔ سب گھروں کا یہی حال تھا، کیا ہندوؤں کے گھر ہوئے، کیا سکھوں مسلمانوں کے۔ انگریز کا دور تھا، کہنے کو ملک میں سڑکیں بن گئیں تھیں۔ سکول و کالج کھل گئے تھے، نہریں کھد گئیں تھیں، ریل گاڑی بھی چل پڑی تھی۔ شہروں میں بجلی بھی چلنے لگی تھی۔ مگر دیہات میں یہ سب نہیں تھا۔ وہاں گاؤں میں سیانی عمر کی عورتیں اکٹھی ہوتیں تو کبھی کبھار شہروں کی بات چھڑ جاتی۔ وہ منہ میں انگلیاں دیے حیرت سے یہ باتیں سنتی جاتیں۔

اچھا ماسی،

ایسا دیا بن گیا ہے، کانچ کا جس میں تیل ڈالنے کی ضرورت ہی نہیں۔

حد ہوگئی۔

جلتا کیسے ہے وہ؟

ہیں۔ تیلی بھی نہیں جلانی پڑتی ماچس کی۔

ہائے میں مرجاواں،

تائی اسے بجھاتے کیسے ہیں؟

کیا پھونک مارے بغیر۔ دور ہی سے۔

توبہ توبہ۔

بوآ یہ تو جادو ہے۔ مان جا۔

گوروں کے پاس جن ہیں، ورنہ چھلیڈے ہونگے۔

رام رام۔

استغفار۔

ہے کوئی ماننے والی بات۔

چاچی میں نے سنا ہے شہروں میں گیتوں کا ڈبہ بجتا ہے۔

خود بخود سے اندر اسکے زنانیاں آ آ گاتی ہیں۔ مرد بولتے ہیں۔ کوئی ریڈیو کی بات شروع کرتی۔ تو سیانی عمر کی عورتیں ایک دم کانوں کو ہاتھ لگاتی ہوئی اٹھ جاتیں،

نا بہن، ہن شیطانی گلاں نہ کرو۔

چلو اٹھو۔

اٹھ کے انہوں نے کہاں جانا تھا۔ ایک گھر سے اٹھیں دوسرے میں جا بیٹھیں۔ گاؤں کی شاید ہی کوئی زنانی ہو جس نے پکی سڑک پہ پاؤں رکھ کے دیکھا تھا۔ تھی پکی سڑک انکے گاؤں سے سوا تین کوس دور، دریا پار، مگر ادھر انکا کام ہی کچھ نہیں تھا۔ سودا سلف ادھر ہی سے لے لیتی تھیں۔ بیمار ہوتا کوئی تو اسی گاؤں کے حکیم صاحب سے کوئی پھکی، پولٹس یا شربت مل جاتا، حکیم سے آرام نہ آتا تو کسی سادھو، سنت، فقیر یا مولوی سے دم کروالیا جاتا۔ رشتے داریاں بھی مدتوں سے انکی دریا کے اسی پار کے گراؤں میں تھیں۔ انگریز سرکار سے پہلے کے ان کے تمام آقاؤں نے کونسے ان کے لیے پل بنائے تھے۔ ڈاک بنگلے یا سڑکیں بنائی تھیں۔ ان کے لیے تو وہ گزرگاہوں کی دھول تھے۔ بس بادشاہوں کی فوجیں کبھی کبھار اِدھر سے اُدھر، اُدھر سے اِدھر گزرا کرتی تھیں۔ ہر فصل کے بعد بادشاہوں کے کارندے انکی فصل سے حصہ لینے پہنچ جاتے۔ شاید اسی لیے گاؤں کے لوگوں میں کھیتی باڑی کا بھی زیادہ رجحان نہ تھا۔ ہوتا بھی کیسے، گاؤں کی زمینوں میں کونسا نہروں کا پانی آتا تھا۔ بس جو جو زمین دریا کے ہاتھ میں آتی تھی۔ وہاں ہر سال سیلاب اترنے کے بعد بوائی ہو جاتی۔ باقی کہیں کوئی فصل بیجتا تو اس کا انحصار بارش پہ ہوتا۔ بارش ہوگئی تو فصل ہوگئی، نہ ہوئی تو نہیں ہوئی، زیادہ بارشیں

ہوگئیں تو ساری فصلیں گئیں۔ ہڑ آتا تو دریا پھیل کے گاؤں تک پہنچ جاتا۔ وہ تو چونکہ اونچے ٹبے پہ بنا ہوا تھا، اسی لیے بچا رہا۔ پھر بھی لوگوں کا خیال تھا یہ کئی بار تباہ ہوا ہے۔

اس کے تباہ ہونے کی کئی کہانیاں تھیں۔

کچھ کہتے زلزلہ آیا تھا۔ کچھ کا خیال تھا سیلاب ہی کچھ کسوترا آ گیا تھا۔ اوپر ٹبے تک چڑھ آیا تھا۔ سب ساتھ بہالے گیا۔ کہنے کو کچھ لوگ یہ بھی کہتے تھے یہ بادشاہوں کی فوجوں کا کیا دھرا ہے۔ اس خیال سے کافی لوگ متفق تھے مگر ان میں یہ طے نہ ہوسکا تھا کہ فوجیں تھی کس کی۔ کچھ کہتے بابر بادشاہ ادھر سے ہو کے لودھی پہ چڑھا تھا۔ کوئی نادر شاہ کا نام لیتے، کہ وہ اپنے راستے میں کھڑی ہر چیز گراتا جاتا تھا۔ اسی نے گرایا ہے۔ احمد شاہ ابدالی کی فوجوں کا نام بھی سننے میں آتا تھا۔ چند ایک کا تو یہ بھی خیال تھا کہ ہمایوں جب واپس چھنی ہوئی سلطنت لینے آیا تو اس گاؤں کو بھی مونڈا کرتا گیا۔

اللہ جانے کونسی کہانی سچی تھی۔

ان کہانیوں کا ایک کردار وہاں سب کو نظر آتا تھا۔

وہ ایک درگاہ تھی۔ خواجہ روشن ولی کی۔ دریا کنارے کے کھلے جنگل بیچ، گاؤں سے باہر۔ درگاہ کے متولیوں کے گاؤں میں بیس سے اوپر گھر تھے۔ انہوں نے مشہور کر رکھا تھا کہ خواجہ صاحب احمد شاہ ابدالی کی فوج کے افسر تھے۔ فوج نے دریا کنارے چھاؤنی لگائی تھی۔ وقتی پڑاؤ کیا تھا۔ چھوٹی موٹی ضرورت کی چیز لینے گاؤں آئے تھے ان کے سپاہی۔ اب اللہ جانے گاؤں کی ہٹی والوں نے انہیں سودا نہ دیا، یا ان کی مانگی ہوئی اشیاء یہاں دستیاب ہی نہ تھیں۔

اللہ جانے کیا ہوا؟

ہوا یہ کہ انہوں نے طیش میں آ کے یلغار کر دی۔

گاؤں گر گیا۔

لوگ بھاگ گئے۔

خواجہ صاحب درویش افسر تھے۔ فوج کی سپاہ جب گاؤں جلا کے لوٹی تو دکھی ہو گئے۔ اپنے خیمے سے نکل کر اس گاؤں کے ویران ٹبے پہ آ کر کلی ڈال لی۔ سپاہ میں سے کچھ خدا خوف وفادار فوجی بھی ساتھ آ کر رک گئے۔ باقی فوج کہیں آگے کوچ کر گئی خواجہ جی فوت ہو گئے تو انہیں دریا کی راہ پہ دفنا دیا۔ خود انکی درگاہ پہ بیٹھ گئے۔ اس کہانی کے اندر کی چھوٹی چھوٹی جزیات پہ البتہ اختلافی رائے تھی۔ کہ خواجہ صاحب کی کُلی اُدھر تھی یا اِدھر۔ جس وقت وہ چھاؤنی چھوڑ کے آئے انہوں نے واسکٹ پہنی ہوئی تھی۔ یا بکل ماری ہوئی تھی۔ پیروں میں ان کے کیا تھا۔ ان جزیات کے علاوہ وہاں خواجہ صاحب کی کرامتوں کے قصے بھی مشہور تھے۔ کرامتوں کا ظہور تو انکی وفات کے بعد بھی جاری تھا۔ سب سے بڑی کرامت تو یہی تھی کی خواجہ صاحب کے متولیوں کے سارے گھر خوشحال تھے۔ حالانکہ ان کے پاس نہ کوئی کھیت تھا، نہ دکان۔

زمینیں تو درگاہ کی ہی ملکیت کہی جاتی تھیں۔

مگر زمینوں کے دانے صاحب درگاہ تو نہیں کھاتے تھے۔ انہی کے پیٹ میں جاتا تھا سارا اناج۔ ساری زمینوں پہ انہی کا تصرف تھا۔ جن میں وہ اوروں سے ٹھیکے یا راہکی پہ بوائی کرواتے تھے۔ ان کی رشتے داریاں دریا پار لدھیانے اور اوپر شمال مشرق میں جلندھر شہر والوں سے بھی تھیں۔ شہر سے ان کے پروہنے آتے تو گاؤں میں رنگا رنگی ہو جاتی۔ گاؤں بھر کے بچے، بڑے، شہر کے رنگین، اجلے کپڑوں میں سنورے ہوئے لڑکے لڑکیاں دیکھنے ان کے گھروں کے آلے دوالے گھومتے پھرتے۔ آنے بہانے ان سے بات کرتے، اور کوئی بہانہ نہ ملتا کسی کو تو وہ آ کے ان سے تُو تُو میں میں شروع کر دیتا۔

تُو تُو میں میں تو دیہات میں ہوتی ہے۔ یہ دیہاتیوں کے کمیونی کیشن کا طریقہ ہے۔ سب سے پرانا طریقہ، جو اب بھی صرف بچوں میں رہ گیا ہے کہ اندر من میں جو لہر آئی فوراً جسم یا زبان سے ادا ہو گئی۔ من کے بیچوں بیچ اسے بوجھ نہ بنایا۔ یہ تو صدیوں

کے شہری تہذیبی روابط سے انسان نے سیکھا ہے کہ غصے، منافقت، محبت اور حسد کو کیسے شوگر کوٹ کر کے ایک سا مہذب تاثر دینا ہے۔ کسی کا دل نہ برا ہو بات سن کے، اس لیے آج کی مروجہ ابلاغی اقدار میں ایک یہ بھی ہے کہ دل کا بھید بات کے درمیان میں نہ آئے۔

تُو آنے دیتی ہے؟

توبہ کر

تو نے تو دل کہیوں کو مستیوں کا نام دے رکھا ہے۔

ذرا دل کا نام لوں، تیرے ماتھے پہ پسینہ آ جاتا ہے۔

میری مشکل دیکھ۔

تجھ سے ذرا سی دل کی بات کرنے کے لیے کہاں سے بات شروع کرنا پڑتی ہے۔ دیکھ میں نے کئی سو سال پیچھے سے اسٹارٹ لیا ہے۔ شاید کہیں کسی کہانی کو کہتے کہتے، اپنی کہہ لوں۔

ورنہ اپنی تُو تُو میں میں تو ہے ہی۔

اب بھی ہوتی ہے۔

اس وقت بھی ہوتی تھی۔

پھر وہاں تو کئی قومیں آباد تھیں، ہندو تھے۔ سکھ تھے۔ مسلمان تھے۔ مسلمانوں میں سید تھے۔ درگاہ کے متولیوں کے گھر تھے۔ جٹ تھے۔ ارائیں تھے۔ راجپوت تھے۔ سارے گاؤں کے گھر ملا کے ڈیڑھ دو ہزار تھے۔ پورے پنڈ میں تین قسموں کے کُھوہ تھے۔ ہر مذہب والوں کا اپنا اپنا کُھوہ تھا۔ ملنا جلنا، کھیلنا کودنا، شادی غمی پہ آنا سب کا سب سے تھا۔ مگر کچھ جگہیں مخصوص تھیں اپنے اپنے مذہب کی۔ ہندوؤں کا ایک مندر تھا۔ سکھوں کے دو گردوارے تھے،

بڑا گردوارہ دم دما صاحب کہلاتا تھا۔

کہاوت تھی کہ گرونانک صاحب سرکار نے دریا کنارے ایک جگہ بیٹھ کے درگاہ خواجہ روشن ولی اور خانہ کعبہ کو ایک سیدھ میں کر کے کچھ عرصہ عبادت کی تھی۔ جہاں انکے بیٹھنے کی شہادت تھی وہیں دم دما صاحب بنا تھا۔ درگاہ سے مشرق میں سوڈیڑھ سوگز کی دُوری تھی۔

مسلمانوں کی تین مسجدیں تھیں۔

دو چھت والیں ایک ایسی ہی بنا چھت کے۔ بعد میں اس پہ بھی چھپر ڈل گیا تھا۔

پانچ چھ ہٹیاں تھیں۔

شاید ایک ہٹی کسی سکھ کی تھی۔ باقی ساری ہندو بنیوں کی تھیں۔ سکول وہاں میلوں تک ایک بھی نہ تھا۔ دو تانگے گاؤں کے اپنے تھے۔ گڈے ریڑھے البتہ کئی تھے۔ گاؤں سے باہر دریا پار کی آمدورفت ساری کشتیوں سے تھی۔ کشتیاں چلانے والے راجپوت مسلمان تھے یا تھوڑے سے سکھ۔ ہندوؤں کی کشتیاں زیادہ تھیں۔ مگر وہ چلاتے ایک بھی نہیں تھے۔

مسلمانوں کو کرائے پہ چلانے دیتے تھے۔

برسہا برس تک ابوالفضل کا باپ ایک ہندو ساہوکار کی کشتی کرائے پہ لے کر دریا پہ چلاتا رہا۔ ابوالفضل اسکا بڑا بیٹا تھا۔ نو سال کا ہوا تو اس کے باپ نے اپنی جمع پونجی اکھٹی کر کے اپنی ذاتی ایک کشتی خرید لی۔ ان کے گھر میں خوشیوں کا طوفان آ گیا۔ ان کے لیے وہی بڑی جاگیر تھی۔ باپ دادا کی زمین دریا برد ہو گئی تھی۔

دریا کا پاٹ ان کے ہاتھوں کی نصیب ریکھا تھی۔

دریا چلتے چلتے راہ بدل لیتا تھا۔

زمین کے قریب آ جاتا تو فصل بڑھ جاتی۔

دور ہٹ جاتا تو ساری زمین پہ رتیلے ٹیلے ابھر آتے۔

کوئی موڑ کاٹ کے زمین کے اوپر چڑھ آتا، تو زمین کا نام ونشان مٹ جاتا۔

ایک رات میں بندہ لکھ سے ککھ ہو جاتا۔ ابوالفضل کے باپ گھر کا بھی کچھ نہ بچا تھا۔ نہ زمین نہ زمینداری۔ بس رہنے کو دو کمرے کا گھر تھا۔ اس میں بھی ایک کمرہ ڈھور ڈنگروں کے لیے تھا۔ ابوالفضل اپنے باپ کے ساتھ دریا میں کشتی کھینچا کرتا تھا۔ لمبے سے اک بانس کو دریا کی تہہ میں دبا دبا کے بیڑی کو چلایا جاتا تھا۔ بڑے زور کا کام تھا۔ جو جو وہ کام کرتا اسکے بازوؤں کی مچھلیاں خوب سخت ہو جاتیں۔ کھانا پینا سب کا معمولی تھا، اوپر سے بیماریاں، وبائیں، چوٹیں۔ دیکھنے میں لوگ زیادہ تر سوکھے سوکھے ہی تھے۔ ایک دھوتی اوپر بنیان، دھوتی بھی گھٹنوں سے اوپر۔ نیچے تپلی تپلی سوکھی بانس ٹانگیں۔ ابوالفضل کے باپ نے اپنی کشتی خریدی تو خوشی کے مارے بچوں پہ خود بخود سے گوشت چڑھنے لگا۔ چہرے دمک گئے۔ پچکے گال بھرنے لگے۔ مگر ان کی خوشیاں زیادہ دیر تک قائم نہ رہیں۔

وہ دکھی دور کا دکھی گاؤں تھا۔

لوگوں میں ہر چیز کی برداشت تھی۔ مگر دوسرے کی خوشیوں کی نہیں۔ زیادہ دن نہیں گزرے تھے کہ کسی نے انکی کشتی کے پیندے میں سوراخ کر دیا۔

پیندے میں سوراخ تو ہر فرعون عہد میں ہوتے آئے ہیں۔ سوراخ ہوتے سمے یہ تھوڑی پتہ ہوتا ہے کہ اس میں خیر ہے یا شر۔ یہ بھید تو بعد میں کھلتے ہیں۔

کشتی میں سوراخ کر دیا گیا۔

اوپر سے دریا میں ہڑ آ گیا۔

اب تم سوچ لو۔

کہ جب دریا میں تغیانی آ جائے اور کشتی کے پیندے میں سوراخ بھی ہو۔ تو کیا ہوتا ہے۔

تم نے دریا صرف گاڑی کی کھڑکی سے پل سے گزرتے ہی دیکھے ہوں گے۔ تمہیں کیا پتہ دریا پار کرنے اور کرانے والوں پہ اس وقت کیا گزرتی ہے۔ جب دریا

اچھلا ہوا ہو۔ اوپر سے مینہ نہ رک رہا ہو۔ چاروں طرف پانی ہی پانی ہو۔ اور بندہ جس کشتی پر بیٹھا ہو، اس میں بھی سوراخ ہو جائے۔

کیوں سوہنی؟

بولونا۔

تمہیں اپنی سوہنی ہونے پہ تو کوئی شک نہیں ہونا چاہئے۔ تم ہو ہی ازل سے سوہنی۔ بس مجھے ہی مہینوال نہیں مانتی۔ تمہیں کیا پتہ میں تو کئی پشتوں سے کچے گھڑے پہ ہوں۔ ابھی پار لگنے کا سمے آیا، کنارے کے قریب پہنچا تو تم ہاتھ دینے سے ہچکچا رہی ہو۔

□

روپڑ

تم ٹھیک کہتی ہو، ڈوبنا مقدر میں لکھا ہو تو کنارے نہیں بچاتے۔

اس کی کشتی کنارے پہ بندھی تھی۔ مگر جب دریا ہی بے کنار ہو گیا تو ڈوب گئی۔ وہ خود وہاں موجود تھا، اس کے پیروں کے نیچے سے کشتی نکلی تھی۔ رات کا وقت تھا، اوپر نیچے دونوں طرف پانی ہی پانی تھا۔ تیز بارش، پھیلتا ہوا دریا، اونچی شور کرتی غصے سے بھری لہریں کنارے کو روندنے آ گئیں۔ روندتی گئیں اس نے رسہ لے کر کشتی ایک درخت سے باندھ دی، خود پیڑ کے اوپر چڑھ گیا۔ اس کی کشتی پانی کی موجوں میں کاغذ کی دھاگے سے بندھی ناؤ کی طرح کچھ دیر تڑپی، پھڑ پھڑائی پھر ڈوب گئی۔ صبح ہونے تک درخت بھی گر گیا۔ اور وہ تھکا، ٹوٹا، ہارا ہوا تیرتا گاؤں آ گیا۔

وقت پھر بھی گزرتا گیا۔

کچھ عرصے بعد گاؤں سے پرے ایک قریبی قصبے کے پاس دریا کے اوپر پل بننا شروع ہو گیا۔ کشتی والوں نے وہاں سے ہجرت شروع کر دی۔ ابوالفضل کے دو مامے بھی اسی گاؤں میں تھے۔ ان کی اپنی کشتی تھی۔ انہوں نے سنا کہ اوپر بہاؤ کے الٹ کوئی چالیس کوس پہ دریا سے ایک بڑی نہر نکل رہی ہے۔ انگریز وہاں ہیڈ بنا رہے ہیں۔ ادھر بڑی مزدوری ہے۔

اس جگہ کا نام روپڑ تھا۔

نکلنے والی نہر کو سرہند نہر کا نام دیا گیا تھا۔

وہ چل پڑے ادھر۔

کشتی میں دو کھیس رکھے، ایک ہانڈی، ایک توا، اوپر کشتی میں کھجور کے پتوں کی صف لیکر باندھ لی۔ کشتی کے اندر ہی گھر بنالیا۔ چلتے ہوئے ابوالفضل کو بھی ساتھ لے لیا۔ وہ اس وقت پندرہ سولہ سال کا ہو گیا تھا۔ تھا تو پتلا سا کمزور، مگر قد کاٹھ نکال لیا تھا۔ ماموں نے سوچا یہ اینٹ روڑے اٹھانے کے قابل ہے۔ لے گئے ساتھ مزدوری پہ۔ ادھر گاؤں میں مزدوری تو تھی نہیں۔ قریبی قصبے میں ڈیڑھ آنہ روز کا ملتا تھا۔ ماموں بولے روپڑ پہ سنا ہے انگریز ڈھائی آنے روز کے دیتا ہے۔ ابوالفضل خوشی خوشی چلا گیا۔

پہنچ گئے روپڑ۔

وہاں بے شمار لوگ مزدوری پہ جُتے تھے، یہ بھی جُت گئے۔ بیڑی ان کے پاس تھی، اس میں پتھر ڈھو ڈھو کے لاتے، بیڑی کی وجہ سے انہیں دوسروں سے دو پیسے زیادہ مزدوری مل جاتی۔ دن بھر کام کرتے رات کو بیڑی کنارے لگا کے اسی میں سو جاتے۔ آٹا، دال نمک مرچ رکھا ہوا تھا۔ توا ساتھ لے گئے تھے۔ روٹی پکاتے، کھاتے اور سو جاتے۔ جو روز کے ڈھائی آنے ملتے، اسے ایک سانپ جیسی لمبی سی کپڑے کی تھیلی میں ڈالتے جاتے۔ اس تھیلی کو بانسری کہا جاتا تھا۔ ہر ایک کی بانسری اس کی کمر پہ دھوتی کے لڑوں کے نیچے بندھی ہوتی، اوپر بنیان کھینچ کے نیچے کر لیتے۔ بانسری چھپی رہتی۔

ابوالفضل کی بانسری لیکن اس کے ماموں کی نظر سے نہ چھپی۔

گرمیاں گزر گئیں۔

جاڑے کا موسم آ گیا۔

کام رک گیا۔

ماموں کا مزاج بھی بدل گیا۔ تھوڑا بہت جو کام ملتا اس کے پیسے کم ملتے۔ دونوں

مامے ہر شام کو ابوالفضل کی بانسری کی بات چھیڑ دیتے۔ لاؤ دیکھیں۔ اتار کمر سے کتنے پیسے ہوگئے تیرے پاس۔ روز گنتے۔ آٹھ دس روپے تو ہو گئے۔ جتنی دیر وہ گنتے رہتے ،ابوالفضل بانسری کا کونا پکڑے کھڑا رہتا۔ اسے بھی ان کی بگڑی نیتوں کا شک ہو گیا۔ ایک دن تو وہ صاف بول پڑے۔ میاں لے کے تمہیں ہم آئے ہیں۔ کام دلوایا ہے۔ جتنے پیسے کمائے ہیں ہمارے حوالے کرو۔

''کیوں جی میں نے کام کیا ہے۔''

''یہاں روٹی نہیں کھاتے۔ وہ غصے میں آ گئے۔''

اس کا خرچا روز دیتا ہوں، پھر آپ دونوں کی ہانڈی روٹی پکا کے دیتا ہوں۔ یہ بھی بحث کرنے لگا۔ وہ دھکم پیل پہ اتر آئے، بڑا کام جتاتا ہے۔ یہاں ہماری کشتی پہ رہتے نہیں؟ مفت میں۔ مانگا بھاڑا، ہم نے۔

''لا بھاڑا مفت خور۔''

''نہیں دیتا۔''

''چل نکل یہاں ہماری کشتی سے۔''

بڑے مامے نے بازو پکڑ کے کشتی سے اتار دیا۔ چھوٹے نے کشتی کے اندر سے اس کا کھیس اور کندھے کا کپڑا اٹھا کے باہر پھینکا۔ پھر وہ دونوں اتر کے اسے دھکے مارنے لگے۔ چل دفع ہو جا۔ ہمیں اپنی شکل نہ دکھانا۔ جدھر مرضی جا مر۔ خود ہی ڈاکو تمہاری ٹانگیں توڑ کے بانسری چھین لیں گے۔ ورنہ جنگل کے بھیڑیے تمہیں کھائیں گے۔

ابوالفضل جنگل میں دریا کے کنارے کسی درخت کے نیچے جا رہا۔ کھیس تھا، اسی کو لپیٹ کے سردی میں پڑا رہتا۔ دن کو مزدوری ڈھونڈ لیتا۔ تھوڑا سا آٹا، نمک اور مرچیں خرید کے چادر میں باندھ لیں۔ چادر کے ایک کونے میں دریا کے پانی سے چلو بھر پانی لیکر دو روٹی جتنا آٹا گوندھ لیتا۔ اور کسی کے تنور سے پکوا کے دھیلی کی دال سے کھا لیتا۔ اور بھی بہتیرے اس جیسے مزدور تھے۔ انہی سے ایک دن اسے پتہ چلا کہ روپڑ

ہیڈ پہ ایک بیلدار کی جگہ خالی ہے۔

دو دن بعد بھرتی ہو گی۔

وقت مقررہ پہ یہ بھی پہنچ گیا۔

کوئی دو ڈھائی سو لوگ آئے، جمع ہو گئے۔ انگریز افسر نے آ کے بھرتی کرنا تھی۔ سب اس کے انتظار میں گردنیں موڑ موڑ کے راہ کو تک رہے تھے۔ وہاں ہیڈ کا اوورسیر ہجوم کے بیچ کرسی جما کے بیٹھا ہوا تھا۔ لوگ جا جا اس کو سلام کرتے۔ اس کے گرد سب دائرہ بنا کے کھڑے تھے۔ بھرتی کے امیدوار لڑکوں کے ساتھ ان کے بڑے بوڑھے بھی تھے۔ ہر کوئی اپنے اپنے لڑکے کے کندھوں پہ تھپکیاں دے رہا تھا۔ لڑکے کن انکھیوں سے دوسرے لڑکوں کے قد کاٹھ اور ان کے بازوؤں کی مچھلیاں تکتے تھے۔ کچھ لوگ اس کا چہرہ بھی دیکھ لیتے جیسے پہچان رہے ہوں، یہ ہے کون۔ قد کاٹھ کا یہ اچھا تھا۔ بازو پتھر کی طرح مضبوط تھے۔ اس سے کسی کی نظر ملتی تو یہ بڑی لاچاری اور عاجزی سے مسکرانے لگتا۔ ہجوم سے پرے درختوں کے جھنڈ میں گھاس کے ایک تختے پہ ایک گھوڑی چرتی پھر رہی تھی۔

بڑی صحت مند، سوہنی سفید گھوڑی تھی۔

ابوالفضل اتنے مہینوں سے ہیڈ پہ مزدوری کر رہا تھا۔ اسے علم تھا یہ گھوڑی اسی اوورسیئر کی ہے۔ جو ہر امیدوار کی نگہ میں اس کا ہونے والا مجاز افسر تھا۔ اور سارے لوگ اس کے گرد دائرہ بنا کے کھڑے اسے خوف اور احترام سے تکے جا رہے ہیں۔ ابوالفضل کا تو وہاں کوئی والی وارث ہی نہیں تھا، سفارش اس کی کیا ہونی تھی۔ اس نے سوچا چلو اس گھوڑی کو ہی اپنی سفارش بناتا ہوں۔ کندھے سے اپنا پٹکا اتارا اور جا کر گھوڑی کے جسم کی مالش شروع کر دی۔ جس طرح لوگ اس زمانے میں انگریز کے بوٹ چمکاتے تھے، اس نے گھوڑی کو چمکا دیا۔ اسے جی بھر کے چارا کھلایا۔ اس کی گردن اور تھوتھنی پر پیار کیا۔ اس کے بالوں میں انگلیوں سے کنگھی کی۔

دو گھنٹوں میں گھوڑی بھی اس کے ہاتھوں میں اپنے گال رگڑنے لگی۔

ایک دو بار اوورسیئر بھی چلتا ادھر سے گزرتا دیکھ گیا۔

شام پڑ گئی۔

انگریز افسر شہر سے نہیں آیا۔ لوگ پلٹنے لگے۔ اوورسیئر بھی اٹھ کے گھوڑی کے پاس آ گیا۔ ابوالفضل اسی طرح گھوڑی کی کمر رگڑ رہا تھا۔ اوورسیئر آیا تو اس نے سلام کر دیا اور پیچھے ہٹ گیا۔ اورسیئر مسلمان تھا، چوہدری نعمت اللہ۔ اس نے سلام کا جواب بھی دیا اور مسکرا کے اسے دیکھ کے نظروں نظروں میں شاباش دی۔

اگلے دن پھر ہجوم پہنچ گیا۔

انگریز بھی آ گیا۔

ساتھ میم صاحب بھی تھیں۔ دونوں بگھی پہ بیٹھ کے آئے۔ ان کی سواری دیکھ کے ہی ہجوم میں ہل چل مچ گئی۔ وہ سواری سے اترے تو ہر کوئی دھکم پیل کرتا، گردن اونچی کیے سہمی ہوئی پر اشتیاق نظروں سے صاحب اور میم صاحب کو دیکھنے لگا۔ انہیں دیکھ کر ہر چہرے پر ایسا سکھ آ جاتا جیسے اسے نوکری مل گئی ہو۔ صاحب بہادر نے اورسیئر سے انگریزی میں کوئی بات کی۔ اورسیئر نے مودب ہو کے سر جھکایا اور پھر ہجوم سے مخاطب ہوا۔

سنو۔

بیلدار کی ایک اسامی ہے۔

ہے پکی نوکری، تنخواہ ساڑے پانچ روپے ماہوار ہوگی،

ساتھ کوارٹر بھی ملے گا۔ اس بنگلے پہ۔

اس کی بات سن کر ہجوم میں کھڑے ہر چہرے پہ بشاشت پھیل گئی۔ مکھیوں کی بھنبھناہٹ کی طرح ایک شور اٹھا۔ اورسیئر نے پھر اپنے کارندوں سے کچھ کہا۔ وہ سوٹیاں ہاتھ میں لیے ہجوم پہ لپکے۔

قطار بناؤ۔

فالتو بندے پیچھے۔

قطار بن گئی۔
قمیضیں، بنیانیں اتارو۔
اتر گئیں۔
تہمندوں کو موڑ کے ہر ایک نے لنگوٹ بنالیا۔ پیروں سے جوتے اتار دیئے، جن کے پیروں میں تھے۔ ورنہ اکثریت تو ننگے پاؤں تھی۔ سب سوکھے، پتلے، ہڈیوں پسلیوں سے بھرے پیلے کالے، میلے میلے سے شرمائے مرجھائے ڈیڑھ دوسو لڑکے انگریز صاحب کے ملاحظے کے لیے تیار ہو گئے۔ صاحب اور میم صاحب دونوں قطار کے ایک کونے سے ہر امیدوار کو بغور دیکھتے ہوئے بہت آہستگی سے چلنے لگے۔ صاحب کے ہاتھ میں بید کی ایک نفیس چھڑی تھی۔ وہ چلتے ہوئے چھڑی کو اپنی برجیس کے نیچے بڑے بوٹوں کے چمڑے پہ تھوڑی تھوڑی دیر بعد بجاتے تھے۔ اس وقت پورے ماحول پہ ایک وہی آواز تھی۔ دوسری تھوڑی سی آواز ان کی میم صاحب سے آہستہ آہستہ آپس میں انگریزی باتیں کرنے کی تھی۔ یا پھر دریا کے سانس لینے کی آواز تھی۔ جب ہر سانس سے دریا اپنی لہریں کنارے پہ پھینکتا اور ذرا ہٹ کے زیرِ تعمیر سرہند نہر کے لوہے کے پھاٹک پہ پانی ٹکراتا۔ جس کسی کے سامنے صاحب بہادر اور میم صاحب پہنچتے اس کا سانس اکھڑ جاتا۔
رنگ پیلا پڑ جاتا۔
خون سارا آنکھوں میں اتر کے امید کے دیئے کی لو پھڑ پھڑاتا اور اس کے سینے میں دل پسلیوں کے اندر سے اچھلتا نظر آنے لگتا۔ صاحب ہر امیدوار کو سر سے پاؤں تک دیکھ کے تول لیتے۔ اکثر معائنہ کرتے کرتے اپنی چھڑی اس کے کندھوں کمر اور بازوؤں پہ پھیرتے جاتے۔ جس کسی کا معائنہ ہو رہا ہوتا۔ اسے پسینہ آجاتا، کالے ہونٹ نیلے ہو جاتے اور سوکھی ٹانگیں کپکپانے لگتیں۔ کسی کے جسم میں کوئی ظاہری نقص ہوتا تو صاحب کی اسٹک کے عین اسی جگہ پہ یا اس کے آس پاس، دو تین ہولے ہولے اسٹروک پڑتے۔ جیسے وہ سہلا کے کہہ رہے ہوں،

ہوں۔ یہ کیا ہے؟

کوئی ٹوٹ کے جڑی کلائی کی کسی ہڈی کے باعث ٹیڑھا ہوا بازو،

کہنی کا کوئی کھرنڈ سے ڈھکا، مکھیوں کی بھنبھناہٹ میں نظر آتا زخم،

گھٹنے پہ کسی پرانے زخم کا نشان،

گردن کی گلٹیاں،

کانوں سے بہتی رطوبت یا بہہ بہہ کے جمی ہوئی پیپ،

ناک کی چوٹ سے ٹیڑھی ہوئی ہڈی،

آنکھ کی پھنسی،

سر کے چھوٹے چھوٹے بالوں میں بال جھڑ کا کوئی سکے کی شکل کا نشان،

یا کندھوں اور گردن پہ دھوپ جلی کالی جلد میں سفید گندم کے دانوں جیسے نشان۔

زیادہ چھوٹا قد یا بہت سوکھا ہوا بدن۔

جس کسی میں ایسا کوئی نقص ہوتا،

وہ پکڑا جاتا۔

صاحب اس کے کندھے پہ اسٹک کے اسٹروک سے اسے پیچھے ہٹنے کا اشارہ کرتے اور محکمے کے کارندے فوراً اس شخص کا بازو پکڑ کے پچھلی لائن میں کھینچ لیتے۔ اور اس امیدوار کی آنکھوں کی پتلیوں میں امید کا جلتا دیا پھڑ پھڑا کے بجھ جاتا۔ ابوالفضل قطار کے آخری کونے میں کھڑا تھا۔ ٹانگیں سوکھی ہوئیں تھیں۔ سینے کی پوری پسلیاں نظر آ رہی تھیں۔ انہی کے بیچ اس کا سہما ہوا بے چین دل اچھلتا ٹکریں مارتا نظر آ رہا تھا۔

اس کے سامنے بھی صاحب پہنچ گیا۔

صاحب کی اسٹک اس کے کندھوں سے اتر کے اس کی پسلیوں کے درمیان جھولنے لگی پھر پانچویں اور چھٹی پسلی کے درمیان اس کے کھال کے نیچے سے ہر دھڑکن پہ بلبلہ بن کے ابھرتے ہوئے دل پہ صاحب کی اسٹک لگی اور اسے بھی کسی نے پکڑ کے پچھلی لائن میں دھکیل دیا۔

اس کے پیروں کے نیچے سے پھر کشتی ڈوب گئی۔

جو پچھلی قطار میں جاتا وہ اپنا تہمند سیدھا کر لیتا اور گچھی مچھی کر کے پکڑی ہوئی اپنی بنیان یا قمیض کو پکڑ کے اپنے پنڈے پہ ملتا ہوا لاچارگی میں ادھر ادھر دیکھنے لگتا۔

ابوالفضل نے اپنا لنگوٹ نہیں چھیڑا۔

کپڑے نہیں پہنے۔

معائنہ مکمل ہوا تو اگلی قطار میں چالیس پچاس لڑکے کھڑے رہ گئے۔

صاحب بہادر نے پھر اوورسیئر سے کوئی بات کی۔ اوورسیئر نے بلند آواز میں اعلان کیا۔

''اگلی قطار میں جو تیراک ہیں وہ کھڑے رہیں''

''باقی پیچھے ہٹ جائیں۔''

دس بارہ لڑکے قطار میں سے پھر ہاتھ ملتے ہوئے ہچکچاتے پیچھے ہٹ گئے۔

تیس پینتیس کھڑے رہ گئے۔ اوورسیئر کی پھر آواز آئی۔

''ابھی تیراکی کا مقابلہ ہوگا، جو اول رہے گا وہ منتخب ہوگا۔''

تیار ہو جاؤ۔

''سامنے نہر کے پار کنارے کو ہاتھ لگا کے آنا ہے۔''

اگلی قطار والے اپنے اپنے لنگوٹ درست کرنے لگے۔ اور ایک دوسرے کو چیلنج بھری نظروں سے دیکھتے ہوئے نہر کے کنارے پہ جمع ہونے لگے۔ اوورسیئر اپنے کارندوں کو انتظامی احکامات دیتا ہوا پچھلی قطار کے آگے سے گزرا تو ایکا ایکی میں ابوالفضل نے آگے بڑھ کے سلام کر دیا۔ اور بڑی لجاحت سے بولا،

صاحب میں اچھا تیراک ہوں۔ مجھے بھی مقابلے میں موقع دے دیں۔

اوورسیئر نے ابوالفضل کو پہچان لیا۔

اسے اپنی گھوڑی کا خیال آ گیا۔

ایک آدھ لمحے اس نے رک کے سوچا، پھر اس کا ہاتھ پکڑ کے انگریز صاحب کے

پاس لے گیا۔ اور بولا،

صاحب یہ کہتا ہے میں اچھا تیراک ہوں،

مجھے بھی موقع دے دیں۔

انگریز اپنی میم سے باتوں میں مصروف تھا، جلدی میں بولا او کے، کھڑا کردو۔

ابوالفضل کھڑا ہوگیا۔ اس کی ڈوبتی کشتی کا سوراخ بند ہوگیا۔

تیراکی کا مقابلہ شروع ہونے لگا، انگریز افسر اور میم صاحب تیراکوں کے پیچھے کھڑے ہوگئے۔ ان کے پیچھے سارے ہجوم کا دائرہ بن گیا۔ اوورسیئر نے سب کو الرٹ کیا۔ سب اپنے اپنے گھٹنوں پہ ہاتھ رکھ کر دوہرے ہو کے کھڑے ہوگئے۔

تین کہوں تو جمپ لگا دینا ہے۔

ایک، دو، تین۔

کھڑاپ کھڑاپ، سب نے چھلانگیں لگا دیں۔

ابوالفضل کھڑا رہا۔

وہ جان بوجھ کے کھڑا رہا کہ سب اسے نظر بھر کے دیکھ لیں۔

ہجوم میں ایک دم سے شور اٹھا۔

میم صاحب بھی چونک گئیں، اور اونچی آواز میں بولی۔

''او مین۔ گو۔ جمپ۔''

اور ابوالفضل نے تین ہاتھ اچھل کے ہوا میں ڈبل قلابازی کھاتے ہوئے پانی کی سطح کو چھری بن کے چیرا۔ اور کوئی پچاس فٹ پانی کے اندر ہی اندر مچھلی کی طرح تیرتے ہوئے ساری قطار سے آگے جا کر سر نکالا۔

پیچھے ہجوم میں شور مچ گیا۔ او گیا بھئی۔

''واہ کیا بات ہے۔''

ونڈر فُل، ویل ڈن۔ صاحب اور میم صاحب بھی محظوظ ہوگئے۔

پانی ابوالفضل کی سلطنت تھی،

اس نے نہر پار کنارے پہ پہنچ کے صرف ہاتھ نہیں لگایا آدھا کھڑا ہو کے ہاتھ اوپر کر کے ہجوم سے داد لی پھر سانپ کی طرح آدھا سینہ اوپر کیے ہوئے اپنی زندگی کی تمام تر توانائی اور قوت سے تیرتا ہوا واپسی کنارے پہ پہنچ گیا۔ جتنی دیر میں اس نے مقابلہ ختم کیا باقیوں میں سے کوئی دوسرے کنارے تک بھی نہیں پہنچا تھا۔ وہ کسی شک شبہ کے بغیر اول تھا۔

ویل ڈن۔

انگیریز افسر نے بڑھ کے اس کے گیلے کندھوں پہ اسٹک سے تھپکی دی۔ اور پھر اورسیئر کی طرف گھوم کے دیکھا اور سر ہلا کے مسکرایا، جیسے کہہ رہا ہو، تم نے صحیح سفارش کی تھی۔ ابوالفضل نے ہجوم سے پرے گھاس چرتی گھوڑی کو احسان مندی سے دیکھا۔

اسی دن وہ بھرتی ہو گیا۔

رہنے کو کوارٹر مل گیا۔ تھوڑے بہت پیسے اس کی بانسری میں کمر سے بندھے ہوئے تھے۔ وہ جا کے بازار سے چارپائی، چادر، بستر، توا اور ہانڈی لے آیا۔

اس کا گھر بن گیا۔

موسم پھر بدل گیا۔

برسات آ گئی۔

دریا چڑھ گیا۔

کناروں پہ دلدل بن گئی۔

ماميوں کی کشتی بریتی میں پھنس گئی۔ وہ روزگار ڈھوتے ادھر ادھر دھکے کھاتے پھرتے تھے۔ انہیں خبر ہو گئی ابوالفضل بھرتی ہو گیا ہے، کوارٹر مل گیا۔ پوچھتے پچھاتے اس کے گھر پہنچ گئے۔ دروازے پہ دستک دے دی۔ ابوالفضل نے دروازہ کھولا تو سامنے دونوں گردنیں نیچی کیے شرمندہ شرمندہ کھڑے تھے۔ یہ بسم اللہ بسم اللہ کہتا ہوا ان سے لپٹ گیا۔ ان کی گٹھڑیاں اٹھا کر ادب سے انہیں اندر لے آیا۔ چارپائی پہ چادر

بچھا کے بٹھا دیا۔ لسی پانی روٹی ہانڈی سے سیوا کرنے لگا۔

کچھ دن وہ رہے اس کے پاس۔

چپ چاپ۔

بات کوئی نہیں کرتے تھے۔

ہر وقت شرمندہ شرمندہ سے۔

پیروں کے انگوٹھے سے کچے ویڑے کی زمین کھرچتے رہتے۔ جھکی گردن کی پشت پہ بائیں بند ہاتھ کے ناخنوں سے اپنی کھال کھرچتے رہتے۔ کھانے کا وقت ہوتا تو سر نیچا کیے کھانا کھا لیتے مگر ابوالفضل کی آنکھ میں آنکھ ڈال کے نہ دیکھ پاتے۔

چار پانچ دن رہے۔

موسم صاف ہوتا تو ابوالفضل ان کی چارپائیاں باہر درختوں کے نیچے بچھا دیتا۔ پھلوں کے درخت تھے۔ گھر کے آگے سبزیاں لگی تھیں۔ ٹھنڈی کھوئی کا پانی تھا۔ انہیں وہاں کوئی تنگی تھی ہی نہیں۔ ان کی بے چینی بڑھتی گئی۔ ایک دن انہوں نے اپنی اپنی گٹھڑی اٹھا لی اور ابوالفضل سے جانے کی اجازت مانگی۔

ابوالفضل سٹ پٹایا۔ لجاہت سے بولا، مجھ سے کوئی تکلیف پہنچی۔

بڑا ماموں بولا۔ بہت۔

ابوالفضل حیرانی سے تکنے لگا۔

تو چھوٹا ماموں بولا، تو نے ہم پر دوہرا ظلم کیا، ہمیں کند چھری سے ذبح کر دیا۔

ہوا کیا، ابوالفضل کو بات سمجھ نہ آئی۔

بڑا ماموں پھر بولا، دیکھ پتر۔ ہم نے تمہیں اپنی کشتی سے نکال دیا۔ جاڑے کے دن تھے۔ جھڑی لگی تھی۔ ہمیں یہ بھی پتہ تھا یہاں ہمارے علاوہ تمھارا جاننے والا بھی کوئی نہیں۔ تم چلے گئے۔ ہمیں اپنی کمینگی کا احساس ہونے لگا۔ پھر قدرت نے تمہارا ہاتھ پکڑ لیا۔

ہمیں پتہ چل گیا۔

سچی بات ہے ہمارا دل جلا۔
ہمیں بڑی تکلیف ہوئی۔
تمہارے سکھ کا سن کے ہمیں اچھا نہیں لگا۔
پھر برسات آ گئی۔
کام ملنا ہمیں رک گیا۔
کشتی کے اندر رات گزرتی نہیں تھی۔
ہم بے غیرت بن کے تمھارے پاس چلے آئے۔
ہم رہنے نہیں آئے تھے۔
نہ ہمیں یہ توقع تھی کہ تم یہ ہمارے ساتھ کرو گے۔

ہمارا تو خیال تھا کہ دروازے پہ ہی تم ہمیں دھتکار دو گئے۔ جیسے ہم نے دھتکارا تھا۔ یوں تمھارا، ہمارا حساب بے باک ہو جانا تھا۔ اور ہم ہلکے مَن کے ساتھ اپنے گاؤں پلٹ جاتے، مگر تو نے یہاں چھاؤں میں ہماری منجیاں بچھانی شروع کر دیں۔ ہمیں پکا پکا کے کھلانے لگے۔ ہمارے میلے غلیظ کپڑے اٹھا کے کھوئی سے دھو کے لے آئے۔ رات کو ہم سونے لیٹتے تو تم ہماری پراندی بیٹھ کے پاؤں دابنے لگتے۔ ہمیں تمہارے ہاتھ چھری کی طرح کاٹتے۔ تمہاری آنکھ میں ایک بار بھی ہماری کج روی کا شکوہ نہ ابھرا۔

ہم کیسے تمہاری آنکھ کو دیکھتے،
تم نے ہمیں بڑا گھائل کیا۔

اپنے ماتھے پہ ایک بل بھی نہ ڈالا۔ ہماری تو کھال کھینچ لی تم نے۔ اب اور کتنا یہاں بیٹھ کے ہم لہولہان ہوں۔ ہمیں جانے دو خوش رہو،

شاباش۔

انہوں نے ابوالفضل کے کندھے تھپتھپائے اور اسی طرح سر نہوڑے اس کی دہلیز سے اتر گئے۔ اور پیچھے مڑ کے دیکھے بغیر گردنیں جھکائے نظروں سے دور ہو گئے۔

یاد ہے،

ایک بار میں بھی اسی طرح سر نہوڑے تمہارے دروازے سے نکلا تھا۔ تم نے بھی یوں ہی مجھے کند چھری سے کاٹا تھا۔ کتنے دنوں تو مجھے منع کرتی رہی تھی۔ ایک بات سے میں منع نہ ہوا۔ کیا کرتا۔ تمہیں بات کا علم ہے۔ میں کیوں بولوں؟ کہتی ہو تو کہہ دیتا ہوں۔

کیوں؟

کیوں تمہارا چہرہ لال ہو رہا ہے۔ تم سوچ رہی ہوگئی کہ میرے سر پہ ابھی تک جھڑی لگی ہے۔ ہے کملی، یہ جھڑی کا موسم کوئی گزرنے والا ہے۔

ابھی تک وہ ساری برسات میرے اندر برس رہی ہے۔

میں سر سے پاؤں تک تیرے قرب کے جنون کی لہروں میں تھا۔ نہ باز آیا۔ مجھے اپنی ڈھٹائی کا علم تھا۔ تمھاری ناگواری کا احساس تھا۔ پھر ایک دن میں بھی حساب چکتا کرنے تمھارے دروازے پہ آ گیا۔ میرا خیال تھا تم دروازے کی درز سے مجھے دیکھ کے ہی چیخ پڑو گی۔ کواڑ زور سے میرے منہ پہ مار کے بند کرو گی۔ دھتکار دو گی۔ میں بھی ہلکا پھلکا ہو کے پلٹ آؤں گا۔ مگر تم نے دروازہ کھول دیا۔ مجھے لے جا کے اندر بٹھا لیا۔ شربت کا گلاس بن کے بیٹھ گئی۔ تمہیں یاد ہے وہ تمھارا واحد گلاس تھا۔ جو مجھ سے پورا پیا نہیں گیا۔ تم سے کرنے والی ساری باتیں ابھی کرنا تھیں۔ مگر مجھ سے بیٹھا نہ گیا، اور میں اٹھ آیا۔

اسی دن میں نے سوچ لیا تھا،

اس سے پہلے کہ تم میری پیاس جذب کر لو۔

کیوں نہ میں اسے بچا لوں،

تم سے دور چلا جاؤں۔

قدرت نے موقع دے دیا۔ تمھارے منہ سے نکلی ہوئی بات پوری ہوگئی۔ میں جہاز پہ بیٹھا اور یہاں کوئٹہ آ گیا۔ ابوالفضل کے لیے بھی کسی نے لمبے سفر کی دعا کی

ہو گی۔ خدا جانے وہ بھی کسی آرزو سے ڈر کے بھاگا ہو۔

وہ بھی رو پڑ سے اٹھ کے ادھر ہی آیا تھا۔

ان دِنوں ادھر آتے ایک انگریزی رابطہ کمیشن کے لیے جگہ جگہ سے کارندے بھرتی کیے گئے تھے۔ ہر محکمے کی اس کمیشن میں نمائندگی تھی۔ فوج، پولیس، ٹیلی فون، ہیلتھ اور محکمہ انہار۔ ہر ڈپارٹمنٹ سے کوئی نہ کوئی اس گروپ میں موجود تھا۔ یہ کوئی سو سال پرانی بات ہے۔ کمیشن کا سربراہ لارڈ میکمو ہن تھا۔

ابوالفضل کو کمیشن میں جگہ مل گئی۔

لاٹ صاحب کی دریائی کشتی چلانے کی ذمہ داری اس کی تھی۔

کمیشن کا رخ سیستاں کی طرف تھا۔ اس لیے وہ یہاں کوئٹہ سے ہو کے آگے بڑھے۔ اب مجھے نہیں پتہ سو سال بعد مجھے اس سفر پہ نکل کے کس طرف بڑھنا ہے۔

اپنے قدموں کے رخ کا تعین تو میں نہیں کرتا۔

تم بتاؤ،

یہاں سے مجھے کدھر جانا ہے؟

جدھر مرضی لیے پھرتی رہو۔

بھیجتی رہو۔

تعمیل ہو گی۔

مگر اتنا یاد رکھنا۔

کبھی ٹھہرنے کا سمے آیا۔

تو صرف تیرے پاس آ کے رکوں گا۔

تم کہتی ہو رک جاؤ۔

کیسے رکوں،

روکنا ہے تو راہ میں منزل بن کے آ جاؤ۔

میں ٹھہر جاؤں گا۔

مقدر میں چلنے والے اور قدم بھی ہوئے تو وہ تیاگ دونگا۔

تمہیں پا کے پھر کیا پانا رہ جائے گا۔

یہ سب مقدر کی لکھی باتیں ہیں جو محبت بھری سانس کی روشنائی سے لکھی جاتی ہیں۔ ابوالفضل کی قسمت میں بہت چلنا لکھا تھا۔ وہ بہت چلا۔ اس کی روداد سنو گی، تو کہو گی یہ تو کوہ قاف کی کہانی ہے۔

ہے ایسا ہی ہے۔

انہیں بھی یہی لگتا تھا۔

لیکن انہیں یہ کہانی بیتے سمے نہیں علم تھا کہ ان پہ کہانی بیتائی کیوں جا رہی ہے۔

تمہیں اندازہ ہوا؟

انہیں بھی نہیں پتہ تھا، کہ ان کے ایک پوتے کو ان صحراؤں اور نخلستانوں کے بیچ بہتے دریا کی طرح تم جیسی ساحلی ہوا سے سانس مانگنی ہے۔ اور سو سال کی بیتی ہوئی ساری کہانی پھر سے کہنی ہے، بیتانی ہے۔

□

سیستان

سفر کی پوری کہانی بولوں تو بات لمبی ہو جائے گی۔

تم نے خشک پہاڑوں اور صحرا کے بیچ چلنے والے اونٹوں گھوڑوں کے قافلوں کی کوئی فلم دیکھی ہے۔ ویسٹرن سٹائل کی۔ جیسے میکناز گولڈ تھی، سحارا تھی۔ بس اسی قسم کے لمبے لمبے تھکا دینے والے ان گنت سفر کر کے ان کا قافلہ سیستان پہنچا تھا۔ ریلوے لائن تو بس کوئٹہ سے آگے چمن تک ہی تھی۔ وہ لائن بھی انہی دنوں نئی نئی بنی تھی۔ کیا پتہ انگریز نے ساری پٹری بچھائی ہی اس قافلے کے لیے ہو۔ خیر جی یہ پہنچ گئے۔

تم تو جانتی ہو،

منزل پہ پہنچے کی جنھوں نے قسم کھائی ہو، وہ پہنچ ہی جاتے ہیں۔

تمہیں یہ بھی پتا ہے کہ قسم اک میں نے بھی کھائی ہوئی ہے۔ اسی لیے شاید تم نے سیستان کی راہ کے سارے خشک پہاڑوں کے سلسلے اور وسیع صحرا میری راہوں میں بچھا دیے ہیں۔

مگر میری جان،

تم یہ نہیں جانتی کہ انہی سنگلاخ صحرائی گزرگاہوں کے بیچوں بیچ اک ٹھنڈے میٹھے پانی سے بھرا دریا بہا کرتا تھا۔ دریائے ہیموں۔ انگریز اسے انگریزی میں ہیلمنڈ لکھتے تھے۔ وہ دریا صحرا کے قلب میں سانپ کی لکیر کی طرح بل کھاتا بڑی روانی سے

بہتا ہے۔ اسکی راہ سے دریائی شاخیں پھوٹتی ہیں۔ ملتی ہیں۔ وہ جیسے مصر اور سوڈان کے صحراؤں بیچ دریائے نیل کی گزرگاہ ہے کہ جدھر جدھر اسکا راستہ ہے، ادھر ادھر ہریالی۔ باقی سارا صحرا۔ یہی کیفیت وہاں ہے۔

سیستان کے مرکزی قصبے کے قریب پہنچ کے قافلے نے پڑاؤ ڈال دیا۔

دریا کنارے خیمے لگ گئے۔

پوری چھاؤنی سج گئی۔

انگریز سرکار کا جھنڈا ایک اونچے درخت پر باندھ دیا گیا۔ جھنڈے کے ساتھ انگریز لاٹ صاحب کا خیمہ، اسکے قریب اسکے ذاتی کارندوں کے خیمے۔

خیمے ہی خیمے۔

ان کے چاروں طرف بندوقوں والے سنتریوں کا پہرہ۔

ایک دن کیا ہوا،

سیستان کے نواب کی شاہی سواری آ گئی۔

چار گھوڑے آگے، چار پیچھے، درمیان میں نواب کا سفید گھوڑا، اوپر سنہری کاٹھی۔ کیمپ میں بگل بج گئے۔ سنتریوں نے سلامی دی۔ لاٹ صاحب نے اپنے خیمے سے نکل کے استقبال کیا اور نواب صاحب کو اپنے ٹینٹ میں لے گئے۔ پھر خیمے کے اندر باوردی بہرے خانسامے سروں پہ پگڑیاں اور ہاتھوں میں دستانے پہن کے بھاگم بھاگ ضیافت کے سامان کی بھری بھری طشتریاں اٹھا کے لیجانے لگے۔ تھوڑی دیر بعد ایک ملازم بھاگتا ہوا لاٹ صاحب کے خیمے سے نکلا اور ابوالفضل کے خیمے کا پلو اٹھا کے پھولے ہوئے سانس اور پریشان لہجے میں بولا،

لاٹ صاحب نے یاد کیا ہے۔

جلدی کرو۔

ابوالفضل جانتا تھا، ہر نوکری چوبیس گھنٹوں کی ہوتی ہے۔

جیسے زندگی۔

کیا پتہ اگلے لمحے سرکار کی طرف سے کیا بلاوہ آجائے۔ اندر سے تو ہر آن بلاوے پہ کان لگائے بیٹھا رہتا تھا۔ ظاہری وردی جو پہنی تھی، اسے بھی اٹھ کے سیدھا کیا اور جا کر سلوٹ مارا۔

لاٹ صاحب بولے۔

نواب صاحب دریا میں مرغابی کا شکار کھیلیں گے،

جا کر اپنی کشتی تیار کرو۔

ابوالفضل دریا پہ آکر کشتی جوڑنے لگا۔

وہ عجیب طرح کی کشتی تھی۔ چھوٹی سی تھی پورٹیبل۔

بس دو آدمی سہار سکتی تھی۔

لاٹ صاحب کے صرف ذاتی استعمال کے لیے تھی۔ ایک لاٹ صاحب اس میں بیٹھتے دوسرا ابوالفضل، کشتی چلانے کے لیے۔ کشتی ایک چھوٹے سے پٹرول کے انجن سے چلتی تھی۔ مگر کشتی کی خوبی یہ تھی کہ وہ کھل جاتی تھی۔ جڑ جاتی تھی۔ بنی وہ کینوس کی تھی۔ بہت نفیس سی ہلکی لکڑی کا کشتی کا فریم تھا۔ باریک سلیک سادہ سا فریم۔ کھل بھی جاتا تھا، جڑ جاتا تھا۔ فریم کے اوپر واٹر پروف کینوس کا کپڑا اچڑھ جاتا۔ کشتی تیار ہو جاتی۔ درمیان میں بیٹھنے کو اسی فریم جیسی ہلکی لکڑی کا ایک بنچ تھا۔ پیچھے کشتی کے انجن رکھنے کی جگہ تھی۔ پوری کشتی کھل کے تین گٹھڑیوں میں سما جاتی۔ دو تین آدمی آسانی سے اسے اٹھا کے چل پڑتے۔ اکثر ایسا ہوتا تھا۔

ایک دن کیا ہوا تین آدمی وہ کشتی اٹھائے چل رہے تھے۔ ان میں ایک ابوالفضل تھا۔ پورا قافلہ چل رہا تھا دریا کے ساتھ ساتھ۔ راستہ کچھ ایسا اونچا نیچا اور کٹا پھٹا تھا کہ قافلے کی رفتار بہت آہستہ تھی۔ گھوڑے، اونٹ، پیدل سب چل رہے تھے۔ لاٹ صاحب خود سب سے آگے تھے۔ انہی کے ساتھ ساتھ کشتی اٹھانے والے چل رہے تھے۔ ابوالفضل لاٹ صاحب سے بولا،

سرکار اگر اجازت دیں تو کشتی جوڑ کے دریا کے اندر سے لیتا آؤں۔

بہاؤ کے رخ میں ہی جا رہے ہیں۔

بنا پٹرول ہی کشتی چلتی جائے گی۔

یہ دو آدمی کچھ اور اٹھالیں گے۔

لاٹ صاحب نے کہا۔ ٹھیک ہے۔

ابوالفضل قافلے سے نکل کے کشتی میں دریا کے بہاؤ میں چل پڑا۔ کنارے پہ قافلہ چلتا رہا۔ چونکہ دریائی راہ میں بل تھے، کبھی کبھار قافلہ دور بھی ہو جاتا، پھر آگے دریا کنارے جگہ زیادہ اونچی آ گئی۔ کہیں قافلے کا منظر کسی پہاڑی ٹیلے کی زد میں آ گیا۔ آگے دریا دو شاخوں میں بٹ گیا۔ ابوالفضل اندازے سے ایک شاخ میں ہو گیا۔ یہاں غلطی ہو گئی۔

غلط ٹرن مڑتے ہی ابوالفضل قافلے سے دور ہٹتا گیا۔

ایک غلط ٹرن ہی سے قافلے بچھڑتے ہیں۔

قافلے کے راہرو بھٹکتے ہیں۔

دو چلنے والوں میں سے ایک کوئی غلط راہ پہ چڑھ جائے تو دونوں کی باہمی دوری ایک جتنی بڑھنے لگتی ہے۔

الزام کسی کو دے دو دونوں میں سے۔ دُوری کو بھگتنا دونوں کو پڑتا ہے۔

دونوں دُور ہونے لگے۔

دونوں نے اپنی راہوں کی کمان الگ الگ رکھی تھی۔ ابوالفضل نے اپنا رُخ دریا کے رُخ کو سمجھا ہوا تھا۔

اب دریا تھوڑی ابوالفضل کی مرضی سے موڑ مڑتا تھا۔

موڑ آئے،

دریا مڑتا گیا۔

قافلے والوں نے دریا کنارے لکیر پکڑی ہوئی تھی۔

کبھی کنارے اور بہاؤ میں بھی ایکا ہوا ہے۔

بچھڑ گئے۔

مزے کی بات تو یہ تھی کہ بچھڑنے والوں دونوں کو بڑی دیر تک پتہ ہی نہ چلا کہ وہ بچھڑ گئے ہیں۔

تمہیں پتہ چلا تھا، جب میں ادھر آنے لگا تھا؟

مجھے تو نہیں علم ہوا۔

تم کنارے کنارے رہی۔

میں نے بیچ چلتے پانی میں اپنا رُخ کھودیا۔

جدھر لہریں لے کے چلتی رہیں، چلتا رہا۔

ابوالفضل بھی چلتا گیا۔

قافلے سے کافی آگے نکل گیا وہ۔ یا شاید کہیں پیچھے دائیں بائیں ہو گیا۔ قافلے سے دور ہو گیا۔ کشتی روک کے اس نے کنارے پہ نکل کے آگے پیچھے، دور دور تک دیکھا۔ کوئی نہیں تھا۔ درخت پہ چڑھ گیا۔

میں بھی تو چڑھا ہوا ہوں،

مگر نظر تھوڑی کچھ آتا ہے۔

جب آس پاس وہ ہو ہی نہ، جو آنکھیں دیکھنا چاہیں تو کیا دکھے،

کوئی نظر نہ آیا۔

بڑا پریشان ہوا۔ کیا کرے؟

سوچ بچار کیا۔ دماغ پر زور ڈالا۔

پیچھے مڑا۔

پھر دریا کی کسی اور شاخ میں گھسا۔

یوں وہ قافلے سے دور تر ہوتا گیا۔

دن ڈھل گیا۔

شام ہونے لگی۔

رات پڑ گئی۔

اب تو ابوالفضل کے ہاتھوں میں پسینہ آ گیا۔

جنگل ویرانہ۔

دور دور تک انسانی بستی کا نشان نہیں۔ پھر یہ بھی پتہ تھا کہ جو بستیاں ہیں وہ بھی ساری ہوسٹائل ہیں، دشمن ہیں۔ انگریز کمیشن کا اکیلا دو کیلا بندہ انہیں مل جائے تو دیکھتے ہی کبوتر کی طرح گولی سے اڑا دیتے تھے۔

اس کے گلے میں بھی بندوق تھی۔

مگر ایک بندوق سے بھلا کوئی ان بستیوں سے لڑ سکتا تھا۔ پھر یہ بندوق دیکھ کے تو دیکھنے والے صحرائی للچا جاتے تھے۔ اس کے پاس تو وہ شاندار کشتی بھی تھی۔

ابوالفضل سمجھ گیا کہ اب کم بختی آئی۔

بہتیرا کنارے کے ٹبوں، ٹیلوں اور درختوں پہ چڑھ چڑھ کے دیکھا۔ کہیں کوئی بستی ہو، کہیں دور کسی درخت پہ، ٹیلے پہ انگریز سرکار کا پرچم ہو۔ مگر کہاں؟ کچھ نہیں!

رات پڑ گئی۔

اندھیرا ہو گیا۔ اور مصیبت۔ اب جنگلی جانوروں کا خطرہ۔

دریا میں تو مگرمچھ بھی ہوں گے؟

وہ کشتی ایک کنارے لگا کے، ایک قریبی درخت سے اسے باندھ، خود بھی درخت پہ چڑھ کے بیٹھ گیا۔ درخت پہ چڑھے بندے کو کہاں آرام ملتا ہے۔ تم کبھی درخت پہ چڑھی ہو تو تمہیں علم ہو۔ آخر سوچا۔ مرنا ہے تو ذرا کمر سیدھی کر کے مروں۔ کشتی میں آ کے کمر ٹکالی۔ نیند آ گئی۔ سو گیا۔

مجھے بھی اسی طرح سویا ہوا سمجھ۔

سوئے سوئے دن چڑھ گیا۔ دن نے تو چڑھنا ہی ہوتا ہے کوئی سویا رہے یا جاگتا پھرے۔ چڑھ گیا دن۔ یہ سویا رہا، اسے کیا پتہ تھا، اسکے نصیب بھی سونے لگے ہیں۔ پتہ اس وقت چلا جب کسی نے اسے پکڑ کے جھنجوڑ دیا۔ ہڑبڑا کے اس نے آنکھیں

کھولیں۔

سامنے پانچ چھ ایرانی صحرائی کھڑے تھے۔

ایک نے اسے پکڑ کے باہر کنارے پہ کھینچا۔ دوسرے نے لپک کے اسکی گود میں پڑی بندوق کھینچ لی۔ دو چار پانی میں اتر کر کشتی کو ہاتھ لگا لگا کے دیکھنے لگے۔ اسکے تو ہاتھوں کے طوطے اڑ گئے۔ کہنے سننے کا تو کوئی موقع ہی نہ ملا۔ پھر اسے کونسی انکی زبان آتی تھی۔ وہ آپس میں باتیں کر رہے تھے۔ انکی باتوں کے لہجے سے لگ رہا تھا جیسے ان سے اپنی خوشی سنبھالی نہیں جاتی۔ جیسے صبح صبح انکے ہاتھ بہت بڑا شکار لگ گیا ہو۔

شکار وہ فاختہ کا کرنے نکلے تھے،

اُن کے ہاتھ سُرخاب آ گیا۔

ان میں ایک کے ہاتھ میں تھری ناٹ تھری کی رائفل بھی تھی۔ اسی بندے نے ابوالفضل کو آستین سے کھینچ کے کنارے پہ پٹخا تھا۔ پٹخ کے وہ اسکی انگریزی بوشرٹ، برجیس اور بڑے بڑے جوتوں کو حقارت سے اپنی بندوق کی نالی سے چھوتے ہوئے اپنے ساتھیوں سے کچھ کہتا گیا۔ اس کے لہجے میں ابوالفضل کے لبادے میں ان کے فرنگی دشمن کی ساری نشانیاں تھیں۔ وہ بندوق کے بٹ پہ بولٹ مار کے گولی کو نالی میں گھسیڑ کے ایسے تن کے کھڑا ہو گیا، جیسے شیطان کے بڑے بت پہ ایک ساتھ سات پتھر مارنے لگا ہو۔ ایک آدمی کشتی میں سے ابوالفضل کی انگریزی نیلی جھالر والی پگڑی بھی اٹھا کے لے آیا۔ اور لاتے ہی کھینچ کے زمین پہ گرے ہوئے ابوالفضل کے منہ پر دے ماری۔ اور زیرلبی بولا،

شیطان فرنگی۔

یہ ہاتھوں کو زمین پہ رکھ کے اٹھنے لگا تو بندوق پکڑے آدمی نے بندوق اسکی طرف سیدھی کر دی۔ کوئی ڈیڑھ گز کا فاصلہ تھا۔ یہ سہمے ہوئے ہاتھ اوپر کر کے کھڑے ہی ہو رہا تھا کہ بندوق والے نے عین اس کی گردن کے نیچے سینے کے درمیان بندوق سیدھی کی اور تڑاخ سے گولی چلا دی۔ ایک بڑے سے جھٹکے سے ابوالفضل پیچھے گر گیا۔

بندوق والے نے بندوق کندھے پہ ڈالی اور لپک کے دوسروں کے ساتھ کشتی کھینچ کے باہر نکالنے لگا۔ وہ سب کشتی کو دیکھ دیکھ کے دیوانے ہو رہے تھے۔ اچانک ان میں کسی کی نظر گرے ہوئے ابوالفضل پہ پڑی۔

ابوالفضل گرا گرا ہذیانی کیفیت میں ہاتھ ہلا رہا تھا۔

ہونٹ اسکے کپکپا رہے تھے۔

آخر ایک چیخ کے سے انداز میں ابوالفضل کے منہ سے اللہ، اللہ جی کی آوازیں نکلیں۔ وہ سب اسکی طرف متوجہ ہوئے۔ بندوق والا آدمی بھی سٹ پٹا کے اٹھا، اور گرے ہوئے ابوالفضل کی طرف دیکھ کے بے حد حیرانی سے بولا،

مسلمان؟

اتنی دیر میں کپکپاتے لرزتے ہوئے ابوالفضل کہنیوں کے بل اٹھ کے بیٹھ گیا۔ اور پھر بیٹھا بیٹھا دونوں ہاتھوں سے اپنے سینے پہ قمیض کے اندر کچھ ٹٹولتے ہوئے ہسٹریکل انداز میں کلمہ پڑھنے لگا۔ لا الہ الا اللہ محمد رسول اللہ۔

بندوق والا لپک کے اسکی طرف آیا۔ دوسرے سارے بھی آ کر اسکے گرد کھڑے ہو گئے۔ ایک نے ہاتھ بڑھا کے ابوالفضل کو کھینچ کے کھڑا کیا۔

وہ کھڑا ہو گیا۔

وہ سب اسکے سینے پہ ہاتھ لگا لگا کے دیکھنے لگے۔ گز بھر کی دوری سے گولی چلی تھی۔ سیدھی سینے پہ لگی تھی۔

مگر وہ گئی کدھر؟

نہ کہیں خون، نہ زخم۔

وہ سب پریشان۔

ابوالفضل کے ہوش کچھ کچھ بحال ہونے لگے، اس نے اپنی قمیض کے اندر سے گلے میں پڑی کالی ڈوری میں بندھے ہوئے اک پیتل کے لمبے سے ٹکڑے کو نکال کے ہونٹوں سے چومنا شروع کر دیا۔ وہ کوئی تین انچ لمبا، ڈیڑھ انچ چوڑا پیتل کا ٹکڑا

تھا۔کوئی ڈھائی سوتر موٹا تھا وہ۔ریلوے کے قلیوں کے بازو پہ باندھنے والا پیتل کا بِلّا۔ابوالفضل کو ریل کے لمبے سفر میں کہیں کسی پلیٹ فارم سے ملا تھا۔اس نے اس پہ چھری سے کھرچ کھرچ کے اپنا نام لکھ لیا۔اور کناروں پہ اللہ محمد ﷺ کے نام نقش کر لیے۔ نیچے کہیں فرصت میں بیٹھے بیٹھے چھری کی نوک سے پورا کلمہ ہی لکھ دیا۔ کناروں پہ سوراخ اسکے پہلے سے ہوئے تھے۔کالی ڈوری لے کر گلے میں لٹکا لیا۔ اصل میں انگریزی کمیشن میں شامل فوجیوں نے اسی طرح کے کسی پیتل لوہے کے ٹکڑوں پہ اپنے نام نمبر لکھ کے گلے میں ڈالے ہوئے تھے۔یہ فوجی تو تھا نہیں۔ سویلین ملازم تھا۔مگر تھا فوجی قافلے میں۔فوجی وردی مل گئی۔فوجیوں والی نام کی پٹی نہ ملی۔اس نے سوچا میں کیوں پیچھے رہوں۔وہی قلیوں والی پیتل کی پلیٹ پہ اپنی مرضی سے وہ سب لکھ کے لٹکا لیا۔وہ سارے صحرائی آکر اسکی وہی پلیٹ دیکھنے لگے۔گولی عین پلیٹ کے درمیان میں لگی تھی۔جدھر لگی ادھر آدھا انچ گہرا کھڈا پڑ گیا۔ کھڈے کے نیچے کلمہ شریف لکھا تھا۔اوپر اللہ محمد ﷺ۔

پہلے ایک صحرائی نے وہ پلیٹ چومی۔

پھر باری باری وہ سب کالی ڈوری کو ابوالفضل کے گلے میں پڑے پڑے اسے بکرے کی طرح کھینچتے ہوئے، ادھر ادھر لے جاتے ہوئے لپک لپک کے کلمہ شریف چومنے لگے۔پھر سب سے پہلے بندوق کی لبلبی چلانے والے نے اسے گلے لگایا۔پھر باری باری وہ سب اسے گلے سے لگا کر پیار کرنے لگے۔اب انکی باتیں اسے سمجھ آنے لگیں۔سعودی اور روسی پڑھا ہوا تھا۔فارسی سے شدبد تھی۔وہ اسے کہہ رہے تھے، تم مسلمان ہو، ہمارے بھائی ہو۔اسے بس اتنی سمجھ آئی یہ ایک دم الحمد و شریف پڑھنا شروع ہو گیا۔الحمد و شریف کے بعد قل واللہ پڑھ دی۔آگے اسے نماز ساری یاد تھی۔ وہی پڑھ دی۔اور عربی اسے آتی نہیں تھی۔

السلام علیکم ورحمتہ اللہ کے بعد پھر کلمہ پڑھنے لگ گیا۔

یہ عربی پڑھتا جاتا، وہ سب اوں اوں، غوں غوں کرتے ہوئے محبت سے اسے

چپکتے جائیں۔ آخر یہ اطمینان سے ان کے درمیان بیٹھ گیا۔ انہیں اشاروں کنائیوں سے بات سمجھائی کہ یہ اپنے قافلے سے بچھڑ گیا ہے۔ انہیں انگریز کے قافلے کا اتا پتہ نہیں تھا۔ وہ اسے بولے۔ چلو کچھ فاصلے پہ ہماری بستی ہے۔ وہاں چلو۔ ہم تمہارا قافلہ ڈھونڈ کے تمہیں پہنچا دیں گے۔ انہوں نے اسکی بندوق بھی واپس کردی۔ پھر وہ سب مل کر کشتی کو اٹھانے لگے۔ ابوالفضل نے انہیں روکا۔

اتار دو کشتی یہاں زمین پہ۔

انہوں نے اتار دی۔

یہ بیٹھ کے کشتی کو کھولنے لگ گیا۔

پانچ منٹوں میں کشتی کی تین گٹھڑیاں بنالیں۔

وہ ششدر رہ گئے۔

پہلے ہی وہ اسکے تھری ناٹ تھری کے فائر سے بچ جانے کو معجزہ سمجھ رہے تھے۔ اب اسے بھی اسی کی کرامت سمجھ لیا۔ ان سب کا برتاؤ اس سے ایسے تھا، جیسے یہ کوئی پیر ہو۔ ویسے بھی ابوالفضل نے ڈھائی انچ لمبی داڑھی رکھی ہوئی تھی۔ ماتھے پہ نماز کا نشان تھا۔ لمبے سیدھے بالوں کی درمیان میں مانگ تھی۔

وہ تو سب معتقد ہو گئے۔ اسکی کشتی کی گٹھڑیاں بھی انہوں نے اٹھالیں۔ جیسے کسی درگاہ کا وہ تبرک ہوں۔ پہنچ گیا ابوالفضل ان کی بستی میں۔ اچھا خاصا گاؤں تھا۔ کچے گھر بنے ہوئے تھے۔ خیمے بھی تھے۔ ڈھور ڈنگر، گھوڑے، اونٹ سب تھے۔ عورتیں، بچے، مرد سب اسکے گرد جمع ہو گئے۔

ان پانچوں ایرانیوں نے سارا قصہ ہجوم میں کئی بار سنایا۔

کئی بڑی بوڑھیاں آ کر اس کا ماتھا چومنے لگیں۔

گاؤں کے ہر فرد نے آ کے اسکے گلے میں لٹکی پیتل کی پلیٹ کو چھو کے دیکھا۔

چوما۔

کچھ نے اسے آنکھوں سے بھی لگایا۔ بچے اسکی برجیس کو ہاتھ لگا لگا کے دیکھتے

جاتے۔ کچھ آ کے اسکے لمبے لمبے چمڑے کے جوتوں کو چھو چھو کر دیکھتے۔ جواں خوبرو گوری لڑکیاں دور کھڑی ٹیڑھی آنکھوں کے زاویے سے دیکھتی جاتیں۔ اور دیکھتے دیکھتے اپنی چادر کو انگلی پہ لپیٹ لپیٹ کے اسکے دھاگوں کو دانتوں سے کھینچتی۔

بستی میں تو تہوار کا سمے ہوگیا۔ پھر انہی پانچوں میں سے بندوق کا فائر کرنے والے نے اسے اشارے سے کہا، ان تینوں گٹھڑیوں کی کشتی بنا کے دکھاؤ۔ اس نے بیٹھ کے کشتی زمین پہ جوڑ دی۔

گاؤں کے لوگ تو سر پکڑ کے بیٹھ گئے۔

لوگ قریب دور کی بستیوں سے اور لوگوں کو بلا بلا لاتے۔ پتہ نہیں کتنی بار ابوالفضل نے وہ کشتی جوڑی، کھولی۔ اتنے میں بستی میں ایکا ایکی شور تھا۔

پتہ چلا ایک طرف سے نواب کی سواری آ رہی ہے۔

چار گھوڑے آگے،

چار پیچھے۔

ٹپ ٹپ۔

گھوڑے قریب آ گئے۔

بستی کے سب لوگ ہاتھ اٹھا اٹھا کے اپنے آقا کو سلام کرنے لگے۔ نواب اترا اور اتر کے ابوالفضل کے پاس آیا۔ وہ اس کی کہانی پہلے ہی سن چکا تھا۔ آ کے نواب نے اسکے کندھے تھپتھپائے۔ اسکی گردن میں پڑی نیم پلیٹ کو دیکھا۔ پھر کشتی جوڑنے اور کھولنے کا تماشہ ہوا۔ آخر میں ہجوم کے کسی معزز آدمی کو مخاطب کر کے بولا۔

یہ بستی کا مہمان ہے۔

اس کا خیال رکھو۔

کل میں خود جا کے اسے انگریز کے پڑاؤ میں چھوڑ آؤں گا۔

میرے بندے ہر رات مجھے انگریز کے پڑاؤ کی خبر پہنچا دیتے ہیں۔ یہ کہہ کے نواب چلا گیا۔ رات ابوالفضل نے کسی نواب کی طرح اس بستی میں گزاری۔ بھنے

ہوئے مرغے، دنبے کا سفید چربی والا نمکین شوربہ۔ اور اس میں موٹی موٹی بوٹیاں۔ بڑی بڑی ہاتھی کے کان جیسی روٹیاں۔ ابوالفضل ڈیڑھ دن کا بھوکا تھا۔ خوب سیر ہو کے اس نے کھایا۔ پھر سو گیا۔ صبح نواب کی سواری آ گئی۔ اسے بھی ایک گھوڑے پہ بٹھا دیا گیا۔ اور سب انگریز سرکار کے پڑاؤ کی طرف چل پڑے۔ دور سے ہی اونچے ایک درخت پہ لگے انگریزی جھنڈے سے پڑاؤ ابوالفضل کو نظر آ گیا۔ اس کا خون بڑھ گیا۔

پڑاؤ سے دور انہوں نے سفید جھنڈی ہلائی۔

سرکاری اہل کاروں نے لے جا کر لاٹ صاحب کے خیمے کے باہر کھڑا کر دیا۔

لاٹ صاحب خود لپک کے باہر آئے۔ نواب صاحب سے ملے۔ پھر ابوالفضل کو گلے لگایا۔ نواب صاحب سے پوری روداد سنی۔ پھر لاٹ صاحب نے بھی ہنستے ہوئے ابوالفضل سے کہا، بھئی ہمیں بھی وہ اپنے گلے میں لٹکی مقدس نیم پلیٹ دکھاؤ۔ انہوں نے بھی اسے ہاتھ سے چھو کر دیکھا۔ بس انہوں نے ابوالفضل سے تینوں گٹھڑیوں کو جوڑ کے کشتی بنانے کے تماشے کے لیے نہیں کہا۔

نواب صاحب اور لاٹ صاحب کی یہ پہلی ملاقات تھی۔

کتنے عرصے سے نواب صاحب کے لوگ انگریزی قافلے کی تاک میں رہتے تھے۔ اور اکا دکا آدمی پکڑ کے مار دیتے تھے۔ انگریز سپاہیوں کو بھی ایرانی صحرایوں پہ نظر رکھنے کا حکم تھا۔ یہ بھی فائر کرتے تھے۔ کتنے عرصے سے جو دونوں طرف تلخی، بے اعتمادی اور دشمنی کی فضا بنی ہوئی تھی۔ وہ ایک دم سے بدل گئی۔

نواب عطا محمد خان اور لاٹ صاحب کی دوستی ہو گئی۔ لاٹ صاحب نے نواب صاحب کو انگریز سرکار کا ایک تمغہ پہنا دیا۔ اور انکے ساتھ آئے سب لوگوں کو مٹھیاں بھر بھر کے انگریزی پونڈوں کا انعام دیا۔

رابطہ کمیشن کا ایک بہت بڑا رابطہ بغیر کسی جنگ و جدل یا کسی سیاسی رشوت کے ایک پیتل کی پلیٹ پہ اللہ محمد ﷺ کے ناموں اور کلمہ شریف کی وجہ سے طے ہو گیا۔

ابوالفضل پہ لاٹ صاحب کا اعتماد اور بڑھ گیا۔ نواب صاحب کو تینوں گٹھڑیوں کو جوڑ کے بننے والی کشتی میں سواری کرنے کا شوق تھا۔ بس اس دن وہ کشتی میں بیٹھ کے دریا میں شکار کھیلنے آ گئے۔ لاٹ صاحب نے ابوالفضل کو کشتی تیار کرنے کا حکم دے دیا۔ کشتی تیار ہو گئی۔ نواب صاحب بڑے کروفر سے اپنے گھوڑوں کے جلوس میں دریا کے کنارے تک آئے۔ شاہی لباس زیب تن کیے ہوئے۔ کھلے گھیر کی شلوار، اوپر لمبی قمیض، اس کے اوپر سنہری تاروں سے گندھی ہوئی جیکٹ۔ سر پہ چوڑی سفید پگڑی بڑے سائز کی، اس میں عقاب کا پر اٹکا ہوا، عین سامنے ماتھے کے اوپر۔ کندھے پہ بندوق۔ آئے آ کر بیٹھ گئے۔ ابوالفضل اپنی سرکاری انگریزی وردی میں تھا۔ اسکے پاس بھی سرکاری بندوق تھی۔

کشتی چل پڑی۔

دریا کے بہاؤ کے رخ میں کشتی جا رہی تھی۔

نواب منجھا ہوا شکاری تھا۔ نشانہ اس کا سولہ آنے ٹھیک تھا۔ جدھر فائر کرتا مرغابیاں دھڑا دھڑ گرتی جاتیں۔ کشتی کے ساتھ لاٹ صاحب کا شکاری کتا منہ کھولے شیر کی طرح تیرتا آتا۔ جدھر فائر ہوتا۔ ادھر لپکتا۔ تڑپتی مرغابی کے پھیلے ہوئے پھڑ پھڑاتے پروں سے ایک پر منہ میں لیتا فوراً لپک کے مرغابی کشتی تک لے آتا۔

ابوالفضل کشتی چلاتے چلاتے، پیچھے انجن پہ چڑھا، کشتی موڑنے والا راڈ ٹانگوں میں بھینچے، مرغابیاں پکڑ پکڑ کے کشتی سے باہر ہاتھ کر کے ان کی گردن پہ چھری چلاتا جاتا۔

مرغابیوں کا خون دریا کے پانی میں ٹپکتا جاتا۔

مرغابیوں کا ڈھیر لگ گیا۔ نواب صاحب نے اشارہ کیا، کشتی واپس لے چلو۔ کشتی کنارے پہ آ گئی۔ نواب اٹھنے لگا تو ایک ہاتھ اپنے شاہی لباس کی جیب میں ڈالا اور مٹھی میں پانچ اشرفیاں بھر کے ابوالفضل کے آگے رکھیں اور بولا، تمہارا انعام۔

ابوالفضل ایک دم سے پیچھے ہٹ گیا اور کہنیاں پیچھے کھینچتا ہوا ایک دم چپ کھڑا ہو گیا۔ پھر بازو ڈھیلے کرتے ہوئے بولا۔ میں نے کوئی قابل انعام کام نہیں کیا۔ یہ میری ڈیوٹی ہے۔ میں انگریز سرکار کا ملازم ہوں۔ آپ لاٹ صاحب کے دوست ہیں۔ جو مجھے حکم ملا، میں نے پورا کیا۔

انعام کیسا۔

مجھے میرے کام کی تنخواہ ملتی ہے۔

معافی چاہتا ہوں۔

جتنی دیر ابوالفضل اپنی لمبی بات کرتا رہا۔ نواب کا ہاتھ پانچ اشرفیاں پکڑے پکڑے ہوا میں معلق رہا۔ ابوالفضل کی باتیں سن سن کر اسکے چہرے کا رنگ بدلتا رہا۔ مگر وہ بولا کچھ نہیں۔ کشتی کنارے پہ لگ گئی۔ نواب صاحب کے کارندے سامنے کھڑے تھے۔ نواب اپنی سواری پہ بیٹھا اور ابوالفضل کو پلٹ کے دیکھے بغیر چلا گیا۔ بات آئی گئی ہو گئی۔

اگلا دن چڑھ گیا۔

ابوالفضل اپنے خیمے کے باہر بیٹھا اپنی سرکاری پگڑی کے نیلے پٹکے کو کھول کے دوبارہ باندھ رہا تھا۔ شاید وہ ڈھیلا ہوا ہوا تھا۔ کہ پھر لاٹ صاحب کا اردلی بھاگتا آیا اور بولا، نواب صاحب آئے ہیں۔ شکار کا ارادہ ہے۔

اچھا بھئی

ابوالفضل نے جلدی جلدی پگڑی کس کے باندھی۔ اس کے نیلے باڈر پہ لگے سنہری تلے کی جھالر میں انگلیوں سے کنگھی کی، اسے دونوں ہاتھوں سے پکڑ کے سر پہ فٹ کیا۔ اور اٹھ کے کھڑا ہو گیا۔

چلو جی۔

جا کے کشتی کے انجن میں پٹرول کے ڈبے سے پٹرول بھرا۔ انجن اسٹارٹ کیا۔ اتنے میں نواب صاحب پہنچ گئے۔ دل میں ابوالفضل سوچ رہا تھا۔ یہ عجیب نئی ڈیوٹی

مل گئی ہے۔ نواب کو کشتی کا چسکا ہی پڑھ گیا ہے۔ نواب صاحب کو دیکھا تو اٹھ کے سلام کیا۔ وہ کشتی میں بیٹھ گئے۔ تو نواب کے کارندے پانچ بڑی بڑی تھیلیاں اٹھا کے کشتی میں رکھنے لگے۔ ابوالفضل دل ہی دل میں بڑبڑایا۔

اللہ خیر کرے۔

آج کارتوسوں کی پانچ تھیلیاں ہیں۔

پتہ نہیں نواب شام تک شکار کھیلے۔ یہ سوچ کے وہ بھی کشتی سے باہر گیا۔ اور ایک زائد پٹرول کے ڈبے کو اٹھا کے لے آیا۔

نواب صاحب بولے چلو۔

اس نے کشتی اسٹارٹ کر دی۔ اور نواب صاحب کی طرف ایسے دیکھا جیسے پوچھ رہا ہو۔ کدھر سرکار۔ نواب صاحب نے بہاؤ کے الٹ چلنے کا اشارہ دیا۔ ابوالفضل نے انجن تیز کیا اور کشتی گھما کے اپ سٹریم ڈال دی۔

مرغابیوں کی ڈاریں پانی پہ اتری ہوئی تھیں۔

کشتی شور کرتی قریب جاتی تو وہ پھڑ پھڑ کرتی اڑتیں۔

اُفق پہ انکے پروں سے بادل سے پھیل جاتے۔ انہی کے بیچ نواب صاحب کی بندوق چٹاخ چٹاخ آگ اگلتی۔ پرندے گرتے۔ شکاری کتا اٹھا اٹھا کے لاتا جاتا۔ ابوالفضل انہیں ذبح کرتا جاتا۔ تھوڑے سے نواب نے فائر کیے پھر بندوق گود میں رکھ کے بولا،

واپس چلو۔

ایک لمحے کے لیے ابوالفضل کو بڑی خوشگوار حیرت ہوئی۔ کہ چلو شکر ہے۔

تھیلیوں کے کارتوس نہیں نکلے۔ ورنہ شام پڑ جاتی۔

شاید نواب کو کوئی اچانک کام یاد آ گیا ہو۔

کشتی کنارے کی طرف آہستہ آہستہ بڑھنے لگی۔

انجن بند ہو گیا۔

شور تھم گیا۔نواب نے اشارے سے ابوالفضل کو قریب بلایا۔ابوالفضل اٹھ کے قریب جا بیٹھا۔نواب گردن اٹھا کے اک شان بے نیازی سے کہنے لگا۔ہم نوابوں کی مشکل یہ ہے کہ ہم خود کچھ خریدنے کہیں نہیں نکلتے۔اس لیے کبھی کبھار نوابوں کی جیبیں بھی خالی ہوتی ہیں۔کل بھی ایسا ہی اک دن تھا۔

تم لاٹ صاحب کے بوٹ مین ہو۔

ہمیں احساس ہے پانچ اشرفیاں کم تھیں انعام میں۔

آج پانچ تھیلیاں لایا ہوں۔

یہ سب تمہاری ہیں۔انہوں نے بند تھیلیوں کی طرف اشارہ کیا،جنہیں ابوالفضل کارتوسوں سے بھری سمجھ رہا تھا۔ابوالفضل نے گردن موڑ کر پانچوں تھیلیوں کی طرف دیکھا۔پھر نواب صاحب کی طرف چہرہ کیا۔تھوڑی دیر تک اس کے ہونٹوں پہ کوئی بات نہیں آئی۔بس اس کے چہرے کا رنگ بدلتا رہا۔

جیسے اندر بحث ہو رہی ہو۔

بولوں نہ بولوں۔

یونہی خاموشی سے نواب صاحب کو تکتے تکتے اسے سانس چڑھ گیا۔

نواب صاحب بھی اسکے چہرے پہ نظریں گاڑے اسکی کیفیت سمجھنے کی کوشش کر رہے تھے۔اور اسی لیے چپ تھے کہ دیکھیں یہ کیا کہتا ہے۔

آخر ابوالفضل اپنی گردن اور جبڑوں کے اکڑے پٹھوں کے شدید تناؤ میں رونے کی سی کیفیت میں عجیب جذباتی انداز میں بول پڑا۔

میں ایک مفتوح ملک کا غلام باشندہ ہوں۔

مگر مسلمان ہوں۔

اس سے بات صحیح سے ہو نہ پا رہی تھی۔

لفظ ٹوٹے ٹوٹے سے تھے،

فقرے اکھڑے اکھڑے۔

لگتا تھا اسکی باتوں میں لفظوں سے زیادہ کوئی انہونے جذبے آ گئے ہیں۔

نواب صاحب ٹکٹکی لگائے خاموشی سے اسکا چہرہ دیکھ رہے تھے۔ وہ اس کی زبان جانتے تھے اسکے ہونٹوں سے نکلے ہوئے اک اک لفظ کو سن رہے تھے۔ کشتی کا انجن بند تھا۔ اور کشتی ہولے ہولے دریا کے بہاؤ میں کنارے کی طرف کا زاویہ بنائے کنارے کی طرف جا رہی تھی۔

ابوالفضل کے ہونٹ پھر ملے۔

میں اپنی روزی کماتا ہوں، محنت کرتا ہوں۔

میری تنخواہ ہے۔ بہت کافی ہے وہی میرے لیے،

اس سے زائد کیوں لوں۔

وہ جائز نہیں ہے۔ حرام ہے۔

مجھے دکھ تو یہ ہے، دکھ کی بات ہے کہ اپنے دیس سے اتنی دور۔ پردیس میں اک آزاد مسلمان ریاست میں بھی اسی طرح سمجھا گیا ہوں۔

غلام صرف ایک غلام۔

میں نے تو آزاد مسلمان ریاست پہلے نہیں دیکھی تھی۔

اپنی ہوش میں نہیں دیکھی۔

میرا خیال تھا یہاں مسلمان ایران میں مسلمانوں والی بات ہوگی۔ یہاں مسلمان، کو مسلمان کا بھائی سمجھا جاتا ہوگا۔ مگر نہیں۔ یہاں بھی ہمارا وہی درجہ ہے۔

غلام۔

غوں غوں کر کے ابوالفضل سچ مچ رونے لگ گیا۔

کچھ دیر تک چہرے کے پٹھے اکڑا کے اپنے آنسوؤں کو روکنے کی کوشش کرتا رہا پھر بولا۔

آپ مسلمانوں کے والی ہو کر بھی میرے لاٹ صاحب کی طرح سوداگر ہی نکلے۔

وہ دیس دیس گھوم کے ریاستیں خریدتا ہے۔

آپ مرغابیوں کے شکار کی آڑ میں اپنے غلاموں کی گنتی بڑھانے آئے ہیں۔

میرا مول لگا دیا ہے۔

یہ پانچ تھیلیاں میری قیمت ہیں؟

میں بھی بک جاؤں؟

کیوں بکوں میں۔

مجھے کیا خریدنا ہے ان سے۔

میری ضرورتیں بہت چھوٹی ہیں۔ تھوڑی ہیں۔

معافی چاہتا ہوں سرکار۔

میں بکاؤ چیز نہیں ہوں۔

یہ کہہ کے ابوالفضل اپنے چہرے پہ ہاتھ رکھ کے زور زور سے رونے لگا۔ دریا میں سناٹا چھا گیا۔

ابوالفضل کو ان پانچوں تھیلیوں کی بات سن کر ایسے لگا تھا جیسے وہ کوئی اینٹ روڑا ہو۔ بے ہستی چیز ہو۔ وہ پانچ تھیلیاں جو کچھ دیر پہلے اس کے لیے بے معنی تھیں اب مسلسل اس کی توہین کا باعث بن رہی تھیں۔

کشتی کنارے لگنے لگی۔ تو ابوالفضل نے جلدی جلدی اپنے چہرے سے آنسو صاف کیے۔ کنارے پہ اچھل کے اتر گیا۔ پھر کشتی کا کونا پکڑے کھڑا سر جھکائے رہا۔ نواب چپکے سے کچھ کہے بغیر اتر گیا۔ اس کے کارندوں نے تھیلیاں اتار لیں۔ ابوالفضل تھیلیوں کے اترتے ہی آسودہ ہو گیا۔ اس کا ذہنی تناؤ کم ہو گیا۔ نواب کی سواری چلی گئی۔

دن گزر گیا۔

رات گزر گئی۔

صبح ہو گئی۔

ابوالفضل نے اپنے تمبو کے باہر نماز پڑھی اور بیٹھ کے قرآن پاک کھول کے
تلاوت کرنے لگا۔ اسے خبر ہی نہ ہوئی کہ چپکے سے اسکے پیچھے آ کر کوئی کھڑا ہو گیا
ہے۔ وہ اپنے دھیان میں بیٹھا تلاوت کرتا رہا۔ تلاوت کر کے قرآن پاک کو واپس
جزدان میں ڈالا اور اسے ڈوری سے گلے میں لٹکا لیا اور پھر دعا کے لیے ہاتھ اٹھا لیے۔
جب ہاتھ اوپر اٹھائے تو اسے پیچھے سے آواز آئی۔

ہمارے لیے بھی دعا مانگو۔

ابوالفضل نے ایک دم پلٹ کے دیکھا تو پیچھے نواب صاحب کھڑے تھے۔

چہرے پہ ڈھیروں پیار تھا۔

ابوالفضل نے دعا والے ہاتھ منہ پہ پھیرے اور اٹھ کے ان کا استقبال کیا۔ اور
گردن چاروں طرف گھما کے حیرانی سے دیکھا۔ نواب صاحب کے ساتھ کوئی بھی
نہیں۔ گھوڑا بھی انکا دور کھڑا تھا۔ بولے آج پھر شکار کی زحمت دوں گا۔

بسم اللہ، چلیں۔

ابوالفضل کپڑے بدل کے پھر کشتی میں جا بیٹھا۔

سامنے نواب صاحب بیٹھ گئے۔ ابوالفضل کی طرف ٹکٹکی لگا کے غور سے دیکھنے
لگے۔ بندوق گود میں تھی۔

مرغابیوں کے غول کے غول تھے۔ ان کی اڑتی اڑانوں میں سارے افق پہ پھیلے
ان کے سفید سرمئی پروں کے بادل تھے۔ مگر نواب صاحب نے ایک بار بھی بندوق
ادھر نہ سیدھی کی۔ دھیان سارا ابوالفضل کی طرف رکھا۔

یہ کونسا شکار کھیلنے آئے ہیں آج۔ ابوالفضل نے سوچا۔ ابوالفضل نگاہ اٹھا کے
نواب صاحب کی آنکھوں میں دیکھتا تو وہ نیچے دیکھنے لگتے ابوالفضل کشتی چلانے کی
طرف توجہ کرتا تو پھر ابوالفضل پہ ٹکٹکی لگا لیتے۔ ابوالفضل کو سمجھ نہیں آ رہی تھی۔ نواب
صاحب سوچ کیا رہے ہیں۔ غصے میں ہیں۔ پیار میں ہیں۔ نواب صاحب کے
چہرے پہ ایک عجیب نہ پڑھی جانے والی کوئی داستان لکھی تھی۔ انہی کے کہنے سے کشتی

دریا کے بہاؤ میں جا رہی تھی۔ انجن بھی انہوں نے کہہ کے بند کروا دیا تھا۔

خاموشی تھی۔

سناٹا تھا۔

پانی کے بہنے کی آواز تھی۔ مرغابیوں کے پھڑ پھڑانے کی خوشبو پانی پہ تیر رہی تھی۔

آخر نواب صاحب نے ابوالفضل کو اشارے سے قریب بلایا۔ اور اپنے پاس بیٹھنے کو کہا۔ ابوالفضل بیٹھ گیا۔

نواب عطا اللہ خان بولا، تم کہاں کے رہنے والے ہو؟

ابوالفضل نے بتا دیا کہ جلندھر کے قریب دریا کے کنارے گاؤں ہے۔

بولے۔ ہو کس نسل سے؟

تمہارے اجداد میں کب سے اسلام ہے؟

ابوالفضل کہنے لگا۔ کئی نسلیں پہلے ہمارے اجداد کے دو آدمی کہیں سے بھاگتے ہوئے اس گاؤں کے کنارے کھڑے دریا کے باہر آ کے چھپے تھے۔ گھنا جنگل تھا دریا کنارے۔ مدتوں چھپے رہے۔ دونوں بھائی تھے۔ کہتے ہیں بہت شاہ زور تھے۔ ان میں سے ایک زخمی تھا۔ اسکی ٹانگ پہ کوئی گہرا گھاؤ تھا۔ دوسرا بھائی اسے اٹھا اٹھا کے چھپتا چھپاتا وہاں جنگل میں لے آیا تھا، کہیں سے۔ گمان یہی ہے کہ انکی کہیں کسی سے دشمنی ہوگی۔ کسی لڑائی میں ایک بھائی مجروح ہوا ہوگا۔ دوسرا اسے مرنے کے لیے چھوڑنے کی بجائے اٹھا کے لے آیا۔ اور خطرے کی وجہ سے اس جنگل میں چھپ گیا۔ کہتے ہیں۔ اسی آدمی نے ہولے ہولے اس گاؤں میں آنا جانا شروع کر دیا۔ جوان تھا۔ کسی گاؤں والے نے اپنی بیٹی اس سے بیاہ دی۔ یوں ہمارا قبیلہ چل پڑا۔

یہ کب کی بات ہے؟ نواب صاحب بولے۔

پتہ نہیں۔ کسی بڑے بادشاہ کی فوجوں کے ساتھ انکا آنا ہوا تھا۔ اللہ جانے وہ بادشاہ کی فوج کے سپاہی تھے دونوں۔ احمد شاہ ابدالی کے بندے یا نادر شاہ کے ساتھی؟

یا ایسے کسی بادشاہ کی فوجوں کے خلاف لڑے تھے۔ اتنا پتہ ہے۔ تھے وہ کسی فوج کے سپاہی۔

انہیں صرف لڑنا آتا تھا۔

مارنا آتا تھا۔

مرنا آتا تھا۔

باقی روٹی کمانی تو انہوں نے اس گاؤں میں شادی کے بعد سیکھی۔ مدتوں ہماری نسل میں غربت اور افلاس رہا۔ تعلیم وہاں تھی نہیں۔ مزدوری ملتی نہیں تھی۔ زمین ان کے پاس نہیں تھی۔ ایک بار ملی تو دریا برد ہوگئی۔ دوکان داری انہیں کرنا نہیں آتی تھی۔ اس لیے نادار رہے۔ میں شاید پہلا فرد ہوں اپنے کنبے کا جو گاؤں سے نکل کے ملازم ہوا۔ میں نے اپنی ہوش میں انگریز سرکار ہی دیکھی ہے۔ انہی کی چاکری کرتا ہوں۔ آپ کیا پوچھنا چاہتے ہیں سرکار۔

نواب بولا۔ مجھے نہیں پتہ یہ بات مجھے کہنی چاہیے یا نہیں۔ مگر جب سے تمہیں دیکھا ہے، مجھے ایک خیال بار بار آ رہا ہے۔ رات بھر بھی میں یہی سوچتا رہا ہوں۔ کہ تم کون ہو؟

تم کوئی بھی ہو۔ اتنا میرا دل کہتا ہے۔ کہ تم سے میرا کوئی رشتہ ہے۔ خون کا رشتہ،

کیا پتہ تمہاری اور میری نسل ایک ہی ہو۔

کچھ بھی ہو، تم آج سے میرے بھائی ہو۔

میرے لیے تم میری ماں جائے ہو۔

لو، نواب نے اپنے سر کی شاہی پگڑی اتار کے اپنے دونوں ہاتھوں میں پکڑ لی۔ اور بولا، اپنی پگڑی مجھے دے دو۔ ابوالفضل نے اپنے سر سے انگریز سرکار کی مہر والی پگڑی اتار کے نواب کو پکڑا دی۔ اس کی سمجھ میں نہ آئے یہ ہو کیا رہا ہے۔ نواب نے اسے کندھوں سے پکڑ کے آگے کیا اور دونوں ہاتھوں سے اپنی پگڑی اس کے سر پہ رکھ دی۔ اور انگریز سرکار کی وفادار ملازم پگڑی اپنے سر پہ رکھ لی۔ پھر نواب نے ابوالفضل

کو گلے سے لگا لیا۔ اور ماتھا چوم کے کہا، تم میرے چھوٹے بھائی ہو آج سے۔

ابوالفضل دل ہی دل میں بہت خوش ہوا ہو گا۔ مگر وہ کنفیوژ بھی بڑا ہو گا۔ کہ آخر یہ سب ہو کیا رہا ہے۔ خیر دونوں نے ایک دوسرے کی پگڑیاں پہنی ہوئیں تھیں۔ اسی حالت میں کشتی کنارے لگ گئی۔ کنارے انگریز کے وفادار سپاہی کھڑے تھے۔ نواب صاحب کی سواری بھی سامنے تھی۔ دونوں طرف کے لوگ حیران تھے۔

یہ ان دونوں نے کیا حلیہ بنایا ہوا ہے۔

نواب صاحب کے سر پہ انگریز کے ایک معمولی ملازم کی نیلی پٹے والی پگڑی دیکھ کے انگریز سپاہی مسکرانے لگے۔ اسی حالت میں نواب، لاٹ صاحب کے خیمے کی طرف چل پڑا۔ ساتھ چلتے چلتے ابوالفضل کا ہاتھ پکڑا ہوا تھا۔ جا کے لاٹ صاحب کو ساری کہانی سنا دی۔ لاٹ صاحب دل کھول کے ہنسے۔ انہیں حاکم سیستان کے سر پہ اپنی وفاداری کا نشان دیکھ کے ایک عجیب علامتی سرمستی کا احساس ہوا۔ یہ انکی ایک عجیب طرح کی فتح تھی۔ جو اس سے پہلے انگریز سرکار کی کسی مہم میں انہیں نہ ملی تھی۔

اس واقعے کے بعد ابوالفضل کی قدر لاٹ صاحب کی نظروں میں بڑھ گئی۔

جیسے انہوں نے اس کا نیا ڈومی سائل دیکھ لیا ہو۔

نواب صاحب اجازت لے کر ابوالفضل کو اپنے گھر لے گئے۔ جا کے اپنی والدہ سے ملوایا۔ اپنی بہنوں کو بلوایا کہ آؤ تمہارا ایک اور بھائی آیا ہے۔

خوب ابوالفضل کی آؤ بھگت کی۔

ابوالفضل بے چارہ پریشان۔

اس نے اپنی زندگی میں کہاں وہ عشرت بھرا شاہی ماحول دیکھا تھا۔ دبیز انگلی انگلی بُر والے قالین، غالیچے، سونے چاندی کے برتن، دمکتے در و دیوار۔ ملازموں اور خادموں کی قطاریں۔

اشتہا انگیز پر تکلف کھانے۔

پھل میوے۔

اسکی تو آنکھیں پھٹی کی پھٹی رہ گئیں۔ اس کے اندر کوئی چپکے سے بولا، نواب صاحب نے اب اتنا مان دیا ہے تو تو بھی ان سے بے نیاز رہ۔ یہ تمہیں شاہی خانوادے کا فرد سمجھ بیٹھا ہے تو تو اسی طرح بیٹھ۔ جیسا ان خانوادوں میں بیٹھنے کا رواج ہے۔ نواب، ابوالفضل کا اپنے محل میں اٹھنا بیٹھنا دیکھ کے اور مغالطے میں پڑ گیا۔

اسکی محبت گہری ہوتی گئی۔

یوں وہ اکثر آ کے اسے لے جاتا۔ خود نہ آتا تو سواری بھجوا کے بلوا لیتا۔ ایک دن نواب نے ابوالفضل سے کہا۔

سنو۔

تم یہیں ہمارے پاس رک جاؤ۔

اپنا سارا کنبہ یہاں بلوا لو۔ میں انتظامات کروں گا۔

لاٹ صاحب سے بھی کہہ دوں گا۔ اگر شادی شدہ ہو تو بیوی بچے بلوا لو۔ اگر شادی نہیں ہوئی تو میں تمہاری شادی اپنے کنبے میں کروں گا۔

بولو۔

یہاں تمہیں جاگیر دوں گا۔ تمہارے اپنے محل ہونگے۔ قلعے ہونگے۔

تم رک جاؤ۔

ابوالفضل خاموشی سے مسکراتا رہتا اور دل ہی دل میں سوچ گیا۔ پانچ اشرفیوں کے بعد پانچ تھیلیاں تھیں۔ اب بولی بڑھ کے محلات اور جاگیروں تک آ گئی ہے۔ مگر اس وقت اسے یہ بھی احساس تھا کہ اب یہ نواب کی محبت ہے۔

سچی محبت۔

جو ہر انسان کے دل کا جوہر ہوتی ہے۔

یہ بڑی قیمتی چیز ہے۔

خدا جانے ان ساری پیش کشوں کو قبول نہ کرنے کا انعام بڑھتے بڑھتے ایک نواب کی اپنی حد سے بڑھ کے کب خدا کی حدود میں آ گیا۔

خدا جانے خدا نے ابوالفضل کے نصیب میں کتنا انعام لکھ دیا۔

کیونکہ اب انعام نواب کی حد سے اوپر کا تھا۔

اور ظاہر ہے جب انعام کی حد خدا کی حدوں تک پہنچ جائے تو انعام کا دورانیہ بڑھ جاتا ہے۔ پھر بات اس ایک لمحے یا ایک فرد کی نہیں رہتی۔ پھر پوری نسل کو نوازنے کا دروازہ کھل جاتا ہے۔

تم جانتی ہونا اسے۔

اسکے دروازے کا بھی تمہیں علم ہے۔

جب اس کا دروازہ کھلتا ہے تو ایک دو نسلوں بعد آنے والے بھی بلا جواز نواز دیے جاتے ہیں۔

یہ اور بات ہے کہ تم اپنا دروازہ کھولو نہ کھولو۔

تمہارا دروازہ تمہارا ہے۔

تمہیں حق ہے۔ جسے چاہو اسے آنے دو۔

اور جو تمہیں چاہے؟ وہ؟

وہ دروازے کے باہر کھڑا تو ہو سکتا ہے۔ اس امید پہ کہ شاید یہ کھلے۔ اور جب کھلے تو اسے بھی بلا لیا جائے۔ اب بھک منگوں کو اتنا اختیار تو دو۔ کہ وہ دستک دے سکیں۔ باہر کھڑے ہو سکیں۔ یہ نہ پوچھو کہ جس دروازے پہ اب دستک دینے کھڑا ہوا ہوں۔ وہ تو تمہارا نہیں ہے۔ ٹھیک ہے۔ جب سارے دروازوں کی چابیاں اسی کی بارگاہ سی ملتی ہیں۔ تو ایک یہ چابی بھی اسی سے مانگنے دے۔ اس کے دروازے پہ کھڑا رہنے دو۔

وہ تمہاری طرح نہیں ہے۔

وہ ہر دستک پہ دروازہ کھولتا ہے۔

اور جو بھی کھڑا ملے دروازے کے باہر۔ اسکا ماتھا چوم کے اندر لے جاتا ہے۔ جو مانگنے والا مانگ لے اسے ملتا ہے۔ میری جھولی تو اس کی دیکھی بھالی ہے۔ میری

مرادیں وہ جانتا ہے۔ اس سے کیوں شرماؤں۔

کیا چھپا ہے اس سے میرا؟

پھر کیوں نہ اس سے کہہ دوں ساری بات۔

ایک چابی ہی کی تو بات ہے۔ ایک چابی ہی تو چاہیے۔ ایک دروازے کی۔ وہ دروازہ کہیں بھی ہو۔ تمہارے آنگن کے باہر ہو یا میرے صحن کے اندر۔ ایک ہی بات ہے۔ دونوں جگہ تم ہو۔ اب دیکھ لینا میں پہنچنے والا ہوں۔

تمہیں تو پتہ ہے۔ ماسٹر کے در سے ''ماسٹر کی'' ہی ملتی ہے۔ ہر در اس سے کھلتا ہے۔ ہے کوئی دروازہ جو نہ کھلے۔ پھر تم کتنی دیر تک اپنے دل کا بوہا بند کر کے بیٹھی رہو گی۔ جانتی نہیں ہو کہ یہ اندر کے سارے دروازے صرف اسی کی چابی سے کھلتے ہیں۔ کہنے کو ہمارے دلوں پہ ہمارا راج ہے۔ جسے چاہیں بسا لیں۔ مگر یہ مغالطہ ہے۔ ہمارے کہنے کی بات ہے۔ ہمارے بس کی نہیں۔ تمہیں اس وقت سمجھ آنی ہے۔ جب بات تمہارے بھی بس کی نہیں رہنی۔

بات تو ایسی ہی ہے۔ مگر تمہیں یہ اصرار ہے تو ایسے ہی سہی۔ میں تو اس دن کا منتظر ہوں جب تم خود کہو گی۔ کہ تم کہاں سے اندر آ گئے ہو۔

میں نے کہنا ہے، میں تو مدت سے یہیں ہوں۔

تمہیں احساس اب ہوا ہے۔

ابوالفضل کو بھی پیچھے اپنے گاؤں کے عزیز و اقارب یاد آتے تھے۔ مگر نوکری تھی۔ پانچ چھ سال ادھر ہی رہا۔ ایک رات کیا ہوا۔ خواب آیا۔ دیکھا۔ اسکے خیمے کے باہر بانس کی نکر پہ ایک کبوتر بیٹھا ہے۔

کبوتر کی آنکھوں میں اس کے باپ کی نگاہ ہے۔

پھر کبوتر بولتا ہے۔ اور اسے اپنے باپ کی آواز آتی ہے۔ کبوتر کہتا ہے۔

بیٹا۔ تم آئے ہی نہیں۔

انتظار کرتا کرتا میں اب جا رہا ہوں۔

جاتے جاتے سوچا تمہیں دیکھ لوں۔

اچھا۔

کبوتر نے یہ کہا اور اسے لگا جیسے کبوتر کی آنکھوں میں آنسو ہوں۔

پھر کبوتر اڑ گیا۔

ابوالفضل کی آنکھ کھل گئی۔

یا شاید پہلے سے آنکھیں کھلی تھیں۔

ساری زندگی وہ اس معمے کو سوچتا رہا۔ اسے سمجھ نہ آئی کہ وہ ساری باتیں اس نے نیند میں سنیں یا جاگتے ہوئے۔ کبوتر کی بات وہ سمجھ گیا تھا۔ اگلے دن ہی اس نے چھٹی لی۔ سامان باندھا اور اپنے گاؤں کی طرف روانہ ہو گیا۔ نو دن سفر میں لگے۔ گھر پہنچا تو باپ کو مرے دسواں دن تھا۔ وہ گھر کے باہر بچھی دعا کی دری پہ بیٹھ گیا۔

تم بھی بیٹھ جانا۔

پتہ نہیں مجھے کبوتر بن کے تمہیں کوئی سندیس دینے کی اجازت ملتی ہے یا نہیں۔

مگر مجھے اتنا پتہ ہے تم پہنچ جاؤ گی۔ چاہے دسویں دن ہی پہنچو۔

میرا کیا ہے میں تو ہوں ہی پنچھی

اب بھی ہوں پھر بھی موجود ہوں گا۔

یہ نہ کبھی سوچ لینا کہ جانے والے واقعی چلے جاتے ہیں۔

بس وہ نظر نہیں آتے۔

ہوتے ادھر ہی یہیں کہیں ہیں۔ ان کے سروں پہ سلیمانی ٹوپی پہنا دی جاتی ہے۔ اگر کسی کی دسترس اس ٹوپی کے پھندنے تک ہو جائے تو وہ کبھی کبھار اس ٹوپی کو پھندنے سے پکڑ کے اٹھا بھی لیتا ہے۔ پھر سامنے بٹھا کے باتیں بھی کر لیتا ہے۔ تم فکر نہ کرو۔ تمہیں میری ٹوپی اچھالنی آ جائے گی۔

اس میں بھی فائدہ میرا ہی ہے۔

□

ابوالفضل

ابوالفضل کی زندگی میں یوں تو ساری باتیں سمجھ آنے والی تھیں مگر ایک بات انوکھی تھی۔ وہ اس وقت تک سمجھ نہیں آتی جب تک کبوتر والی بات پہ یقین نہ آ جائے۔ کبوتر واقعی آیا تھا۔ یقین کا کیا ہے یہ کبوتر تھوڑی ہے۔ آئے نہ آئے۔ اصل میں اسے چھوٹی عمر میں ہی ایک حیرت انگیز واقعہ پیش آیا تھا۔ پرانے وقتوں میں چھوٹی عمر میں ہی لوگ شادیاں کر دیتے تھے۔ بچے پکڑ کے بٹھا لیے مولوی کو بلا لیا۔ دوکان سے دو آنے کی جلیبیاں منگوالیں۔ دو سیر چاول بھگو دیے۔ ایک مرغا ذبح کر لیا۔ ادھر چیزیں پک جاتیں۔ ادھر مولوی صاحب سورتیں سنا کر بچوں کے سر پہ ہاتھ پھیر دیتے۔ چاروں طرف بیٹھے لوگ ایک دوسرے کو مبارک ہو۔ مبارک ہو کہہ دیتے۔ بچوں کی شادی ہو جاتی۔ بڑوں کی پکنک، کھانا سب کو مل جاتا۔ کھا لیتے۔ شادی شدہ بچے شادی کروا کے پھر گلی میں کھیلنے نکل جاتے۔

ابوالفضل کے ساتھ بھی ایسا ہی ہوا تھا۔

یہ کوئی دس سال کا تھا، لڑکی آٹھ نو سال کی۔ لڑکی اس گاؤں کی نہیں تھی۔ کوئی چار پانچ گاؤں چھوڑ کے اس کا گاؤں تھا۔ بڑوں کا آنا جانا تھا ایک دوسرے کے پاس۔ پھر وہ آنا جانا کم ہو گیا۔ کم ہوتے ہوتے ختم ہو گیا۔ ابوالفضل کو بڑوں کی باتوں کی سمجھ تو نہ تھی۔ انہوں نے جب کہا تھا بیٹھ جاؤ مولوی کے پاس۔ یہ بیٹھ گیا۔ اب وہ

کہنے لگے ادھر کاغذ پہ انگوٹھا لگاؤ۔

یہ بولا، یہ کیا ہے۔

بولے۔ یہ تیرا طلاق نامہ ہے۔ لگاؤ انگوٹھا۔

اس نے سہم کے لگا دیا۔

بعد میں پتہ چلا اسے کہ اس کے گھر والوں کو لڑکی والوں سے کئی شکاتیں تھیں۔ کچھ کہتے لڑکی چٹوری ہے۔ چوری چوری بستر میں لیٹ کے چھوارے اور پھلیاں کھاتی ہے۔ کچھ کہتے ہیں اس کی ترنجن کی سہلیوں کے یارانے ہیں۔ لڑکے ان سے گڑ بتاشے رومال میں باندھ کے ملنے آتے ہیں۔ یہ بھی کھاتی ہے۔ کچھ کہتے ہیں یہ بات نہیں، بات یہ ہے کہ لڑکی والے اس کے والدین سے بھی کسی لڑکی کا رشتہ مانگ رہے تھے۔ بدلے میں۔ شاید اس کی کسی بہن کا۔ اور بھی کچھ اسی قسم کی کھچڑی تھی۔ کافی عرصہ سے پک رہی تھی۔

بچوں کو اس سے کیا مطلب ہوتا ہے۔

کہ گھر میں کھچڑی پک رہی ہے یا پلاؤ۔

جو پکے وہ بسم اللہ کر کے کھا لیتے ہیں۔

اس نے کھا لی۔

اس وقت تک اس کی عمر بارہ سال ہو چکی تھی یا ہونے والی تھی۔ اب لڑکی والوں نے دل ہی دل میں دشمنی پال لی۔ ایسے کوئی خون کی رشتہ داری بھی نہیں تھی کہ لوگ کہیں جی مارنا بھی ہے تو مار کے چھاؤں میں ڈالو۔ حالانکہ یہ بات کس قدر احمقانہ ہے۔ بھئی جب مارنے والے کو مار ہی دیا تو اب اسے دھوپ میں ڈالو یا چھاؤں میں۔ اس سے کیا فرق پڑتا ہے۔ فرق یہ پڑ گیا کہ لڑکی والوں نے اپنے سارے غصے کا رخ بجائے ابوالفضل کے بزرگوں کے، ابوالفضل کی طرف کر لیا۔ کہتے ہیں اُن کے گاؤں میں ایک کالے علم والا جوگی رہتا تھا۔ اللہ جانے لڑکی والوں نے اس جٹا دھاری، بھان متی مہنت کو کیا لالچ دیا۔ کہتے تھے لوگ کہ وہ بیس روپے لیتا تھا، اس زمانے میں

ہانڈی چلانے کے۔اس نے ایک ہنڈیا لی، اس میں رکھیں سات سلائی کڑھائی والی سوئیاں ، اوپر دھرے سات پراٹھے دیسی گھی میں پکوا کے گرم گرم۔ ساتھ رکھ دیں سات چھریاں سل پہ تیز کرا کے۔سات چٹکیاں ڈالیں سندور کی ، سات ہی رکھیں اگربتی قسم کی گگلیاں۔اور بھی کچھ مسالے ڈالے۔ پھر ہانڈی کے اندر آگ جلادی۔

منتر پڑھ دیا۔

وہ منتر سات چڑیلوں کا بلاوا ہے۔ساتوں چڑیلیں کہتے ہیں، سگی بہنیں ہیں۔کلر زدہ زمین پہ ان کا ٹھکانہ ہے۔ بڑی مائی مسانی ان میں کلر کی رانی ہے۔اسی کا نام لے کر بلاتے ہیں سب کو۔ وہ ساری چڑیلیں بھی چٹوریاں ہیں۔گرم پراٹھے لے کر سینہ توڑ دیتی ہیں۔ان کو بلالیا۔منتر کے بول بولے۔

مائی مسانی
کلر کی رانی

سینہ پن
کلیجہ کھانی
چک پراٹھے
پھڑ لے چھریاں
گول گھمادے ہانڈی کو
بانبڑ بھریا تیرے اندر
لُد دے ادھر جا کے تو
(یہ کہہ کے ابوالفضل کا پورا اتہ پتہ بولا گیا)
چل آ
متھے تے رکھ
سندور دی چٹکی
پلکاں دی ساریاں سویاں

نظراں وچ رکھ

تے آنکھ نہ میٹ

جا ہن

اڑ جا

ہنڈیا اڑ گئی۔ گول گھومی پھر ہوا میں جا کے گھومتی گھومتی لاٹو کی طرح ابوالفضل کے گاؤں کی طرف رخ کر لیا۔ آج کل جیسے گائیڈڈ میزائل چلتا ہے، اسی طرح اڑتی گئی۔ جدھر سے گذرتی تھی۔ سیٹی کی آواز آتی تھی۔ شوں شوں، جیسے کوئی گھومتا ہوا لاٹو اڑا پھرے۔ پہنچ گئی ان کے گاؤں۔ ادھر ابوالفضل اپنے گھر سے باہر کھیل رہا تھا، گلی میں پہنچا تو وہ پہنچ گئی۔ شوں شوں کرتی کوئی چیز آئی اور ٹھاں سے اس کے سینے پر پڑی۔ یہ گر گیا۔ بے ہوش ہو گیا۔ منہ سے خون نکلنا شروع ہو گیا۔ لوگ اکٹھے ہو گئے۔ اٹھا کے گھر کے اندر لے گئے۔ ایک بھاگا گاؤں کے نکڑ پہ ایک جھگی میں سے خیراتی شاہ کو بلانے چلا گیا۔

خیراتی شاہ تعویذ دھاگے کرتا تھا۔

سائیں آدمی تھا۔

لوگ اپنی اپنی حاجتیں لے کر اس کے پاس جایا کرتے تھے۔ وہ دَم کر دیا کرتا تھا۔ پانی پڑھ کے دے دیتا تھا۔ لوگ کچھ ٹھیک بھی ہو جاتے تھے۔ یوں بابا خیراتی شاہ کی جھگی اس گاؤں کا ایمرجنسی ڈیپارٹمنٹ تھا۔ بلا لائے خیراتی شاہ کو۔ اس نے دم کیا۔ پانی پڑھ کے چھینٹے مارے۔ پھر ابوالفضل کی ماں کو بولا،

سات پراٹھے پکا ماسی دیسی گھی کے۔

ایک کو کہا جا بھاگ کے جا۔

گگل لے آ، سندور لیا،

سب منگوا لیا۔ پراٹھے پک گئے۔ خیراتی شاہ بولا، یہ سات بہنیں ازل کی بھوکی ہیں۔ ہیں ساتوں چڑیلیں۔ اجاڑ کلر والی زمین میں رہتی ہیں۔ کھانے کو ادھر کچھ ملتا

نہیں انہیں۔ جو پکا کے گرم پرانٹھے رکھ دے، اسی کی چھریاں پکڑ کے یہ اڑ جاتی ہیں۔ چلو اٹھو۔ صحن میں کھلی جگہ منتر پڑھنا پڑے گا۔ سب کسی کھلی جگہ بیٹھ گئے۔ ابوالفضل کو درمیان میں لٹا لیا۔ وہ مردے کی طرح لیٹا ہوا تھا۔ ناک منہ سے خون نکل رہا تھا۔ جسم بے سدھ تھا۔ ماتھے پہ پسینہ تھا۔ چہرہ نیلا ہوا تھا۔ آنکھیں پلٹی ہوئی تھیں۔ خیراتی شاہ نے ابوالفضل کے جسم پہ اپنے کندھے کی چادر پھیلا دی اور پاس ہی زمین پہ بیٹھ کے ساری چیزیں سامنے ایک ٹرے میں رکھ لیں۔ دونوں گھٹنے زمین پہ لگا کے بیٹھ گیا۔ اور منتر پڑھنے لگا۔ منتر پڑھ کے بولا،

کلر کی رانی واپس مڑ آ۔

اپنے پرانٹھے لے جا۔

ایک دم سے شوں شوں کرتی ہوئی ہانڈی لٹو کی طرح گھومتی آئی۔ اندر اس کے آگ جل رہی تھی۔ ہوا کا تیز جھونکا ساتھ آیا۔ ٹرے پہ ہانڈی نے جھپٹا مارا اور ساری چیزیں اٹھا کے اسی طرح شوں شوں کرتی گھومتی نظروں سے اوجھل ہوگئی۔ خیراتی شاہ نے اسے جاتے جاتے دیکھ کے کہا،

جدھر سے آئی ہے ادھر ہی جا۔

مار جا کے سینے پہ۔

آگ سے بھرا

چھریوں والا اپنا ہاتھ۔

پتہ نہیں اُدھر کسی کے سینے پہ وہ لگی یا نہیں۔ ابوالفضل اٹھ کے بیٹھ گیا۔

اب ابوالفضل کے ساتھ جب یہ حادثہ ہوگیا تو اسے یہ جنون چڑھ گیا کہ میں بھی سیکھوں گا یہ منتر۔ اس نے سوچا ہوگا کہ یہی قوت اور طاقت کی نشانی ہے۔ میں کیوں نہتا رہوں۔

ہر دور میں طاقت کے سمبل ہوتے ہیں۔

جو بدلتے رہتے ہیں وقت کے ساتھ۔

جیسے آجکل دھونس دھاندلی طاقت ہے۔
پیجارو، موبائیل، بنگلہ، طاقت کے مظاہر ہیں۔
طاقت وروں سے یارانہ ایک ذہنی عیاشی ہے۔
اس وقت بھی یہی حال تھا۔
خیراتی شاہ اس گاؤں کی توپ تھا۔ اس کی جھگی کو آج کا آٹھ کنال کا بنگلہ سمجھو اس کی کھوتی کو پیجارو اور ہاتھ میں پکڑی تسبیح کو موبائیل تو تمہیں اس زمانے کے ویلیو سسٹم کی سمجھ آ جائے گی۔
خیر
خیراتی شاہ کی خدمت شروع کردی۔ اس کے لیے دودھ، دہی لسی، پراٹھے، گڑ شکر گھی سب چوری چوری گھر سے لے کر جاتا۔
خیراتی شاہ سرا نہ پکڑائے۔
کئی بار ابوالفضل نے مدعا بیان کیا۔
وہ کہے دیکھ کاکا، یہ مشکل راہ ہے۔
تو چھوٹا ہے۔ پھر یہ راہ لمبی ہے۔
تو سدھا ہے یہ رستہ سیدھا نہیں۔
میں نے تو یہ صرف اسی کے توڑ کے لیے سیکھ رکھا ہے۔
اس میں نہ جانا، تُو۔
اس میں اندھیرا ہے۔
تو چانن والی گلی میں جا،
اس راہ کا سوچ۔
اصل راہ وہ ہے،
اس پہ جو چلے وہ گُم نہیں ہوتا۔
بھٹکتا نہیں۔

ابوالفضل تو بھٹک چکا تھا۔ اسے بس یہی جنون تھا کہ منتر سیکھنا ہے۔ جب خیراتی شاہ اس کے قابو نہ آیا تو اس نے اس کے چھوٹے بھائی سے بات کی۔ جیسے آج کل ایم این اے کے چھوٹے بھائی ایم پی اے سے بات کی جاتی ہے۔ جرنیل نہ سنے تو اس کے سٹاف افسر کو شیشے میں اتارا جاتا ہے۔ ابوالفضل کی علیک سلیک تھی خیراتی شاہ کے چھوٹے بھائی سے۔

خیراتی شاہ کا چھوٹا بھائی بھی سائیں تھا۔ وہ ابوالفضل میں عمر میں پانچ سات سال بڑا تھا۔ گاؤں کی بھینسیں چرانے کے لیے باہر دریا کنارے لے جاتا تھا۔ بھینسیں گھاس چرتی پھرتیں۔ پانی گارے میں چلتی پھرتیں۔ وہ ایک کونے پہ بیٹھا کوئی وظیفہ پڑھتا رہتا۔ ابوالفضل چار دن اس کے بھینسوں کے ریوڑ کے آگے پیچھے پھرا۔ کٹے کٹیوں کو چھپڑوں میں نہلایا۔ بھینسوں کے سینگوں والے ماتھوں سے کیچڑ مٹی صاف کی اور لجالجا کے چھوٹے سائیں سے باتیں کی۔ اس کے آگے پیچھے بھاگا بھاگا پھرا۔ وہ اس کا یار بن گیا۔

آج کل بھی یاری بنانے کا یہی طریقہ ہے یا نہیں؟

اب تمہاری بھینسیں ہی نہیں ہیں تو میں کس کے سینگ جھاڑوں؟ کیچڑ تمہاری بستی میں نہیں، کدھر جا کے اسے صاف کروں؟ رہ گیا آگے پیچھے بھاگنا، تو وہ بھاگے پھر رہا ہوں۔

تم بھگائے لیے پھر رہی ہو۔

کبھی آگے، کبھی پیچھے۔

تمہیں تھوڑی یہ کہنا ہے کہ تم سے منتر سیکھنا ہے۔

شاستر سیکھنے ہیں۔

پھر کوک شاستر لکھنی ہے

کوک شاستر جدید۔

دیکھو یہ ان دس صدیوں میں آخری موقع ہے۔

میرے یہاں کہاں اوروں سے یارانے ہیں۔

گاؤں میں ابوالفضل کی بھی اور کسی سے دوستی نہیں تھی۔ ابوالفضل نے محبت سے اس کا پیچھا کیا، تو وہ اس کا ہاتھ نہ چھڑا سکا۔

سائیں "تم" تھوڑی تھا۔

وہ تو، "تُو" تھا۔

اس کا نام تھا سائیں بگا۔

کہتے ہیں جب وہ زیادہ چھوٹا تھا تو اپنے نانا کے پاس رہتا تھا۔ باپ کہیں اسکا بچپن میں ہی فوت ہو گیا تھا۔ نانا نے پالا تھا۔ پھر ماں بھی مر گئی تو بڑا بھائی خیراتی شاہ اسے اپنے پاس اس گاؤں میں لے آیا۔ چونکہ عام بچوں کے ساتھ گلی میں کھیلنے کی بجائے گاؤں کے باہر ویرانوں میں ہی پھرتا رہتا تھا۔ لوگ اسے سائیں بھی کہنے لگے تھے۔ یہ بھی تھا کہ اس کا بڑا بھائی پہلے ہی سے گاؤں بھر کا جانا ہوا فقیر آدمی تھا۔ یہ بھی سائیں بگا بن گیا۔ بڑا ہوا تو اس کا نام سائیں بگو شاہ ہو گیا۔

ابوالفضل کی سائیں بگو شاہ سے گاڑھی چھننے لگی تو ایک دن اُسے اپنی کہانی سنا دی۔ اور دل کی آرزو بھی کہہ دی۔

کاش تو بھی کبھی مجھے دل کی کہی کہنے دے۔

ان کہی کہہ دی جائے تو کتنا مزہ آتا ہو گا۔

کبھی لیا ہے تم نے یہ مزہ، نہ لینے دیا ہے۔

سائیں نے دو چار دن ٹال مٹول کی۔ کہ بھاری رستہ ہے۔ مجھ سے چلایا نہیں جائے گا۔ تُو بھول جا اُڑانے والی ہانڈی، مجھ سے نہیں پکتی۔ میں نہیں بتاتا یہ نسخہ۔ چھوڑ اسے۔ اور وظیفے تمہیں بتاتا ہوں۔

تو بھی ایسے ہی ٹالتی آ رہی ہے نا!

مگر ابوالفضل میرا دادا تھا۔ اس پہ تو اسی منتر کا بھوت سوار تھا۔

جیسے مجھ پہ ہے۔

آخر بگوشاہ راضی ہو گیا۔ تو نے بھی اک دن مان جانا ہے۔

اب بول نہ بول۔

بولا کل آجانا۔

گاؤں کے باہر خواجہ روشن ولی کی درگاہ کی طرف کلر والے میدان میں جو اونچا بوہڑ کا درخت ہے، پرانا۔ اس کے نیچے۔

سات دن سات راتیں۔ وہیں رہنا ہوگا۔

ٹھیک ہے۔

ہزار منکے والی تسبیح چاہیے ایک۔

ابوالفضل اگلے دن گھر سے اپنی چارپائی لے آیا۔ تسبیح بھی بنالی۔ اللہ جانے گھر والوں سے کیا بہانہ کیا۔ کہ وہاں کیا کرنا ہے۔ سائیں نے بھی اپنی چارپائی وہیں بچھالی۔ اسے سمجھادیا کہ دیکھو، تین تسبیحاں روز پڑھنی ہیں۔ اسم بتادیا جو پڑھنا تھا۔ ساری ہدایات دے دیں، کہ ڈرنا نہیں۔ ڈرانے والی بڑی چیزیں آئیں گی۔ تمہیں بلائیں گی۔ تم نے اپنی جگہ سے نہیں اٹھنا۔ شکلیں بدل کے آئیں گی وہ ساری بلائیں۔ کبھی کوئی تیرا باپ بن کے آئے گا۔ تو نے اسے باپ نہیں سمجھنا۔ کہنا نہیں ماننا اس کا۔ میری صورت بنا کے بھی کوئی آ سکتا ہے۔ تو نے نہیں یقین کرنا۔ یہ لو میں تمہاری چارپائی کیل دیتا ہوں۔ روز کیل دیا کروں گا۔ تم ڈرنا نہیں۔ وہ سب بلائیں اس لکیر سے باہر باہر رہیں گی۔

بس لکیر کی جسے سمجھ آجائے۔

وہ پار لگ جاتا ہے۔

تم لکیریں ہی لگاتی رہی۔

پار نہ لگنے دیا۔

چلو

کبھی نہ کبھی مجھے دائرے میں اندر رکھ کے

اپنے ساتھ

لکیر لگاؤ گی

باہر

تو اندر کے بھید کھلیں گے۔

اور دروازے بھی۔

لگاتی رہو کنڈیاں دروازوں پہ۔

مجھے کیا۔

میں کونسا ابھی اندر رہوں۔

خطرہ تو تب ہے، جب مجھے بٹھا کے ساتھ باہر کی کنڈیاں لگاؤ۔

پھر میں کدھر دستک دوں گا؟

کدھر سے آؤں گا؟

سمجھ آئی؟

سائیں بگو شاہ نے ابوالفضل کو اچھی طرح سمجھا دیا۔

خبردار کر دیا۔

بتا دیا لکیر کیا ہے اور کب پار کرنی ہے۔

وہ سمجھ گیا۔

تمہاری سمجھ میں ابھی تک نہیں آئی میری بات۔

چلو تمہیں بھی ہاتھ پکڑ کے سمجھانا پڑے گا۔

لکیر کا تقدس ہی یہی ہے کہ جو لکیر کھینچے وہ اس کے آر پار لے کے جاتا ہے۔

سائیں بولا۔

جب میں خود آؤں گا تو اس لکیر کو پار کر کے تمہارا ہاتھ پکڑ لوں گا۔

یہی میری نشانی ہے۔

میری بھی۔

اب تمہارے چاروں طرف جو ہوتا ہے ہوتا رہے۔

طوفان آئے آتا رہے۔

سیلاب آ جائے، چاہے۔

آئے گا دریا بھی تم پہ مار کرے گا۔

آیا ہے کئی بار

تمہارے بند ھ ڈھانے۔

تم نے پشتے مضبوط رکھے ہیں۔

تم تو ڈراتی ہو الٹا۔

تم نہ ڈرنا۔ سائیں نے کہا۔

بولو ڈرو گے تو نہیں۔

میں ہوں تمہارے پاس، یہ ساتھ والی چار پائی پہ۔

ہاں میں ہوں۔

تم نے ساتھ والی چار پائی کبھی بچھائی ہی نہیں۔ اس لیے میں کیسے نظر آؤں؟

بس تم نے دل پکا رکھنا ہے۔

سائیں سمجھاتا رہا۔

میں نے تھوڑی سمجھانا ہے۔

جانور بھی آ کے تم پہ حملہ آور ہوں گے۔ تم نے آنکھیں بند کر لینی ہیں۔

تم نے نہیں۔

تمہیں تو کہتا آ رہا ہوں۔

آنکھیں کھولو۔

دیکھو۔

اور دیکھنے دو کہ تم اصلی حالت میں صرف آنکھوں کی راہ سے دیکھنے سے نظر آتی ہو۔

ہر کسی کو دیکھنے کا یہی سرکاری طریقہ ہے۔

اسی لیے تم مجھے یوں نہیں تکتی۔

یاد ہے، ایک شام۔

وہ شام جس کے بعد رات کبھی نہ آئی۔ کئی راتیں بنا رات بنے گزر گئیں۔

میں تمہیں دیکھتا رہا۔ تکتا رہا۔

تم کہتی رہی۔ نہ دیکھو ایسے۔

مجھ سے نہیں دیکھا جاتا۔

تمہارا ایسے دیکھنا۔

تم میرے دیکھنے سے نہیں ڈر رہی تھی۔

اپنے دیکھے جانے سے خوف زدہ تھی۔

ہے نا؟

خیر جی، میں تو سائیں بگو شاہ اور ابو الفضل کی بات کر رہا تھا۔ سائیں سمجھاتا رہا۔ دیکھ۔ گردن جھکا کے پڑھتے جانا ہے۔ چار پائی نہیں چھوڑنی۔ اس لکیر سے باہر نہیں نکلنا۔ ان سب بلاؤں کی یہی کوشش ہونی ہے کہ کسی طرح تمہیں ڈرا کے، سہا کے بھاگنے پر مجبور کر دیں۔ اگر تم نے لکیر سے باہر قدم نکالا تو وہ تیری گردن توڑ دیں گے۔ اِدھر سے منکا توڑتی ہیں۔ بگو شاہ نے اپنے دونوں ہاتھوں سے اپنی گردن کو مروڑ کے دکھایا۔ ساتھ منہ سے کڑک کی آواز نکالی۔ یوں کام ختم۔ پھر میں ذمہ دار نہیں۔ سوچ لے۔ سائیں بگو شاہ نے اپنے دونوں ہاتھ اٹھا کے تھوڑی دیر انہیں ہوا میں اٹھائے رکھے۔ اور اس کے چہرے کے اتار چڑھاؤ دیکھتا رہا۔ ایک آدھ لمحے کے لیے اس کے ماتھے پہ پسینہ آنے سے پہلے تذبذب کی لکیر ابھری، مگر اگلے ہی لمحے ابو الفضل نے فیصلہ کن انداز میں گردن جھٹک دی۔ اور بولا میری فکر نہ کرو۔ میں نہیں نکلتا لکیر سے باہر۔

سائیں نے ابو الفضل کو پکا کر دیا۔

اللہ جانے تم کو کس نے پکا کیا ہوا ہے۔
تم لکیر سے باہر ہی نہیں نکلتی۔
خدا جانے کونسا چلّہ کر رہی ہو۔
کرو۔
لکیر سے اندر آ کے جس نے تمہارا ہاتھ پکڑنا ہے، اسی نے تمہیں نہیں چھوڑنا۔
تمہیں بھی ہاتھ پکڑانے کا خوف نہیں ہے۔
نہ چھوڑے جانے کا سوچ کے تمہیں پسینہ آتا ہے۔ آتا ہے نا؟
مجھے یہ ڈر لگا ہے کہ نہ چھوڑا تو؟
خیر جی۔
چارپائیاں بچھ گئیں۔
چارپائیوں نے بچھنا ہی ہوتا ہے۔
اور ان کا مقصد کیا ہے۔
لکیر لگ گئی۔ وہ بھی لگنے کے لیے ہوتی ہے۔
لگتی آئی ہے۔
لگے گی، لگ گئی۔

ابوالفضل نے چلّہ شروع کر دیا۔ تین دن گزر گئے کچھ نہ ہوا، امن رہا۔ ابوالفضل کا حوصلہ بڑھ گیا۔ کبھی کبھار یہ سائیں بگو شاہ پہ رعب ڈالنے والی نظر سے یوں دیکھتا جیسے کہہ رہا ہو یونہی ڈرا رہے تھے۔ کچھ نہیں ہوتا مجھے۔

سائیں ہر بار آ کے کہتا۔
تگڑا رہنا۔

وہ دن میں تین چار بار خود لکیر کے اندر آتا۔ اس نے کھانا پینا ہوتا تھا، کھلا دیتا۔ کسی حاجت سے نکلنا ہوتا، خود لیکر جاتا۔ مگر جدھر اسے جانے کی اجازت دیتا پہلے وہ راہ اور جگہ کیل کے آتا۔ تین دن تک کوئی واقعہ نہیں ہوا۔ ابوالفضل کا اعتماد بڑھ گیا۔

پڑھائی اس نے جاری رکھی۔

چوتھی رات آئی،

ابھی پہلی تسبیح ہی پوری ہوئی تھی۔ کہ ایک دم سے شوں شوں کر کے کوئی شرلی چلی۔ پھر بم پھٹا۔

زور کا دھماکہ ہوا۔

اور

یک لخت دن چڑھ گیا۔

روشنی ہوگئی۔ ہر چیز صاف دکھائی دینے لگی۔

سارے درخت، ان کی اک اک ٹہنی۔

ایک ٹہنی پہ ایک کالا کوا بیٹھا تھا۔ وہ کائیں کائیں کرے۔

دُور گاؤں کے گھر۔

خواجہ روشن ولی کی درگاہ اور آسمان پہ چھوٹی چھوٹی بدلیاں۔

ایک طرف آسمان کا سورج۔

رات کا پہلا پہر تھا۔ ایک دھماکے سے یک لخت وہ دن کا تیسرا پہر بن گیا۔

عجیب طرح کی خاموشی پورے ماحول میں بھرگئی۔

صرف کوے کی کائیں کائیں آواز آتی رہی۔

پھر پراسرار طریقے سے کوا بھی خاموش ہوگیا۔

جیسے کسی سانپ نے اچھل کے اسے ڈس لیا ہو۔

ابوالفضل کے لہو میں برف کی ڈلیاں چلنے لگیں۔ اس کی نس نس منجمد ہوگئی۔ اسے اپنی کھال کے نیچے سرسراہٹ محسوس ہونے لگی۔ اچانک اس کے قریب ہی کوئی چیز رینگتی رینگتی اچھلی۔ نگاہ ادھر کی تو کوئی دس ہاتھ لمبا کالا سیاہ ناگ پھن پھیلائے اس کی طرف لپکا۔

شوں شوں۔

ناگ کی زبان ہاتھ بھر باہر نکلی ہوئی تھی۔ وہ اسے تیزی سے اندر باہر کر رہا تھا۔ آنکھیں ناگ کی ابوالفضل پہ جمی ہوئی تھیں۔

اس کی چیخ نکل گئی۔

اور اس نے آنکھیں بند کر لیں۔ سر سے پاؤں تک پسینہ آ گیا۔

جسم کپکپانا شروع ہو گیا۔

اچانک

لیٹے لیٹے اسے محسوس ہوا کوئی اس کی طرف چلا آ رہا ہے۔ تیز تیز بھاری قدم اٹھاتے ہوئے۔ غصے سے حملہ کرنے کے لیے۔ اس نے سہمے سہمے ایک آنکھ کھولی۔

سامنے ایک ملنگ کھڑا تھا۔

دونوں ہاتھوں میں کڑے پہنے ہوئے تھے۔ سر کے لمبے بال بکھرے ہوئے۔ داڑھی بے تحاشہ بڑھی ہوئی۔ سارے بال آپس میں الجھے ہوئے۔ کالا کریہہ چہرہ اور چہرے پہ دو انگاروں جیسی آنکھیں۔ ملنگ کی آنکھیں اس کے بدن پہ دہکتے کوئلوں کی طرح چپک گئیں۔ وہ قدم قدم اسی طرح غصے سے اسے دیکھتا چلتا آئے۔ یہ لیٹا لیٹا لرزتا جائے۔ ایک دم قریب آ کے ملنگ نے اس پہ جھپٹنے کے انداز میں اپنے بڑے بڑے ناخنوں والا ہاتھ مارا۔

ابوالفضل چیخ مار کے اپنی چارپائی سے چپک گیا۔

دونوں ہاتھوں سے چارپائی کی دونوں بانہیاں پکڑ لیں۔

جسم کی بوٹی بوٹی پھڑکنا شروع ہو گئی۔

اسے یہی محسوس ہوا کہ اس کی کمر پہ اس کا ہاتھ آیا کہ ابھی آیا۔

کمر پہ برف کی سل پڑی تھی۔

سل تڑاخ تڑاخ کٹ رہی تھی۔

نس نس میں کپکپی بھر گئی۔

تسبیح اس کے ہاتھ میں تھی، چیخنے کے انداز میں یہ ٹوٹے ٹوٹے لفظوں سے وہ

پڑھتا رہا۔

کھڑاک سے پھر ایکا ایکی میں ایک بڑا دھماکہ ہوا۔

اسے یوں لگا جیسے کوئی بہت بڑی سی لالٹین کی شیشے والی چمنی ٹوٹ گئی ہو۔ اور سارا کانچ ریزہ ریزہ ہو کے بکھر گیا ہو۔ اس نے کانپتے کانپتے آنکھیں کھولنے کی کوشش کی تو وہاں گھٹاٹوپ اندھیرا تھا۔

ایسی کالی رات کہ نہ اوپر آسمان

نہ آسمان پہ کوئی تارا،

نہ چاند۔

بس اندھیرا ہی اندھیرا۔

اندھیرے میں بھی اندھیرا۔

سنبھلنے بھی نہ پایا تھا کی اس کے قریب ہی چارپائی کے پاس ایک کالی سیاہ بلی کود پڑی۔ زمین پہ پنجے لگاتے ہی وہ اپنی دونوں پچھلی ٹانگوں پہ بیٹھ کے منہ اٹھا کے پورا حلق کھول کے چیخی۔ اس کی آنکھیں اتنی تیز چمک رہی تھیں کہ اس کی روشنی میں اس کا بدن نظر آرہا تھا۔ لال سرخ آنکھیں دہکتے انگاروں کی طرح تھیں۔

جیسے خون پی کر آئی ہوں۔

بلی بیٹھی بیٹھی اچھلی،

اچھل کے دوبارہ زمین پہ قدم اس کے پڑے تو دھیرے دھیرے بلی کا جسم ایک عورت کا جسم بن گیا۔

خوفناک چہرہ،

منہ کھلا ہوا،

حلق میں دانت ہی دانت۔

دانتوں کے انگوروں جیسے گچھے، گندے میلے دانت کتے کے دانتوں جیسے نوکیلے۔ سر کے بال اتنے لمبے کے پورے جسم پہ کپڑوں کی جگہ بال ہی بال پھیلے ہوئے

تھے۔ وہ اپنے جسم کے بالوں کو اپنے گٹھ گٹھ لمبے ناخنوں والے ہاتھوں سے سمیٹتی ہوئی، اپنی دونوں رانوں کے سامنے سے ہٹا کے، ہنستی ہوئی ابوالفضل کے بستر پہ ہم بستری کرنے کے ارادے کو لیے، کود پڑی۔

ابوالفضل کا پیشاب نکل گیا۔ تسبیح ہلنا بند ہوگئی۔ اور اسے غشی پڑ گئی۔

ہوش آیا تو دیکھا، پاس بگوشاہ کا بڑا بھائی خیراتی شاہ کھڑا ہے۔

دن نکلا ہوا ہے۔ اور چار قدموں پہ سائیں بگوشاہ اپنی چارپائی پہ بے سدھ پڑا ہے۔ خیراتی شاہ منہ ہی منہ میں کچھ پڑھ پڑھ کے اس کے گرد چکر لگا تا جا رہا تھا۔ پھر وہ اسکی چارپائی پہ آ کے بیٹھ گیا۔

نہیں مانے نا تم۔ مجنوں۔

وہ ابوالفضل کو مجنوں کہتا تھا۔ سوچ لو۔

دادے کا یہ حال تھا۔

تو پوتا کیسے پیچھے رہے۔

تم لیلیٰ بنی رہو۔

مجھے مجنوں نہ مانو۔

تو میں کیا کرو۔

یہ تو میں ہی جانتا ہوں، کہ مجھ پہ تمہارے کیسے کیسے وار ہوئے۔

اور میں نے سہے۔ ابوالفضل پہ تو ایک ہی جادو کا وار ہوا تھا۔

ایک ہی ہانڈی سوئیاں بھری اس کی ہک پہ پڑی تھی۔

خیراتی شاہ نے اس کا نام مجنوں رکھ دیا تھا۔

ادھر ہمارے سینے پہ ہر لمحے تم کلر کی مہارانی بنی، دہکتی آگ کے گولے میں چھریاں لیے لٹو کی طرح گھومتی رہتی ہو۔

سوچو اس سینے کا کیا بنا ہوگا۔

کیا رہ گیا ہوگا۔

کیا نہ رہا ہوگا۔
کیا بولوں۔
وہ بولا۔
بولا، میں نے کتنا منع کیا تھا، تم باز نہیں آئے۔
وہ پڑا ہے چارپائی پہ تیرا گرو۔
ابھی تک بے ہوش ہے۔
اٹھو
اور یہاں چارپائی کے نیچے جدھر پیشاب نکلا ہے تمھارا، وہاں ناک سے سات لکیریں نکالو۔
کہو۔ آئندہ اس ٹیڑھے راستے پہ کبھی چلنے کی کوشش نہ کروگے،
بولو منہ سے۔ نکالو، ناک سے لکیریں۔
ابوالفضل نے لکیریں نکالیں۔
تم نے بھی میری ناک کو بہت رگڑا۔
بہتیری لکیریں لگوائیں۔
مگر تمہیں خیراتی شاہ کی طرح خیرات میں بٹنا نہ آیا۔
نہ بٹی۔
نہ بٹنے دیا۔
اسی لیے معاملہ وہی کا وہیں ہے۔
جلایا تو بہتیرا تم نے، مگر ہماری راکھ سے مٹھی نہ بھری۔
نہ بھرنے دی۔
خیراتی شاہ نے اسے کہیں سے مُٹھی بھر راکھ لا کے دے دی۔
اس پہ دم کیا۔
اور بولا۔

جدھر جدھر چلتے جاؤ راہ میں ذرہ ذرہ یہ گراتے جاؤ۔
تم نے یہ کہا تو نہیں، مگر کر یہی رہا ہوں۔
دیکھ لو، میرا رستہ سارا۔
یہی راکھ ہر جگہ بکھری پڑی ہے۔

بولا۔

گھر جا کے نہاؤ اور میرے ڈیرے پہ پہنچو۔ میں بگے کو ہوش میں لا کر ادھر ہی آتا ہوں۔ بگو شاہ کو ہوش آتے آتے شام پڑ گئی۔ خیراتی شاہ کے ڈیرے پہ دونوں سر نہوڑ کر بیٹھ گئے۔ بگو شاہ اور ابوالفضل دونوں۔

خیراتی شاہ پھر ڈانٹنے بیٹھ گیا۔

مت ماری گئی ہے تم دونوں کی۔

بات نہیں مانتے۔ الٹی کھوپڑی ہے۔ کتنا منع کیا تھا۔ چاہتے کیا ہو۔ تم دونوں۔

بولو۔

دونوں چپ۔

چوری چوری گردنیں نہوڑے ایک دوسرے کو تک لیتے۔ مگر بولتا کوئی نا۔ ایک بار خیراتی شاہ نے دونوں کے سروں پہ دھپے بھی مارے۔ ایک بار تو ابوالفضل کی گردن اپنے ہاتھ کے پنجے میں پکڑ لی۔ اور اس کا چہرہ اپنی طرف موڑ کے بولا۔ بول نا، مجنوں کیا مسئلہ ہے تیرا۔

تو بھی بول۔

تیرا کیا مسئلہ ہے۔

جنہیں تو مسئلہ بنائے بیٹھی ہے، وہ کیا مسئلہ ہے!

تجھے ایک یہ خوف ہے کہ تو شادی شدہ ہے۔

ہے نا۔

کہنے کو بہت بڑا دھماکہ ہے یہ۔

ہو۔

ہوتا رہے دھماکہ۔

میں کیا کروں۔

مجھے نہیں نظر آتا یہ، نہ سنائی دیتا ہے یہ دھماکہ، نہ تجھے دیکھتے ہوئے، نہ سوچتے ہوئے۔ تو بھی نہ دیکھ۔

اتنی سی بات ہے۔

دکھتا ہے تو دیکھتی جا۔

میں کونسا روکتا ہوں۔

پر مجھے کیوں روکتی ہے۔

میں کیسے رکوں؟

مجھ پہ میرا بس نہ چلے تو!

تجھ پہ تیرا بس چلتا ہے؟

بول۔

تیری شکل کہہ رہی ہے، نہیں!

پھر کیوں مجھے روکتی ہے؟

جو راہ ہی تم خود ہو، اسی کا کیوں روڑا بن رہی ہو۔

بول نا۔

مجنوں سے بھی بولا نہ جا رہا تھا۔

خیراتی شاہ تاڑ گیا، بولا۔

تیری شکل بتا رہی ہے تو باز نہیں آئے گا۔ پھر پیشاب نکلوائے گا اپنا۔

بول۔

بات کر مجھ سے چاہتا کیا ہے تُو۔

تو بھی کہہ دے، کیا چاہتی ہے تو!

میں نے جو کہا نہیں، وہ تو جانتی ہے۔

جو تو نے کہنا نہیں، وہ میں جانتا ہوں۔

اب کیا کروں۔

گرو تو ہے نہیں اب آس پاس، جو میری گردن پکڑے یا تیرا ہاتھ پکڑ کے پکڑا دے۔

ویسے ہے وہ آس پاس ہی۔

شاید اسی نے میری گردن سے تیرے بازو باندھ رکھے ہوں۔

ہے نا یہی بات! نہیں یقین آتا تو خود پوچھ لینا۔

ہمارا گرو خیراتی شاہ کی طرح ڈرانے والا تھوڑی تھا۔

خیراتی شاہ چھ فٹ لمبا، مضبوط ہاتھ پاؤں والا جوان آدمی تھا۔ ابوالفضل سے عمر میں دس پندرہ سال بڑا تھا۔ چہرے پہ داڑھی تھی۔ درمیاں میں مانگ تھی۔ سر کے بال کندھوں پہ پڑے ہوئے تھے۔ ہاتھ میں اس کے ہمیشہ ایک سوٹا ہوتا۔ چلتا وہ اسے راہ میں بجاتا جاتا۔ بیٹھتا تو اپنے دائیں کندھے کے پاس دیوار پہ کھڑا کر دیتا۔ بڑا رعب دبدبہ تھا اس کی شخصیت میں۔ بڑا سا اس کا چہرہ تھا۔ موٹے موٹے نقش اور موٹی موٹی غصیلی آنکھیں۔ جو غصے میں آتیں تو غضب ناک ہو جاتیں۔ ابوالفضل کی گردن ابھی تک اس کے داہنے ہاتھ میں تھی اور وہ اس کا چہرہ اپنی طرف موڑ کے پوچھ رہا تھا۔ چاہتے کیا ہو؟

ابوالفضل کے چہرے پہ ایک دم سے کچھ کہنے کی آرزو ابھری۔

جیسے کہہ رہا ہو، چھوڑیں بتاتا ہوں۔

خیراتی شاہ نے ہاتھ ہٹا لیا،

بولا، بول۔

ابوالفضل بولا۔ میں بے بس اور کمزور نہیں رہنا چاہتا۔

مجھے طاقت چاہیے۔

اپنا بھی یہی جواب ہوتا۔
اگر پوچھا جاتا۔
ہاں یہ الگ بات ہے، کہ گرو آگے پوچھتا کہ طاقت سے کیا مراد ہے تیری۔
تو میں چپکے سے کوئی نام لے لیتا۔
اچھا۔
خیراتی شاہ نے اسے پہلی بار تسلی سے غصے کے بغیر دیکھا۔ کچھ دیر سوچتا رہا پھر بولا،
طاقت اصل تو کسی اور راہ میں ہے۔
رستہ ایک ہی ہے وہ بس گلیاں دو مڑتی ہیں، اس میں۔
دونوں میں خیر ہی خیر ہے۔
پڑھنے کو میں کئی چیزیں بتا سکتا ہوں۔
مگر تم دونوں کو دو اسم بتاتا ہوں۔
مرضی سے ایک ایک چُن لو۔
سن رہے ہو تم بھی بگے۔
اس نے بگو شاہ کو کندھوں سے پکڑ کے ہلایا۔
جی بھاہ جی۔ وہ بھی سیدھا ہو کہ بیٹھ گیا۔
خیراتی شاہ بولا، ایک کلمہ شریف ہے۔ چلتے پھرتے اُٹھتے بیٹھتے، یہ پڑھتے جاؤ۔ دوسرا اسم ہے دُرود شریف۔
یہ دونوں وہ چیزیں بتائی ہیں کہ انہیں جیو گے تو ساری عمر کوئی تمہارا بال بیکا نہیں کر سکے گا۔ یہ جو بھوت، چھلاوے، چڑیلیں تمھارا پیشاب نکالتی پھرتی ہیں۔ وہ تمھاری راہ سے کانپیں گی۔
بولو۔
کس نے کس راہ جانا ہے۔

کون کیا پڑھے گا۔

جلدی کرو۔

سائیں بگو شاہ بولا، میں کلمہ شریف پڑھوں گا۔

اور تم مجنوں؟

میں دُرود شریف۔

میں ہوتا تو پتہ ہے کیا چنتا؟

دونوں۔

سوچ لو۔

پھر تمہارا کیا بنتا۔

کیا پتہ میں نے کیا کیا چن لیا ہو؟

سوچو تو سہی۔

یہ خیراتی شاہ نہیں پوچھ رہا، میں پوچھ رہا ہوں۔ خیراتی شاہ تو کہہ رہا تھا۔

یہ سوچ لو۔ جس طرح تم سانس لیتے ہو۔ اور جانتے ہو کے سانس لیے بغیر تم جی نہ پاؤ گے، اسی طرح یہ چیزیں پڑھنی ہیں۔ ناغہ اس میں کوئی نہ ہو۔ چھٹی نہیں ہے اس راہ میں۔ آج اسی لمحے سے آخری سانس تک کا سوچ لو۔ پھر مجھ سے عہد کرنا۔

تھوڑی دیر بیٹھے وہ دونوں سوچتے رہے۔

ایک دو بار انہوں نے سوچتے سوچتے آپس میں نظریں ملائیں۔ جیسے ہامی بھرنے سے پہلے اپنی اپنی رائے کا تبادلہ کیا ہو۔ پھر دیکھا دیکھی بولے۔

سوچ لیا۔ نہیں ناغہ ہوگا۔ پڑھیں گے۔

صاف ستھرا بھی رہنا ہے۔ باوضو

رہیں گے۔

چوری چکاری نہیں کرنی۔

نہیں کریں گے۔

اول خول نہیں بکنا۔

نہیں بکیں گے۔

جھوٹ نہیں بولنا۔

نہیں بولیں گے۔

اپنے ہاتھ سے کما کے کھانا ہے۔ حرام سے بچنا ہے۔

بچیں گے۔

سوائے سوتے ہوئے، ہر وقت یہ تمھارے ہونٹوں پہ ہو۔ بات کر رہے ہو تو اس کے بول دل میں گونجتے رہیں۔ بولو ایسا ہی ہوگا۔

ہوگا۔

شاباش۔

ایسا ہی ہو گیا ہے۔

اتنی ذرا سی بات ہے۔

تم پتہ نہیں کیوں یہ سمجھ نہیں پائی ابھی تک کہ ایک لیلیٰ، مجنوں کو کیا سے کیا بنا دیتی ہے۔ کہاں سے اٹھا کے کہاں بٹھا دیتی ہے۔ یہاں تو اسے لیلیٰ سمجھنے کی بات ہے جس کے ہاتھ میں صرف سارے لیل و نہار ہیں۔ سوچو جو اس کا مجنوں بن جائے، وہ کیا ہو گا؟

خیراتی شاہ نے بھی ابوالفضل اور بگو شاہ دونوں کو سمجھا دیا۔

بولا۔

اب جاؤ۔ کوئی ماں کا لال تمہارا بال بیکا نہیں کر سکتا۔ یہ بھوتنے، چھلیڈے، جن، دیو، بد روحیں، چڑیلیں تو شے ہی کچھ نہیں۔ ان دونوں کلمات کی طاقت تو آسمانوں سے اٹھائی نہیں جاتی۔ یہ تو ہم انسانوں کی خوش بختی ہے، ہمارے دلوں میں اتنی جان ہے کہ انہیں سہار سکیں۔ جاؤ اللہ تمہارا راکھا ہے۔

میری اللہ رکھی کچھ سمجھی بات کہ نہیں؟

لو جی۔

اس دن سے سائیں بگوشاہ اور ابوالفضل کے لیے ان کے وظیفے آکسیجن کی طرح اہم ہو گئے۔

وہ سانس ہوا میں لیتے مگر سانس میں خوشبو ان وظیفوں کی رہتی، وظیفوں کا کام یہ ہوتا کہ خون کے خلیوں کو آکسیجن کے ساتھ ساتھ خدا کی عظمت اور رسول خدا ﷺ کی محبت کا ٹیکہ بھی لگایا جاتا۔

ان کا خون کیسے نہ کائنات کی رگوں کو سونگھتا مہکاتا پھرتا؟

تم آزما لو۔

آزمودہ ہے۔

رہنے کو ابوالفضل ہزار جگہوں پہ رہا۔ سیراں کے دل اور بلّو کے دماغ سے لے کر روپڑ اور سیستان تک۔ سیستان میں صحراؤں، جنگلوں، پہاڑوں، بیابانوں پتہ نہیں کہاں کہاں خاک چھانتا رہا۔ مگر اس نے اپنا وظیفہ نہیں چھوڑا۔ سیستان سے واپس گاؤں آیا۔

واپس بھی اس کو ایک کبوتر لایا۔

مگر کبوتر کو کون اس کے تمبو پہ لایا۔

جلندھر کے دریا کنارے گاؤں سے سیستان میں کس نے کبوتر کے حلق میں ابوالفضل کے باپ کی آواز رکھی؟

یہ سب اس کے وظیفے کا کمال تھا۔

روپڑ آ کے پھر اس نے اپنی نوکری دوبارہ شروع کر دی۔ اسے پتہ تھا کہ اس کا سیستان والا کمیشن واپس آنے والا ہے۔ اصل محکمہ تو اس کا وہی نہر کا محکمہ تھا۔ اس میں آ کے پھر نوکری کرنے لگا۔

نوکری تو میں بھی کرتا ہوں۔

تمبو میں بھی رہتا ہوں۔

مگر میرے تمبو پہ، کوئی کبوتر کدھر سے آئے۔ اباجی کو اڑے بیس سال ہو گئے ہیں۔امی جی کو گئے تیرا سال۔

رہ گئی تم۔

تو تم تو میرے ساتھ ہی میرے تمبو میں ہو۔

نہ کبوتر، نہ کبوتری، تم تو میری فاختہ ہو۔

ادھر میں تمہاری گٹر گوں گٹر گوں۔

اس لیے پیاری، میری باتیں میری نہیں ہیں، تمہاری ہیں۔تم انہیں میرا وظیفہ کہہ لو۔

یہ بھی بڑے کام دکھاتا ہے۔

دکھائے گا۔

دیکھ لینا۔

ابوالفضل کا وظیفہ کام دکھا رہا تھا۔ ہوتا یوں تھا کہ اگلے دن وہاں جو جو ہونا ہوتا، اس میں سے چند مناظر کوئی چن لیتا اور اس کی ویڈیو فلم بنا کے رات اسے دکھا جاتا۔ وہاں روپڑ بنگلہ نہر پہ کونسا ورلڈ وار چھڑی ہوئی تھی۔ یا کوئی مہم درپیش تھی۔ یونہی عام سی باتیں ہوتیں۔ وہ آیا وہ چلا گیا۔ کبھی کوئی بحث چھڑ گئی، تکرار ہو گئی، کوئی بیمار ہو گیا۔ وہ سب باتوں کا بھیتی ہو گیا۔ بس اسے مزا آتا کہ اسے پہلے کسی ہونے والی بات کا پتہ ہوتا ہے۔ باتیں ہو رہی ہیں۔ اُس نے یہ کہا ہے تو وہ دوسرا بندہ اب یہ کہے گا۔ ان کے باتیں کرتے کرتے فلاں جگہ سے فلاں آدمی چلتا چلتا ادھر آ جائے گا۔ وہ اسے گالیاں دے گا۔ یہ اسے دھکے مارے گا۔ صاحب غصے ہوں گے۔ بڑا صاحب اچانک دورے پہ آئے گا۔ فلاں کی کتی مر جائے گی۔ نتھو کو بخار چڑھے گا۔ گاما بکریوں کے لیے ٹہنیاں توڑنے جامن پہ چڑھے گا، پندرہ فٹ اوپر چوتھی ٹہنی پہ پاؤں رکھتے ہی وہ ٹوٹ جائے گی۔ دھڑام سے گرے گا۔ سارے ہنسیں گے مگر وہ گرتے ہی کپڑے جھاڑ کے اٹھے گا اور بخشے کی قمیض کندھے سے پکڑ کے دھپے مارنا شروع ہو جائے گا۔ فلاں فلاں

آ کے بیچ بچاؤ کریں گے۔ وغیرہ وغیرہ۔ پھر ایک رات اس کی سٹی گم ہوگئی۔

اسے کچھ ایسا خوفناک منظر دکھا دیا گیا۔

کہ وہ سہم گیا۔

صبح ہوتے ہی یہ اپنے انچارج منی لال کے پاس گیا۔ اور کہنے لگا۔

لالہ جی آج بڑی نہر کا پھاٹک نہ بند کریئے گا۔

اسے نہیں چھیڑنا۔

کیوں؟

منی لال اس کا چہرہ یوں تکنے لگا جیسے پوچھ رہا ہو تم کہاں سے میرے افسر بن گئے۔ مجھ پہ حکم چلانا شروع کر دیا۔

ابوالفضل تھوڑی دیر چپ رہا۔ کچھ دیر سوچتا رہا۔ کہ جواب دے نہ دے۔ مگر بات کسی کی زندگی اور موت کی تھی۔ اس سے چپ نہ رہا گیا۔ بول پڑا۔

لالہ جی اگر پھاٹک کو چھیڑا تو آج ایک بندہ مر جائے گا۔

"اچھا، اب تمہیں الہام آنے لگے ہیں۔ واہ تیرے بھان متی۔

ذات دی کوڑ کرلی، شہتیراں نوں جپھے۔

ہمیں سبق پڑھاتا ہے۔

بڑا آیا تیس مار خاں مہنت جوگی بننے۔

چل اپنا کام کر۔

یہ سرکاری کام ہیں بچے۔

جو حکم آئے ماننا پڑتا ہے۔ چل دفع ہو۔"

منی لال نے ابوالفضل کو ڈانٹ کے بھگا دیا۔

اللہ کا کرنا کیا ہوا، اوپر سے حکم بھی آ گیا کہ دریا کا دروازہ کھولو۔ نہر میں پانی نیچے ہے۔ بس پھر کیا تھا۔ عین وہی فلم چل پڑی۔ جو جو خواب میں دیکھا تھا۔ وہی ہوا۔ ایک بندہ ادھر پھاٹک کی گراریوں میں گر گیا۔ گراریاں ایک کھڑاک سے کھلیں۔ چاروں

طرف مشین گن کی طرح برس گئیں۔اتنے بڑے دریا پہ ہیڈ بنا کے، جھیل بھر کے جب رکے پانی کو کسی نہر میں گرانے کے لیے آگے روک کے کھڑے ہزاروں من بھاری لوہے کے گیٹ کو اٹھانا پڑتا ہے تو ان گنت لوگوں کی ضرورت پڑتی تھی۔اس کام کے لیے چوبیس بندے تھے وہاں۔سب جُت جاتے۔بڑی بڑی گراریاں تھیں لوہے کی۔ وہ گھومتیں۔پھر جا کے وہ لوہے کا بھاری گیٹ ہلتا۔لوہے کے گیٹ کا ہلنا تھا کہ حادثہ ہو گیا۔وہی ہوا جو دیکھا تھا۔پانچ آدمی سڑک پہ گر گئے۔سات دریا کے اندر۔اور ایک سیدھا گراریوں میں جا پھنسا۔وہیں کٹ گیا۔مر گیا۔ساری گراریاں خون سے لت پت ہو گئیں۔دریا میں گرے بندے تیر کے نکل آئے۔سڑک پہ گرنے والوں کو چوٹیں آئیں۔مگر بچ گئے۔ایک آدمی مر گیا۔نہر کے بنگلے پہ تار گھر موجود تھا۔تاریں کھڑک گئیں۔شام تک شہر سے افسران بالا پہنچ گئے۔سب اکٹھے کر لیے گئے۔ایک ایک کا بیان سنا جانے لگا۔

چوبیس میں تیئس بچ گئے،

ان سب نے حادثے سے پہلے حادثے کا پورا منظر ابوالفضل سے سنا تھا۔

ہر بات اس نے بتا دی تھی۔

پوری تفصیل سنا دی تھی۔

کدھر کدھر گراریاں اڑ کے جائیں گی۔

کتنے بندے دریا میں گریں گے۔

کتنے سڑک پہ۔

ان میں سے ایک نے بھی منی لال کی طرف داری نہیں کی۔ایک ایک نے منہ کھول کے انگریز افسر کو بتا دیا۔

سرکار۔

یہ مُلّا جی، وہ ابوالفضل کو اس کی داڑھی، لمبے بال اور سیدھی مانگ کی وجہ سے مُلّا جی ہی کہتے تھے۔مُلّا جی نے ساری بات بتا دی تھی۔پورا نقشہ دکھا دیا تھا۔منتیں کی

تھیں لالہ جی کی، کہ گیٹ کو نا چھیڑیں ایک دن۔ مگر نہیں جی۔ لالہ جی نہیں رکے۔ بندہ مروادیا ہمارا۔ وہ سب حواس باختہ ہو گئے تھے۔

انگریز آیا تو انکوائری کرنے تھا، یہاں اور ہی بات نکل آئی۔ اسے بڑا تجسس ہوا، ملا جی کو بلایا۔ پوری بات سنی۔ بار بار سنی۔ گری گراریوں کا بھی جامعائنہ کیا۔ گیٹ دیکھا۔ پھر لوگوں سے حادثہ کی تفصیل پوچھی۔ لوگوں نے بتایا کہ مُلاّ جی پہلے بھی ''ہونیاں'' بتادیا کرتے ہیں۔ انہوں نے واقعے سنانے شروع کردیے۔ انگریز ایکس ای این تھا محکمہ انہار کا۔ یہاں سبق کسی اور مضمون کا نکل آیا۔ بات اس کی سمجھ میں نہ آئے۔ نہر کے محکمے میں کام کرتے کرتے اسے اتنا پتہ تھا کہ کوئی بھاری چیز ڈھونڈنی ہو تو ملتی تہہ ہی سے ہے۔ تہہ تک خدا جانے پہنچانہ پہنچا۔ پوچھنے لگا مسٹر مُلاّ یہ بولو یہ تمہیں کون بتاتا ہے۔

جی پتہ نہیں۔

کچھ دکھتا ہے؟

جی

بس منظر نظر آجاتا ہے۔

کھلی آنکھوں سے دیکھتے ہو یا بند سے؟

پتہ نہیں جی، یہ ان آنکھوں کے دیکھنے کا ہی منظر ہوتا ہے لیکن دکھتا کسی اور آنکھوں سے ہے۔

نیند میں؟

جی خواب میں کہہ لیں۔

کوئی آواز بھی سنتے ہو، کانوں سے؟

کانوں کے سننے والی آواز ہی ہوتی ہے مگر وہ کانوں کی بجائے اندر کہیں پوری روح میں گونجتی ہے۔ پتہ نہیں اسے سننے کے کان کدھر ہیں؟

کوئی آکے بتاتا بھی ہے؟

جی کہیں کچھ بابے سے بھی آتے ہیں خواب میں ، مگر میں انہیں پہچانتا نہیں ہوں۔

کبھی کسی کو چھوا تم نے یا کسی نے تمہیں؟

شاید! مگر صاب وہی احساس ہوتا ہے، جیسے روح، روح کو ملتی ہے۔ یہ جسم والی حس وہاں کام کرتی نظر نہیں آتی۔

ایسا کیوں ہے؟

میں تو نہیں جانتا۔

تم جانتی ہو؟

پتہ مجھے بھی نہیں ہے۔ مگر ایسا ہے۔

ہے نا۔

تمہیں تو شک نہیں مگر وہ انگریز ساری تعلیم ہی شک کرنے کی لے کے آیا تھا۔ بولا۔

کچھ تو تم ایسا کرتے ہوگے، کچھ پڑھتے ہوگے؟

جی پڑھتا تو ہوں۔

کیا؟

بس سرکار اس کی، آپ کو سمجھ نہیں آنی۔

تم بولو۔ ہم سمجھنے کی کوشش کر رہا ہے۔ انگریز اپنا سر پکڑے کھڑا تھا۔

ایک تو اللہ کی بڑائی ہے کہ صرف ایک وہی ذات ہے ہر تعریف کے قابل، اکیلی، واحد، نہ جس کا کوئی بیٹا، نہ وہ کسی کی اولاد۔

ٹھیک تم لوگوں کا یہی خیال ہے۔ ہم سمجھتا ہے۔ خدا کا تھوڑا سا فیملی بھی ہے۔ انگریز بولا۔

صاب کی تخلیق تو ساری کائنات ہے۔ مگر ہے وہ اکیلا کمانڈر۔ آپ صاب لوگ اپنی کمانڈ میں کسی کو شامل کرتے ہیں۔ کبھی کسی تنظیم، ریاست یا ملک کے ایک سے

ابوالفضل

زیادہ بادشاہ ہوئے۔ وہ تو پوری کائنات کا خالق اور مالک ہے۔

یار میں اس وقت بحث کے موڈ میں نہیں، تم یہ کہو اور کیا پڑھتے ہو۔ کیونکہ اس کا نام جیسے بھی لیں، گاڈ کہہ لیں، فادر کہہ لیں، اسے یاد تو ہم بھی کرتے ہیں۔ انگریز اگلی بات سننے کی جلدی میں تھا۔

دوسرا ذکر، صاب

درود شریف ہے، وہ پڑھتا ہوں کئی سالوں سے۔

کیا چیز ہے یہ۔ کیا بولا تم نے؟ انگریز کے ہاتھ سے اس کا سر چھوٹ گیا۔

جی یہ ہمارے سرکار دو عالم، حضرت محمد ﷺ کی مدح سرائی ہے، ان لفظوں میں جو اللہ تعالیٰ نے خود بتائے ہیں۔ اللہ بھی یہی پڑھتا ہے۔ اللہ تو آنے والے وقت کا بھی خالق ہے۔ ہر بھید سے واقف ہے۔ وہ اپنے محبوب ہمارے نبی پاک ﷺ کی مدح سن کے کتنا خوش ہوتا ہوگا، یہ تو عقل میں آنے والی بات ہے۔ اس کے انعامات کی ہمیں کیا سمجھ۔ وہ مالک ہے۔ بادشاہ ہے۔ جو چاہے سو کرے۔

انگریز افسر کے چہرے پہ ایک رنگ آئے، ایک جائے۔

وہ ہکا بکا کھڑا تھا۔

آخر ابوالفضل کے قریب جا کے اسے اپنے بازوؤں میں لے کر تھپتھپایا اور بڑی سنجیدگی سے بولا، ہمارے لیے بھی دعا کرنا۔ ہمیں تمہاری بات کی سمجھ نہیں آتی۔ مگر اتنا ہم جانتا ہے کہ تم جھوٹ نہیں بول رہا۔ انگریز افسر پھر اپنی سرکاری کارروائی میں جُت گیا۔ جانے لگا تو منی لال اور ابوالفضل دونوں کو بلایا۔ منی لال کو بولا،

تم نے اپنے کام میں غفلت کی،

حادثہ تمہارے سامنے تمہاری ڈیوٹی میں ہوا،

ہم تمہیں ہیڈ ٹنڈیل سے معزول کر کے بیلدار بناتے ہیں۔ اور ابوالفضل تم نے اپنے طور پہ اس حادثے کو ٹالنے کی کوشش کی۔

تمہاری بات مانی نہیں گئی، مگر تمہاری کوشش بہر حال ریکارڈ پہ موجود ہے۔ ہم

تمھیں بیلدار سے ترقی دے کر ہیڈ ٹنڈیل بناتے ہیں۔

دونوں میں سے کسی کو کوئی شک؟

منی لال کا چہرہ پیلا ہو گیا۔

سر جھکائے وہ کھڑا کانپ رہا تھا۔

ابوالفضل کچھ کہنے کو ایک قدم آگے بڑھا۔

اور بولا سرکار اجازت ہو تو ایک عرض کروں۔

بولو۔

صاحب، یہ میری خوش بختی ہے کہ میری کسی بات سے خوش ہو کر آپ میری عزت افزائی کر رہے ہیں۔ مگر اتنے سال میں منی لال کا ماتحت رہا ہوں۔ اب میں ایک دم سے اسے اپنا ماتحت نہیں سمجھ سکتا۔ اگر آپ مجھے ترقی دینا ہی چاہتے ہیں تو پھر میرا یہاں سے کہیں اور تبادلہ کر دیں۔ یہ بنتی ہے میری صاحب جی۔

انگریز افسر نے بڑے تحمل سے پوری بات سنی۔

سن کے مسکرایا۔

بولا،

تم واقعی اچھے آدمی معلوم ہوتے ہو۔

اسی لیے تمھیں نیند میں اچھے خواب آتے ہیں۔

او کے۔ ہم تمھیں ہیڈ مانپور تبدیل کرتے ہیں۔

تم وہاں ہیڈ ٹنڈیل بن کے چارج لو گے۔

حکم نامہ نکال دیا جائے۔ اس نے گردن موڑ کے ایس ڈی او اور اوورسیئر دونوں کو دیکھا۔ دونوں نے بڑے ادب سے گردنیں اوپر سے نیچے ہلائیں۔

لو جی۔

ابوالفضل روپڑ سے سامان اٹھا کر سرہند کے ساتھ ساتھ چمکور صاحب سے ہوتا ہوا ایک دوسرے بنگلے نہر ہیڈ مانپور آ گیا، دوراہے کے پاس۔ یہ ہیڈ ورکس بھی اسی نہر

سرہند پہ تھا۔ یہاں بھی سرہند نہر میں پھاٹک لگا کے پانی روکا اور چلایا جاتا تھا۔ روپڑ پہ جیسے دریا سے سرہند نہر نکلتی تھی یہاں اسی نہر سے دو نہریں نکلتی تھیں۔ ایک تھی فیڈر برانچ پٹیالہ شاخ دوسری کمبائینڈ برانچ۔ بنگلہ نہر دونوں برانچوں کے بیچ میں تھا۔ سرہند کی طرف سے پانی آتا تھا۔ پانی کے ساتھ روپڑ سے چلتے آؤ تو کوئی پینتیس چالیس میل نیچے پٹیالہ کے رُخ میں یہ بنگلہ آتا تھا۔ دوراہا موڑ اس کے قریب کا قصبہ تھا۔ وہاں پکی سڑک کا نہر پہ پل تھا۔ بہاؤ کے ساتھ چلتے آؤ چار پانچ میل پہ تو ہیڈ مان پور بنگلہ آ جائے گا۔ بنگلے میں دس پندرہ بیلداروں کے گھر تھے۔ وہ سب فیڈر برانچ کے کنارے بنے ہوئے تھے۔ ان کے کواٹروں کے آگے نہر میں سیڑھیاں اترتی تھیں۔ نہر کے پل اور پل کے ساتھ لگے نہر کھولنے بند کرنے کے پھاٹک کے قریب ٹیلی فون والا کمرہ تھا۔ وہیں پنسال تھی۔ وہیں سے گھوم کے ایک راستہ دوسری نکلی ہوئی نہر کی طرف جاتا تھا۔ کمبائینڈ برانچ کی طرف۔ اس کے سامنے ہیڈ ٹینڈل کا گھر تھا۔ دو کمرے تھے۔ ایک برآمدہ۔ آگے کچا صحن۔ گھر کے باہر دیوار کے ساتھ جامن کا درخت لگا ہوا تھا۔ آگے خالی جگہ تھی۔ اس میں گھاس تھی اور سبزیاں لگی ہوئی تھی، اس سے آگے آم کے پیڑ تھے۔ کچھ جامن کے بھی تھے۔ اس سے تھوڑا آگے نہر کے ساتھ ساتھ بہاؤ کے رخ میں چلیں تو کنارے پہ چبوترا تھا، اور چبوترے سے آگے ڈاک بنگلہ تھا۔ یہ بڑے افسروں کے لیے تھا۔ جو کوئی ادھر آتا۔ وہاں ٹھہرتا۔ بنگلہ نہر کے قریب کئی دیہات تھے۔ کمبائینڈ برانچ پار کر کے مغرب میں چلتے جاؤ تو سکھوں کا پُرانا گاؤں آ جاتا تھا، نام تھا نواں پنڈ۔ پل سے دوسری طرف فیڈر برانچ کراس کر کے چلو تو جے پورہ آتا تھا۔ چلتے رہو تو آگے ایک بڑا گاؤں تھا۔ نام تھا اس کا پیل۔

یہ سارا نقشہ اس لیے دکھا رہا ہوں کہ آگے کی زیادہ تر کہانی ابوالفضل اور اس کے کنبے کے لیے یہیں گزارنا طے تھی۔ ابوالفضل کو دل ہی دل میں یہ خوشی بھی تھی کہ اس کا آبائی گاؤں ماؤ میووال یہاں سے زیادہ دور نہیں۔ نو میل لُدھیانہ شہر اور پانچ میل لدھیانے سے پھلور، پھلور سے تین میل ماؤ میووال۔ ماؤ میووال میں ابوالفضل کا پرانا

بیلی سائیں بگو شاہ تھا۔ جس نے ابوالفضل کو کہہ دیا تھا کہ جب وہ جانے لگے تو اپنی پگڑی اپنے بڑے بیٹے فضل دین کو دے کر جائے اور اسے سمجھا جائے کہ پگڑی صرف سر پہ سجانے دکھانے کی چیز نہیں ہے بلکہ یہ گلے میں ڈالا ہوا وہ ڈھول ہے جو بجانا پڑتا ہے۔ سنانا پڑتا ہے۔

تم سن رہی ہو، نا!

□

ابوالفضل اور فضل

تم نے سنا ہوگا کہ کبھی کبھی ہرنوں کے جھتے میں بارہ سنگھا آجاتا ہے اور اسے پتہ ہوتا ہے کہ اس کے سر پہ بارہ سینگ ہیں۔ بس یہی حال ابوالفضل کے گھر میں ہوا تھا۔ کہنے کو ابوالفضل کو خدا نے چھ بیٹے اور دو بیٹیاں دی تھیں۔ مگر اس کے نصیب کا چانن بڑے بیٹے فضل دین کے حصے آگیا۔ سینگ سارے اسی کے سر پہ آگئے۔ کئی سینگ تو وہ اپنی پیدائش کے وقت ساتھ لایا۔ گھر میں پیدا ہوتے ہی اسے اک امتیازی مقام مل گیا۔ ہوا یوں کہ فضل دین اپنے بہن بھائیوں میں سب سے بڑا تھا۔ اس کے پیدا ہونے سے پہلے اس کی ماں نے دو تین بیٹیوں کو جنم دیا، وہ پیدا ہوتے ہی مر جاتیں۔ یا مری پیدا ہوتیں۔ اس کی ماں نے کئی درگاہوں پہ منتیں مان لیں۔ کئی استھانوں پہ جا ماتھا رکھا۔ اللہ کا کرنا کیا ہوا، اللہ نے اس کی گود میں بچہ دے دیا۔ صحت مند نکھرا نکھرا۔ وہ خوشی سے نہال ہوگئی۔ بچہ کیا ہوا، کوئی جیتی ہوئی ٹرافی ہوگئی۔ اس کا جی چاہے سارے گاؤں کو دکھاتی پھرے۔

فضل کے پیدا ہوتے ہی ابوالفضل کو پیغام بھجوایا گیا۔ وہ باہر نہر کنارے چارپائی بچھا کر حقہ پی رہا ہوتا ہے۔ داہنی ران پہ اس کے اک بڑا سا پھوڑا نکلا ہوتا ہے۔ بخار سے جسم جل رہا ہوتا ہے۔ ایسے میں اس کے گھر سے دایہ بھاگتی، اپنی چادر سنبھالتی آتی ہے۔ آتے ہی کہتی ہے،

بھائی ابوالفضل تمہیں مبارک ہو،
اللہ نے بیٹا دیا ہے تمہیں،
صحت مند۔

ابوالفضل خبر سنتے ہی خوشی سے یک لخت اٹھتا ہے تو اس کی تہمند کے اندر ہی اس کی ران کا پھوڑا اسی لمحے پھٹ جاتا ہے۔ پھوڑے کے اندر کا سارا میل، پیپ، گندا خون باہر بہہ جاتا ہے۔ ٹانگ کا اکڑاؤ، درد جاتا رہتا ہے۔ بخار اتر جاتا ہے۔ وہ گھوڑے کی طرح بھاگنے پھرنے لگتا ہے۔ اس کے جی میں آتا ہے کہ نہر کنارے اپنے ہیڈ مان پور پہ چاولوں کی ایک دیگ پکا کے سب کو کھلا دے۔ ابھی اس نے یہ سوچا ہی ہوتا ہے کہ ایک بیلدار بھاگا بھاگا آ کے کہتا ہے،

میاں جی وہ ساتھ والے گاؤں: لنڈھے کے لالہ اوم پرشاد کا گڈا آیا تھا۔ دو بوریاں چاولوں اور ایک تھیلا چینی کا اتار کے چلا گیا ہے۔

ابوالفضل اسے ڈانٹتا ہے کہ تو نے کیوں اتاریں بوریاں

وہ کہتا ہے، میں نے کب اتاریں جی، وہ خود ہی اپنے بندوں سے اتروا کے پل کے پاس رکھ کے چلا گیا

خود ساتھ تھا؟

جی

لالہ اوم پرشاد، کہہ رہا تھا جلدی میں ہوں، میاں جی کو پہنچا دو۔

تو نے منع کیوں نہ کیا

لو جی۔ میں نے لالہ جی سے کیا بحث کرنا تھی۔ جو انہوں نے کہا میں نے سن لیا۔ وہ تو جی تھے بھی جلدی میں۔ جاتے جاتے کہہ رہے تھے، جلدی پہنچا دینا، میاں جی نے شاید آج ہی پکانی ہوں۔

یہ بولا تھا لالہ جی نے؟

ہاں جی۔

تو نے اسے کہا تھا کچھ اور؟
کچھ اور کیا جی؟
ابھی تو وہ بتا کے گئی ہے، اللہ نے مجھے بیٹا دیا ہے۔
اچھا جی، پھر تو مبارک ہو آپ کو۔ وہ یہ سن کے ایک دم سے گلے سے چمٹ گیا۔
تجھے نہیں پتہ تھا؟

نہ جی، ابھی تو ادھر نہر کے پل سے آ رہا ہوں۔ وہ نہر کے پل کی طرف دیکھتا ہے۔ ادھر سے نہر کے بنگلے کے ہی کچھ آدمی بنیانیں پہنے اپنی تہمندوں کو ایک ہاتھ سے اڑستے ہوئے ایک گدھی پہ دونوں چاولوں کی بوریاں رکھے، گدھی کو ہانکتے ہوئے اسی کی طرف لا رہے ہوتے ہیں۔ ایک نے چینی کی تھیلی سر پہ اٹھائی ہوتی ہے۔

لو جی وہ لے آئے ادھر ہی، بیلدار کہتا ہے۔

اچھا بھئی اب آ گئے ہیں چاول تو پکا دو سارے۔ برتن اکٹھے کر لو۔ گھی گھر سے لے آؤ۔ چلو میرے ساتھ، گھر جا رہا ہوں میں بھی۔ دیکھو آج پورے بنگلے نہر پہ کسی گھر میں ہانڈی نہ پکے۔ اپنے اوور سیر صاحب کو بھی کہہ دینا۔ وہ رانی چانن کور کے رشتے دار ہیں۔ اونچے پکوان کھانے کی انہیں عادت ہے۔ کہنا، آج شام کا کھانا میری طرف سے ہے، سمجھے۔ سب کا کھانا آج ادھر سے ہی جائے گا۔ ابوالفضل بیلدار کو ہدایتیں دیتا گھر کی طرف چلتا جاتا ہے۔ چلتے چلتے کئی بار بڑبڑاتا ہے۔

لالہ جی کیسے ابھی چاول چینی چھوڑ گئے؟

شام کو ابوالفضل کے گھر کے آگے بیلداروں نے خوب چھڑکاؤ کر کے چارپائیاں بچھائی ہوتی ہیں۔ آس پاس کے کئی دیہات سے جاننے والے لوگ بھی آنا شروع ہو جاتے ہیں۔ چارپائیوں بیچ کئی حقے گڑ گڑ کرنے لگتے ہیں۔ دیہات کے کسانوں کے سروں پہ سنوری ہوئی رنگ برنگی پگڑیاں ہوتی ہیں۔ دھلی ہوئی قمیصیں پہنے اور نیل میں ڈبو کے کلف لگی ہوئی اکڑی ہوئی تہمندیں باندھے ہوئے دیہاتی ایک دوسرے کو اٹھ اٹھ کے بازوؤں میں بھر بھر کے ملتے ہیں۔ گڈھانی گلوٹی کے مہندر

سنگھ اور لنڈھے کے گربخش سنگھ اور بھگت سنگھ کے باپو بھی آئے بیٹھے ہوتے ہیں۔ وہ تینوں ابوالفضل کے دوست تھے۔ ان کے گھروں میں ابھی مہندر سنگھ، گربخش سنگھ اور بھگت سنگھ پیدا نہیں ہوئے تھے۔ دو چار مہینوں بعد پیدا ہونے والے تھے۔ یہی تینوں بچے بڑے ہو کے ابوالفضل کے گھر پیدا ہوئے نومولود فضل دین کے دوست بنتے ہیں۔ ابوالفضل کا نام بھی فضل دین کے پیدا ہونے سے پہلے کا تھا۔ جیسے اسے پتہ ہو اس نے فضل کا باپ بننا ہے۔ تمہیں کہتا آ رہا ہوں کہ معاملے پہلے طے ہوتے ہیں، ان کا سمے بعد میں آتا ہے۔ سکرپٹ پہلے لکھا جاتا ہے، کردار بعد میں چنے جاتے ہیں۔ جس نے جو کہنا ہوتا ہے، وہ بول اس کے حلق میں ڈال دیے جاتے ہیں۔ تمہیں ڈرامے کی سمجھ نہیں آتی۔ انہیں کیسے آتی۔

شام ہوگئی۔

چاول کی دیگیں پک گئی تھیں۔ مگر دیگوں کے کندھوں سے ابھی انگارے نہیں اترے تھے۔ چاول دم پہ پڑے تھے۔ چارپائیوں پہ بیٹھے لوگوں کے آگے کپڑے بچھ گئے تھے۔ مگر ان پہ رکھی ہوئی پلیٹیں ابھی بھری نہیں گئی تھیں کہ، لنڈھے کی طرف سے ایک گھوڑا دوڑتا آتا ہے۔ نہر کنارے پٹری پہ مٹی سی اڑتی ہے۔ گھوڑا نہر بنگلے کے اندر مڑتا ہے۔ قریب آ کے گھوڑے کی ٹاپ رکنے لگتی ہے۔ ابھی گھوڑا رکا نہیں تھا کہ کئی لوگ بول پڑتے ہیں، لو جی لالہ اوم پرشاد آ گیا۔ ابوالفضل اس کے استقبال کے لیے اٹھ کے آگے تک جاتا ہے۔ لالہ اوم پرشاد گھوڑے سے اتر کے ابوالفضل سے گلے ملنے لگتا ہے۔ ابوالفضل، اسے گلے ملنے کے بعد چارپائی کی طرف لاتے ہوئے راہ میں پوچھ لیتا ہے، لالہ جی، آپ کو خوشی کی خبر مل گئی تھی صبح؟

کونسی خبر؟ لالہ اوم پرشاد مسکراتا ہوا حیرانی سے چلتا چلتا رک جاتا ہے۔

''اللہ نے بیٹا دیا ہے''

''واہ واہ۔ ایشور نصیبوں والا کرے''

دونوں گلے ملتے ہیں۔ ابوالفضل لالہ اوم پرشاد کو گلے سے چپکاتے چپکاتے چلتا

چلتا چارپائیوں کی پاس آجاتا ہے۔ جس چارپائی پہ لالہ اوم پرشاد بیٹھتا ہے اسی پہ ابوالفضل بھی بیٹھ جاتا ہے۔ دونوں محبت سے ایک دوسرے کو دیکھتے رہتے ہیں۔ لالہ بار بار ابوالفضل کے کندھے تھپتھپاتا ہے۔ اور خوشی سے سر ہلا ہلا کے نوزائیدہ بچے کو دعائیں دیتا رہتا ہے۔ وہ سیانی عمر کا آدمی تھا۔ قد کاٹھ کا اونچا تھا۔ جسم دوہرا۔ چہرہ بھرا بھرا سا۔ دھوپ میں پھرنے اور مٹی میں چلنے پھرنے کے باوجود اس کا رنگ صاف تھا۔ آنکھیں بڑی اور روشن روشن تھیں، جیسے وہ اس کی عمر سے چھوٹی ہوں۔ ناک اونچا تھا۔ مونچھیں چوڑی لمبی اور اوپر کو اٹھی ہوئی تھیں۔ وہ مسکرائے جا رہا تھا، اور اس کے مسکرانے سے اس کے گال دونوں طرف سے پھول کے مونچھوں کے کناروں میں گیندوں کی طرح ابھرے ہوئے تھے۔ اس نے بیٹھتے ہی سر پہ رکھی چوڑی سی اپنی پگڑی اتار کے اپنے گنجے سر کو ایک ہاتھ سے سہلایا اور پھر سر پہ پگڑی رکھ کے اپنی پیچھے کو اڑسی ہوئی دھوتی کو اپنے گھٹنوں پہ درست کرتے ہوئے ابوالفضل کے کندھوں پہ شاباش کے انداز میں تھپکیاں دینے لگا۔

ابوالفضل نے لالہ اوم پرشاد کے دونوں کندھے پکڑ کے کچھ پوچھنے کے انداز میں، محبت سے اس کی آنکھوں میں دیکھا، پھر کچھ بولے بنا ہی ہاتھ ہٹا لیے۔

لالہ بولا، میاں جی کیا پوچھنے لگے تھے۔

ابوالفضل پھر اس کے ایک کندھے پہ ہاتھ رکھ دیتا ہے، ایک دو لمحے پھر سوچتا ہے، پھر بول پڑتا ہے۔

لالہ جی، آپ نے بڑا تکلف کیا، چاول بھیج دیے۔

لو میاں جی، یہ بھی کوئی بات ہے۔ وہ ابوالفضل کے کندھے پہ رکھے اپنے بائیں ہاتھ پہ اپنا دائیاں ہاتھ رکھ کے دباتا ہے۔

حد ہوگئی جی۔ یہ پوچھنے لگے تھے۔

نہیں پوچھنا یہ تھا، ابوالفضل پھر لالہ اوم پرشاد کے گھٹنے پہ ہولے سے محبت بھرا ہاتھ مار کے کہتا ہے، آپ کو کیسے پتہ تھا صبح کہ میں آج ہی یہ دیگیں پکاؤں گا۔

لالہ اوم پرشاد یہ سن کے ہنسنے لگتا ہے۔ تھوڑی دیر مسکراتا ہے، پھر کہتا ہے۔

دیکھو میاں جی،

کتنے برس بیت گئے ہیں ساتھ ساتھ رہتے۔

خوشی غم میں ایک دوسرے کو دیکھتے۔

مجھے کیا پتہ نہیں ہے آپ کا۔

جس دن آپ کے پاس کوئی ایسا تحفہ لے آئے،

آپ اسی دن اسے بانٹ دیتے ہیں۔

مجھے یقین تھا پکا کہ یہ چاول آج شام تک آپ کے پاس پکے ہوئے مل جائیں گے۔ بستی والوں کو بھی، مجھے بھی۔ میرے دل میں بھی ان چاولوں کو پکا دیکھنے کی خواہش تھی۔ اس لیے آپ کے پاس بھیج دے۔ اسی لیے تو خود بھی چلا آیا۔

ابوالفضل لالہ اوم پرشاد کو محبت اور احسان مندی سے دیکھتا ہے۔ لالہ اوم پرشاد ابوالفضل کے دونوں کندھوں کو جھک کے انتہائی عقیدت سے چھوتے ہوئے کہنے لگتا ہے۔

میاں جی۔

ایسے نہ دیکھیں، احسان مند تو میں ہوں آپ کا۔

آپ کے احسان تو پتہ نہیں میری کتنی نسلوں پہ ادھار ہیں۔ میں نے کیا ان کا بدلہ چکانا ہے۔ چکا ہی نہیں سکتا۔ وہ آنکھوں آنکھوں میں پوری ایک کہانی کہہ دیتا ہے۔ ابوالفضل عجز کے انداز میں سر جھکا کے ہاتھ اٹھا کے ادھر ادھر نفی میں ہلاتا ہے۔ اور منہ سے بھی کہتا جاتا ہے۔

نہ جی، نہ لالہ جی۔ کونسا احسان۔ فرض تھا میرا۔ لاحول ولاقوۃ

بہت بڑا احسان ہے میاں جی۔

ادھر ادھر بیٹھے چارپائیوں پہ کئی لوگ کہانی ساری سمجھ جاتے ہیں۔ وہ بھی لالہ اوم پرشاد کی ہاں میں ہاں ملاتے ہوئے سر ہلانے لگتے ہیں۔ کچھ ابوالفضل کو عاجزی میں

سر جھکا کے ہاتھوں کو پھیلا کے منع کرتے ہوئے دیکھ کے خوشی سے مسکراتے ہیں۔ کہانی ابوالفضل اور لالہ اوم پرشاد کی سارے جانتے تھے۔ ڈھائی سال پہلے کی بات تھی۔ تمہیں بھی سنا دیتا ہوں۔

ہوا یوں تھا کہ لالہ اوم پرشاد کی بیٹی کی شادی تھی۔ لالہ اپنے گاؤں کا ساہوکار تھا۔ گاؤں میں دکان تھی۔ شہر میں گودام تھے۔ زمین اس کے سوا تھی۔ لوگ کہتے تھے لالہ کے گھر ہن برستا ہے۔ مٹی کو ہاتھ لگا دے تو وہ سونا بن جاتی ہے۔ سونا چاندی بھی بہتیرا اس نے اکٹھا کیا ہوا تھا۔ ایکو ایک بیٹی تھی اس کی۔ لالہ نے پچھتر تولے سونے کے زیور بننے شہر میں دیے تھے اپنی کنیا کے لیے۔ اس زمانے میں بنک لاکر تو ہوتے نہیں تھے کہ بندہ زیور سنار سے لیکر لاکر میں رکھ دے۔ زیور تیار ہو جائیں تو گھر ہی سیدھے لانے پڑتے تھے۔ اللہ جانے زیور بنانے میں سنار نے دیر کر دی یا لالہ اوم پرشاد نے دانستاً یہ سوچ لیا کہ گھر میں اتنے زیور رکھ کے چور ڈاکوؤں کا فکر کیوں پالے، جس دن بارات آنی ہے، اسی صبح زیور لیکر گھر پہنچے۔ آخری وقت پہ زیور لانے شہر گیا۔ اپنی گھوڑی پہ بیٹھ کے گیا۔ شادی والے دن، صبح منہ اندھیرے سنار سے سارے زیور لیے۔ ساتھ کوئی ساڑھے سات سو نقد بھی تھا۔ چاندی کے سکے تھے۔ وہ بھی کوئی ڈھائی سیر کے ہو گئے، سیر بھر کا سونا تھا۔ کوئی ڈیڑھ سیر چاندی کی پازیبیں اور جھمکے الگ۔ سارے زیور اور نقد مال لالہ نے ایک لمبی سی کپڑے کی تھیلی میں ڈال کے کمر سے باندھ لیا۔ اس تھیلی کو اس زمانے میں بانسری کہتے تھے۔ سانپ کی طرح کی دیکھنے میں ہوتی تھی۔ ایک سرے سے بند ہوتی دوسرے سرے سے اندر نقدی اور زیور لپیٹ لپیٹ کے ڈال لیے جاتے۔ لالہ نے بانسری کمر پہ باندھ لی۔ عموماً بانسری دھوتی کے نیچے باندھی جاتی تھی۔ وہ بانسری بہت بھاری تھی۔ ننگے پیٹ پہ چبھتی تھی۔ لالہ اوم پرشاد سے یہ غلطی ہو گئی کہ اس نے بانسری بندھی دھوتی کے اوپر باندھ لی کہ پیٹ نہ چھلے، بانسری کے کنڈے مضبوطی سے بند کر لیے، اس کے اوپر قمیض آ گئی۔

اب لمبا سفر تھا۔

نہر سرہند کی پٹری پٹری،

راہ بھی ساری کچی۔ اونچی نیچی گزرگاہیں تھیں۔ ایک جلدی پہنچنے کا چاؤ۔ دوسرا راہ میں چور ڈاکوؤں کا خوف۔ لالہ نے گھوڑی کو ایڑ دی۔ گھوڑی صبح کی سفیدی کو سامنے افق پہ ابھرتے دیکھ کے بجلی بن گئی۔ لالہ گھوڑی پہ بیٹھے بیٹھے اچھل کود میں بھی ہاتھ لگا لگا کے کمر پہ بندھی ساری عمر کی اپنی جمع پونجی کو دیکھتا آ رہا تھا۔ بانسری بندھی ہوئی تھی۔ ہیڈ مان پور کا پل آ گیا۔ لالہ نے گھوڑی موڑ کے نہر کی پٹری سے اتار کے اپنے گراں کی طرف موڑ لی۔ راستہ زیادہ کٹا پھٹا آ گیا۔ گھوڑی دوڑتی رہی۔ بندھی ہوئی بانسری اپنی جگہ سے کھسکنے لگی۔ لالہ کا پیٹ نکلا ہوا تھا۔ پیٹ سے بانسری نیچے ہوئی تو کسی جھٹکے میں کھل گئی۔

نیچے کچی راہ تھی۔

رات بھر کی اڑتی ہوئی دھول پہ شبنم کی نمی کا خمار تھا۔ بجلی کے لشکارے کی طرح گھوڑی بھاگے جا رہی تھی۔ بانسری گرنے کی آواز کہاں آتی۔ کھل گئی بانسری۔ لالہ اپنے دھیان میں مست اپنے گھر کے قریب جا پہنچا۔ ذہن میں اس کے شادی کی سوچیں تھیں۔ رسم و رواج، بارات کا سواگت۔ آؤ بھگت، بھوگ، بھوجن، بیگار، پوجا پاٹھ۔ منجیاں، دریاں، کرسیاں۔ تمبو، شامیانے۔ سارا سامان ایک دن پہلے وہ گھر میں جمع کر چکا تھا۔ پانچ سات دیہات سے اس نے دیگیں اکٹھی کی ہوئی تھیں۔ کئی دن سے اس کی برادری کے لوگ اور اڑوس پڑوس والے چاول پراتوں میں ڈال کے صاف کرنے میں لگے تھے۔

گھر میں سوہار، تہوار جیسا سمے تھا۔

دیوالی سے زیادہ روشنی کا اہتمام کیا ہوا تھا۔ اسے اک اک کر کے سارے سوہار گھوڑی پہ بیٹھے بیٹھے یاد آنے لگے۔ سرموتی اماوش، شیوراتری، ہولی، بسنت پچھمی، چمپا کھشٹی، نرک چتروشی، دھن تیرس، کڑواچوتھ اور گنگور تیج۔ سہاگن عورتوں کا تیوہار جب سہاگنیں شیوجی کی پوجا کر کے پاربتی کی طرح اٹل سہاگ کا بروان مانگتیں۔

بھادوں کا ہرتالکا تیج۔ جب پاربتی نے شیوجی کی مورتی بنا کر آواہن کیا تھا۔ وہ سوچنے لگا کہ میں بیٹی کو بھادوں سدی تیج کا دن ہر سال یاد کرایا کروں گا۔ کہ وہ یہ دن کبھی نہ بھولے شادی کے بعد بھی۔ اسی سمے اسے اکشے تیج بیساکھ بھی یاد آ گیا۔ جب روہی نکشتر کے راجہ کو برت رکھنے کے بعد اکشے سمپت ملا تھا۔ وہ دولت سے مالا مال ہو گیا تھا۔ اسے گھوڑی پہ بیٹھے بیٹھے شکرگزاری کی خاطر تل سے سرادھ کرنے کا خیال آ گیا۔

کہ وہ مالا مال تو ہے۔ خورے گھر میں تل بھی پڑے ہیں یا نہیں؟

بے خیالی میں اس نے بھاگتی گھوڑی پہ بیٹھے بیٹھے اپنی کمر پہ ہاتھ مارا تو سر سے پیر تک لرز گیا۔ جسم اس کا ایسا کانپا کہ لگا میں کھینچے بنا ہی اس کی گھوڑی بدک کے رک گئی۔ وہ پاگلوں کی طرح اپنی کمر پہ بندھی ہوئی اپنی عمر بھر کی جمع پونجی ہاتھ مار کے ڈھونڈ رہا تھا۔ کمر اس کی خالی تھی۔ بانسری بندھی بندھائی راہ میں کہیں گر گئی تھی۔

گھوڑی سے وہ اتر گیا۔

پگڑی اس کی سر سے اتر گئی۔

پہلے تو وہ بھاگم بھاگ دہرا ہوا، چلتا اٹھتا پیچھے راہ کی مٹی میں ہاتھ مار مار کے آدھا کوس تک بانسری ڈھونڈتا گیا۔ پھر افق پہ چانن تھوڑا سا بڑھ گیا۔ تو کھڑا ہو کے دیکھتا چلنے لگا۔ صبح کی ہوا جو چند پل پہلے اس کے ذہن میں سال کے سارے سندر تیوہار جگا رہی تھی۔ ایک دم سے اس کے اوسان پہ راون کی یلغار بن گئی۔ اس کے ہاتھ پیر کانپنے لگے۔ اونچی اٹھی مونچھوں کے کنارے ڈھیلے پڑ گئے۔ چہرے پہ بے بسی کی تصویر پہ راہ کی دھول جمنے لگی۔ ایک دم سے وہ دس سال آگے کا سفر طے کر گیا۔ درمیانی عمر کا تھا وہ ایکا ایکی میں بوڑھاپے بس دکھنے لگا۔ مگر وہاں اسے دیکھنے والا کون تھا۔ دل کی آہ وزاری زباں تک خود بخود آ گئی۔

ویرانے میں اس کے بے ربط کہے دکھ کے بول کون سنتا۔

پتہ نہیں اس نے چند ساعتوں میں کتنے برت مان لیے۔

بس ایشور مجھے میری بانسری مل جائے۔ میری کنیا کا توہ گزر جائے۔

اس کے ماتھے پہ سیندور کی ریکھا بن جائے۔

میں اتنے دن برت رکھوں گا۔

وہ خیرات کر دوں گا،

وہ دے دوں گا۔

یوں کروں گا ووں کروں گا۔

تیرا داس بن جاؤں گا۔

کرپا کر،

مٹی میں ہاتھ مارتا جائے،

دل میں بولتا جائے۔

گھوڑی کی باگیں پکڑلیں۔ کبھی گھوڑی پہ بیٹھ کے تیزی سے اسے بھگائے۔ کبھی پھر اتر کے مٹی میں پیر مار مار کے چلنے لگے۔ رخ اپنے گاؤں سے پیچھے شہر کی طرف کر لیا۔ سوچتا آئے۔ ہیڈ مان پور تک ہاتھ لگاتا آیا تھا۔ بندھی تھی بانسری۔ پتہ نہیں پیچھے گر گئی۔ ہیڈ مان پور تک بھی آدھ کوس کا فاصلہ تھا۔

ادھر پیچھے کی اب سنو۔

ہیڈ مان پور پہ ابوالفضل کو ہر روز صبح صبح اٹھ کے نہر کنارے جا کے وضو کرنے اور نماز پڑھنے کی پرانی عادت تھی۔ اس صبح بھی وہ اٹھا۔ کیکر کی ٹہنی ایک کاٹ کے مسواک بنائی۔ اسے چباتے چباتے وہ نہر کنارے کنارے جا رہا تھا۔ ہمیشہ کی طرح سر جھکائے، درود پاک ﷺ کا ورد کرتے کرتے۔ کہ اچانک بیچ نہر پٹڑی کے مٹی کی دھول میں اسے اک بھاری سی لمبی تھیلی نظر آ گئی۔

وہ رک گیا۔

ہاتھ لگایا تو اندر ہار، مندریاں اور پازیبیں بجنے لگیں۔ اٹھایا تو وزن اتنا کہ دو ہاتھوں سے اٹھانا پڑی۔ اوپر سے دبا دبا کے دیکھا، اندر زیوروں اور سکوں کا لمس۔ ابوالفضل نے اِدھر اُدھر نگاہ کی۔ دونوں طرف سناٹا۔ دور دور تک کوئی بندہ نہ بشر، نہ

قریب کوئی آبادی تھی۔ نہ کوئی آس پاس گاؤں، نہر کنارے جو چند گھر ہیڈ مان پور بنگلے کے تھے۔ وہ بھی دور درختوں کی اوٹ میں ملگجی اندھیرے اور صبح کی سلیٹی روشنی میں سوئے ہوئے تھے۔

ابوالفضل کو ویرانے میں اچانک خزانہ مل گیا۔

خزانہ ہے کس کا؟

وہ سوچنے لگا۔

بانسری اپنی کمر پہ قمیض کے نیچے باندھ کے وہیں بیٹھ گیا۔ تھوڑی دیر ہی گزری ہو گی کہ افق کی طرف سے ایک سایہ سا دھیرے دھیرے اس کی طرف بڑھنے لگا۔ ایک گھوڑی ساتھ، ایک بندہ۔ قریب آ گیا۔ بندہ پہچانا نہ جائے۔ اور قریب سے دیکھا تو لالہ اوم پرشاد۔ ابوالفضل اٹھ کے کھڑا ہو گیا۔

لالہ جی، خیر اے۔ پہچانے نہیں جا رہے ہو۔

میاں جی، لالہ کی آواز حلق کی بجائے گردن سے آ رہی تھی۔ ایسی گردن سے جو کٹ چکی ہو۔ میں مارا گیا۔ لٹ گیا۔

میرا کچھ نئیں بچیا۔

وہ ابوالفضل کے کندھے پہ سر رکھ کے بچوں کی طرح بلک اٹھا۔ پگڑی اس کی کندھوں سے لٹک کر پیروں تک آ گئی تھی۔ اس سے ٹھیک سے کھڑا بھی نہیں ہوا جاتا تھا۔ ہاتھ کانپ رہے تھے۔ ٹانگوں میں لرزا تھا۔

او حوصلہ کرو لالہ جی۔

ابوالفضل نے اسے زور سے دبا کر گلے لگایا اور اس کے کندھے تھپتھپائے۔

لالہ بولا، میاں جی، اج ای کڑی دا ٹوہ اے۔ بارات آنی ہے۔

اسی کے لیے زیور نقدی لایا تھا۔

ساری عمر کی پونجی تھی۔ میاں جی۔

اکو اک کڑی ہے۔ اسی کا مال تھا۔

سارا کچھ بانسری میں باندھ لیا تھا۔
اتنی بھاری تھی۔
ادھر
ادھر کمر پہ باندھی تھی۔
سارا رستہ ہاتھ لگا لگا دیکھتا آیا۔
بس خورے کی ہو یا۔ ادھر سے آدھا کوس آگے گیا، گراں کی طرف تو رام جانے کدھر گر گئی بانسری۔
ساری راہ کھنگال لی۔
نہیں ملی۔
اس نے پھر ابوالفضل کے کندھے پہ ہاتھ رکھ دیا۔ ابوالفضل نے اسے کھینچ کے دونوں ہاتھوں میں دبوچ کے پیار سے اپنے سامنے کیا۔ ایک دو لمحے اس کے پریشان چہرے کو جھکے ہوئے سوچوں میں گم دیکھتا رہا۔ پھر اسے جھنجھوڑنے کے انداز میں ہلا کے مسکراتے ہوئے کہا،
لالہ جی، اپنی بانسری پہچان لو گے۔
لالہ اوم پرشاد نے ایک دم بجلی کے جھٹکے سے گردن اٹھائی۔
ہاں جی میاں جی۔
نشانی ہے، زیوروں کی،
لالہ اوم پرشاد نے بہت گہرا سا سانس لیا جیسے مردے میں جان آ گئی۔ چہرے پہ ایک دم سے سورج ابھر آیا۔ وہ کپکپانے لگا۔ اس کے حلق سے آواز نہ نکلے۔ ہکلاتے ہوئے وہ ایک ہی سانس میں سارے زیوروں کے نام لینے لگا۔ چوڑیاں، ہار، گلوبند، مندریاں، پیسے سارا کچھ یاد ہے میاں جی۔ وہ بھیں بھیں کر کے رونے لگا۔
بیٹھو لالہ جی، ادھر بیٹھو،
ابوالفضل نے لالہ اوم پرشاد کو گلے سے لگایا اور ہاتھوں سے ایسی تھپکی دی جیسے

کہہ رہا ہو سب کچھ ہے۔ حوصلہ کرو

یہ لو، یہ ہے۔

ابوالفضل نے اپنی قمیض اوپر کر کے کمر سے بندھی بانسری کا سرا قمیض کے اندر ہی اندر کھول کے باہر کھینچا تو لالہ اسے دیکھ کے دھپ سے مٹی کے تودے کی طرح انکے پیروں میں بیٹھ گیا۔ ابوالفضل نے بانسری اس کی بانہوں میں لٹکا دی۔ اور نیچے لالہ کے ساتھ بیٹھ گیا۔

لالہ رونا شروع ہو گیا۔

وہ کبھی بانسری کو بازوؤں میں پکڑے کبھی ابوالفضل کے بازوؤں میں تڑپے۔ تڑپتے تڑپتے کبھی اس کے ہاتھ اور کلائیاں چومنے لگے۔

خیر اے۔ لالہ جی۔ ابوالفضل اسے تھپکیاں دے۔

تسی مینوں بچالیا۔ میاں جی۔

مینوں ای نئیں۔ میرا گھر بچالیا۔

میری نسل بچالئی۔

توبہ توبہ۔ ابوالفضل ادھر ادھر سر مارے۔

بچانے والا کوئی اور ہے۔ لالہ جی۔

میری تے ماڑی جئی ڈیوٹی اے۔

یہ مل گئی۔ میں اسے لے کے بیٹھ گیا۔ جب تک آپ نہ آتے میں نے ادھر ہی بیٹھا رہنا تھا۔ مجھے کیا پتہ تھا کس کی امانت ہے میرے پاس۔ شکر ہے زیادہ دیر نہیں ہوئی، تسی آ گئے۔ تسلی کر لو لالہ جی۔ میں نے کھول کے نہیں دیکھا ہے کیا کیا اس میں ہے۔

وہ پھر ابوالفضل سے لپٹ گیا۔

پھر اس نے سر اٹھایا۔

حیرانی سے بولا،

آپ نے نہیں دیکھا اندر ہے کیا کیا؟

میں نے کیوں دیکھنا تھا، میری تھوڑی تھی چیز۔

دیکھو۔ پچھتر تولے سونا، ڈیڑھ سیر چاندی اور ساڑھے سات سو روپیہ نقد۔

آدھا پنڈ اتنے مال سے خریدا جا سکتا تھا۔ بیس روپے کی بھینس ہوتی تھی اس وقت، پینتیس روپے میں کوٹھا بن جاتا تھا۔ اٹھارہ روپے ماہوار ابوالفضل کی تنخواہ تھی۔

دیکھو۔ میاں جی۔ یہ سب دیکھو۔

یہ آپکا مال ہے۔

آپ نے مجھے دان دیا ہے۔ مجھ سے ایشور نے لے لیا تھا۔

آپ نے دیا ہے یہ سب کچھ۔

نہ بھئی نہ لالہ جی۔ وہی مالک ہے۔ آپ کی امانت ہے۔ آپ کی چیز ہے۔ آپ کی بیٹی ہماری بہن ہے۔ ہماری بیٹی ہے۔

لالہ اوم پرشاد نے بانسری سے سو روپیہ نکال کے ڈرتے ڈرتے ہاتھ جوڑ کے ابوالفضل کی طرف بڑھایا۔ میری منت ہے یہ رکھ لیں۔ میرا جی کرتا ہے۔

ابوالفضل ایک دم اچھل کے پیچھے ہٹ گیا۔ لالہ جی کیا کرتے ہیں۔

ساری بانسری میرے پاس تھی۔

بیابان جنگل میں، میں تو اس کی راہ دیکھ رہا تھا، جس کی یہ ہے۔ آپ کی تھی آپ کو مل گئی۔ میرا تو بس اتنا کام تھا۔ میرے لیے ایک پیسہ بھی اس میں سے حرام ہے۔

لالہ اوم پرشاد پھر رونے لگا۔ اس بار اس کے رونے کی آواز نہ آئی، صرف ٹپ ٹپ مٹی میں اس کی آنکھوں سے بوند بوند آنسو گرنے لگے۔ روتے روتے بولا،

میاں جی، مجھے نئیں پتہ آپکا دھرم کیا کہتا ہے،

کیسے وہ ایک عام بندے کو آپ جیسا مہان دیوتا بنا دیتا ہے۔

ایک آ گیا دیں۔ بس ایک بنتی ہے۔

انومتی ہے ایک میری۔ میاں جی میں نے اپنے رام جی کے چرنوں کو پرنام کرنا

ہے۔ یہ کہتے کہتے وہ جھک کے ابوالفضل کے میلے گندے مٹی میں اٹے موٹے چمڑے کے چھتروں میں چھپے پیروں کو ہاتھ لگانے کو جھکا۔ ابوالفضل ایک دم اچھل کے پیچھے ہٹا۔ اور بھاگ کے دور جا کے کھڑا ہو گیا۔

لالہ اوم پرشاد نے وہیں دوزانوں جھک انکی طرف دونوں ہاتھ جوڑ کے پرنام کیا۔ پھر اٹھتے ہوئے بولا۔

آپ کا دھرم اگر اس سے میلا نہیں ہوتا تو مجھے تو اپنے دھرم کا پالن کرنے دیں۔

آپ رام جی جیسا وشنو کا اوتار ہیں میاں جی۔ کرشن مہاراج کا روپ ہیں۔

ابوالفضل زور زور سے ہنسنے لگا۔

لالہ جی اتنی سی بات پہ آپ اتنی بڑی بڑی باتیں کہے جاتے ہیں۔ آپ کی چیز ہے یہ، آپ کو ہی ملنی تھی۔ میرے پاس تو امانت تھی۔

ہمیں خیانت کی اجازت نہیں ہے۔

ہم جن کا کلمہ پڑھتے ہیں وہ ﷺ امانت دار تھے۔

میری کیا مجال ہے حکم عدولی کی۔ یہ تو ان ﷺ کا ذرا سا حکم مانا ہے میں نے، آپ نے مجھے پتہ نہیں کیا کیا کہہ دیا۔ بندے سے بھگوان بنا دیا۔ ذرا انہیں ﷺ تو سوچیں جن ﷺ کا یہ حکم ہے۔ جو ﷺ ہیں ہی سراپا سچ، امین۔ امانت دار، سارے جہانوں کے لیے رحمت ﷺ۔ ان کا ذکر ہونا چاہیے۔ ساری تعریفیں اسی خدا کی ہیں جو میرے آقا ﷺ کا رب ہے۔ الحمد اللہ

بسم اللہ کریں جی۔

ابوالفضل اپنے بیٹے کی ولادت میں خوشی میں دوستوں کی پلیٹوں میں چاول ڈالنے لگا۔ ضیافت خیر و خوبی سے ہوگئی۔ ابوالفضل کے بیٹے تو بعد میں اور بھی کئی ہوئے۔ مگر اسی بڑے بیٹے میں ابوالفضل کے سوہنے رنگ تھے۔

بچپن ہی سے وہ کوؤں میں چیل اور چیلوں میں عقاب تھا۔

الگ تھا۔

جیسے اسے پتہ ہو کہ وہ مختلف آدمی ہے، عام آدمی نہیں ہے۔

اس کے بچپن میں بھی بچپنا نہیں تھا۔

لڑکپن کے دنوں میں ایک صبح نہر میں تیرتے ہوئے اسے نہر کی تہہ سے ایک بھاری سونے کا کنگن مل گیا۔

قریب ہی نہر پہ عورتوں کا نہانے، کپڑے دھونے کا پکی سیڑھیوں کے ساتھ گھاٹ بنا ہوا تھا۔

ہندو، سکھ، مسلمان سبھی عورتیں ادھر آتی جاتی تھیں۔

کیا پتہ کس کی کلائی سے وہ کنگن گر گیا۔

فضل دین کے ساتھی سنگی سب بچے نہا کے اپنے اپنے گھر چلے گئے۔ وہ شام تک وہیں نہر کنارے بیٹھا رہا۔

اندھیرا پھیلنے لگا تو قریبی گاؤں سے ایک جوان سکھ عورت اپنے دو بچوں کو ساتھ کھینچتے، بھاگنے کے انداز میں تیز تیز پاؤں اٹھاتی، ہراساں پریشان ادھر آ کے نہر کنارے مٹی اور گارے میں ہاتھ مارنے لگی۔ اس کے پیچھے پیچھے ایک سیانی عمر کی عورت غصے سے بھنبھناتی چلاتی ڈانتی ہوئی آ پہنچی۔ جواں عورت گھبرائی ہوئی روتے ہوئے گارے مٹی اور گھاس پھوس میں ہاتھ مار مار کے کچھ ڈھونڈتی جائے اور پیچھے سے آنے والی غصیلی بوڑھی عورت بازو پھیلا پھیلا کے جوان عورت کو سنے دیتی جائے۔ دونوں لڑکے اپنے لمبے سر کے بال رومالوں میں باندھے سہمے ہوئے جواں عورت سے جڑے چلتے پھریں۔ جیسے وہ عورت مرغی ہو اور وہ دونوں چوزے۔ اور ان سب کے پیچھے غصیلی بلی لگی ہو۔ جواں عورت اپنے بچوں کو کہے۔

بچو۔ پانی میں نظر مارو، ادھر دیکھو۔

بوڑھی عورت بچوں کو بازوؤں سے پکڑ پکڑ کے نہر سے پیچھے کھینچے اور جوان عورت کو گالیاں دے۔

اب میرے پوتے مروانے ہیں، نہر میں ڈبوا کے۔

جوان عورت روتی ہوئی آ کے بچوں سے لپٹ جائے۔

دیکھ کتنا ناٹک کرتی ہے۔

سات تولے کا کنگن تھا۔ خالص سونے کا۔

ماں کے گھر سے لائی ہوتی تو احساس ہوتا۔

کنگن پہن کے کپڑے دھونے آتی ہے مہارانی۔

مانے گی تھوڑی کہ دے کے آ گئی اپنی ماں کو۔

ماں کے گھر تو دو ہفتوں سے نہیں گئی۔ جوان عورت رو پڑی۔

تو ادھر اپنے کسی لگتے کو دے دیا ہوگا۔

تیرے جیسیاں ہی یارانے رکھتی ہیں۔

ڈاکو پالتی ہیں۔

آ لینے دے تیرے خصم کو۔ یشونت کو کہوں گی۔ جدھر کہتی ہے کنگن گرا ہے، ادھر ہی تیر نے ٹکڑے کر کے ڈالے نہر میں۔

جواں عورت اور زور سے رونے لگی۔

تیرے جیسیاں ہی اپنے یار پالتی ہیں۔ جھوٹ بولتی ہے نہر میں کنگن گرا ہے ساری عمر میں نے اسی گھاٹ پہ کپڑے دھوئے، نہائی۔ میرے ہاتھ سے تو ایک مندری بھی ادھر نہیں گری۔ کنگن گرا دیا چھنال نے۔

تجھے چور لے جائیں، خود کیوں نہ گر گئی نہر میں۔

جان چھوٹ جاتی۔

فضل دین چار قدم پہ بیٹھا سب سن رہا تھا۔ چلتا چلتا قریب آیا اور بولا ماسی کنگن کی نشانی کوئی پتہ ہے؟

ہاں، میرا ویر۔

جوان عورت جو لمحہ پہلے مردہ جسم بنی گھاٹ کی سیڑھیوں پہ گرتی پھرتی تھی، ایک دم سے جی اٹھی۔ اور ایک ہی سانس میں کنگن کی ساری نشانیاں بول دیں۔

فضل دین نے نیفے میں اڑسا ہوا کنگن نکال کے اس کے سامنے کر دیا۔

لو ماسی، یہی تمہارا کنگن ہے!

تیرے صدقے!

تیرے واری۔

جوان عورت آ کے فضل دین کا ماتھا چومنے لگی۔

آنسوؤں سے اس کا چہرہ بھر گیا، گلے سے اس کے آواز نہ نکلے۔ روہانسی آواز میں آسمان کی طرف سر اٹھا کے، جھولی پھیلا کے بولی۔

میرے ربّا۔

اس ویر نے میرا کنگن نہیں، میرا نصیب لوٹایا ہے۔

تو اسے غور نال دیکھ لے۔

یہ کنگن نہ مجھے ملتا تو میں نے نہر میں چھلانگ لگا دینی تھی۔

تجھے پتہ ہے۔ میں نے سوچ لیا تھا، تو نے میری موت لکھ دی تھی، اس ویر نے مجھے بچایا ہے۔

اس نے تجھ سے ملا سونا اپنے پاس نہیں رکھا۔

اب تو اس کے نصیب میں ہیرے لکھ دے۔

اس کا بخت چمکا دے۔

پتہ نہیں وہ جوان عورت روتی روتی کتنی دعائیں دیتی رہی۔ اور فضل دین سر جھکائے کھڑا حیرانی سے سوچتا رہا۔ میں نے کونسا تیر مارا ہے۔

جس کی امانت تھی، اس تک پہنچا دی۔ اور کیا کیا ہے۔

پتر تو کس کا بیٹا ہے، بوڑھی عورت بھی آ کے فضل دین کا سر سہلانے لگی۔

ماں جی، ابوالفضل کا بیٹا ہوں۔ ہیڈ مان پور کے میاں جی میرے ابا ہیں۔

اچھا، اچھا، وہی ملا جی نا، جنہوں نے لنڈھے کے لالہ اوم پرشاد کا رستے سے ملا پچھتر ہزار سالم واپس کر دیا تھا؟

ہاں جی!

پتر ملا کے اندر کا چانن تیرے حصے میں آیا ہے۔ رب تیرے بخت میں کبھی اندھیرا نہ ہونے دے۔ بوڑھی عورت بھی اپنی بہو کے ہاتھ سے کنگن لے کر فضل دین کو دعائیں دینے لگی۔

فضل دین اس شام بہت شانت ہو کے گھر آیا۔

ابوالفضل اور بھاگو گھر میں پریشان بیٹھے انتظار کر رہے تھے۔ فضل دین سے دیر کی وجہ سن کے دونوں نے اسے پیار کیا۔ اور ابوالفضل مغرب کی نماز کے ساتھ دو نفل شکرانے نیت کے کھڑا ہو گیا۔ نماز میں کھڑا اللہ کے سامنے روتا جائے اور شکر کرتا جائے۔

تیرا شکر ہے اللہ تو نے میرے بچے کے نصیب میں بھی بچپنا نہیں لکھا۔

میں تو بے مایہ تیرا حقیر بندہ ہوں۔

تیرا شکر ہے تو نے اس کے نصیب میں اپنے محبوب ﷺ کا سب سے بڑا وصف امین ہونا لکھ دیا۔

یہ تو ہوئیں، اس کے بچپن، لڑکپن کی باتیں۔

جوانی میں بھی اسے جوانی کی تیکھی ہوا نہیں لگی۔

جوان ہوا تو یہ گھبرو، لمبا، شوشیل اور سوہنا جواں نکلا۔ سکول میں ہاکی کھیلتا تو طوفان میل کی طرح ایک کونے سے گیند لے کر نکلتا تو مخالف ٹیم میں کھلبلی مچ جاتی۔ ڈی میں جا کے وہ گول کرنے کے لیے شارٹ مارتا تو گول کیپر آنکھیں بند کر کے سہم کے ایک طرف دبک جاتا۔ مجال ہے جو اس کی شارٹ سے کبھی گول نہ ہوا ہو۔

یہ ان دنوں کی بات ہے جب دسویں جماعت میں سوا چھ چھ فٹے لڑکے پڑھا کرتے تھے۔ آج کل تو یہ جماعت بچے مرغی کے پروں تلے بیٹھے بیٹھے پڑھ لیتے ہیں۔ اس زمانے میں ایسے لڑکوں کو سارے پنڈ کی مرغیاں گھیر کے کھڑی ہو جاتی تھیں۔ پتہ نہیں اس بندے کی گردن میں کس نے وہ گھنٹی باندھی تھی کہ جب بانگ

دیتے مرغے جیسی تنی سجی اونچی اس کی گردن دیکھ کے مرغیاں پھڑ پھڑاتیں اس کے لہو میں ایک گھنٹی سی بج جاتی۔

جو اسے کہتی بچو۔

کانٹوں والی جھاڑیوں سے اپنے پر بچا کے ایسے نکل جاؤ کہ رگڑ بھی نہ لگے۔

سکول سے فارغ ہو کے فضل دین پولیس میں بھرتی ہو گیا۔

وہاں اس کے ساتھی سنگی ایک دن اسے بہکا کے الٹی جگہ لے گئے۔ لدھیانے شہر کا وہ بازار، لچا بازار کہلاتا تھا۔ (اس زمانے میں بازاروں کے ناموں تک میں سچائی تھی۔) پہلے وہاں سے روسٹ مرغے کھلائے۔ پھر مرغی کھلانے ایک کوٹھے پہ چڑھ گئے۔

مرغی بھی انہوں نے پورے ضلعے کی سب سے مسالے دار چنی۔

ساتھی سنگیوں نے پہلے آپس میں کوٹھے کی زنانی سے ساز باز کی ہوئی تھی۔ کہ ہمارا گھبرو یار ہے۔ دیکھو گی تو کوٹھے سے اتر آؤ گی۔ اس کے تلوے چاٹو گی، مگر ہے وہ عجیب مٹی کا بنا۔ کسی کو پکڑائی نہیں دیتا۔ ہم سارے اس کا ضبطِ نفس دیکھ دیکھ بالشتیئے بنے ہوئے ہیں۔ تو ہمارا قد کاٹھ ہماری نظروں میں بڑا کر۔ کسی طرح کسی حیلے سے اسے زیر کر۔

وہ زنانی کوئی عام زنانی تھوڑی تھی۔

صاحباں نام تھا اس کا۔

پیروں میں گھنگھرو باندھ کے ناچتی تو چھما چھم کا مینہ برسا دیتی۔ وہ مینہ ایسا نہ ہوتا جو صرف سر پہ برستا۔ وہ بندے کی آنکھ میں آنکھ ڈال کے اسے سر سے پیر تک نہلا دیتی۔ گوری چٹی رنگت، سڈول چکنا ایسا جسم کہ آدمی دیکھ دیکھ ہی سوچتا رہے، کہ اسے پکڑوں کہاں کہاں سے۔ کاجل بھری ادھم مچاتیں چمکتی روشن آنکھیں، جس طرف نگہ کرتی بیٹھے بندے کو اٹھا کے کھڑا کر دیتی۔ کھڑے کو بٹھا دیتی۔ بیٹھے کو لٹا دیتی۔ وہ چٹکی بجا کے بولی، اپنے یار کو لاؤ تو سہی۔ اس نے پھر تمہیں کیا ڈرانا ہے، اپنے جوگا بھی نہیں رہنا۔

وہ لے گئے وہیں ایک شام فضل دین کو کسی بہانے، بہلا پھسلا کے۔

صاحباں نے نگاہوں کی ایسی چاند ماری کی کہ فضل دین کا بھرتا بنا دیا۔ وہ بڑے بڑے پانیوں کی شکارن تھی۔ ہر دریا، نہر اور سمندر کی مچھلی کو جال ڈال کے پکڑنا اور بیسن لگا کے تلنا اس کے بائیں ہاتھ کا کام تھا۔ طے شدہ پروگرام کے مطابق، اس نے اپنی ہوش ربائی کے کسی نقطہ عروج پہ اپنے سازندوں کو ابروؤں اور نگہ کے لطیف تاروں سے کوئی ایسا اشارہ دیا کہ وہ ایک ایک کر کے غیر محسوس طریقے سے چلے گئے۔ فضل دین کے ساتھی سنگی بھی، کسی بے خبر لمحے چھوٹے چھوٹے بہانے بنا کے نکل گئے اور کوٹھے سے اترتے اترتے باہر سے کنڈی تالہ لگا گئے۔

سوچو۔

اندر صبح تک وہ دونوں رہے۔

ایک طرف شاہ بلوط کے جنگل کا جلتا ہوا شعلہ، جو پورے جنگل کو آگ لگانے پہ تلا بیٹھا ہو اور سامنے پٹرول سے بھرا ہوا کنستر جس نے طے کیا ہو کہ جلتا جنگل جتنا مرضی بخار چڑھا دے۔ اپنے اندر کی ایک بوند کو بھی بخارات میں نہیں بدلنا۔

صبح تک آگ اور پٹرول میں جنگ ہوتی رہی۔

یاد کرو، یہ وہی صاحباں تھی، سوڈی شاہ والی۔

جو تین سالم تانگے لے کر بگھی میں اپنی حشر سامانی کے ساتھ ایک شہر سے دوسرے شہر جاتی تو راہ کی ٹریفک میں بھونچال آ جاتا۔ وہ ایک ٹریفک سارجنٹ کی سرخ بتی کے سامنے صبح تک ایڑھیاں رگڑتی رہی۔ مگر اسے راہ نہ ملی۔

یہ اسی دن کی بات ہے جب وہ سوڈی شاہ کے ڈیرے کے سامنے سے گزرتے گزرتے ترنگ میں آ کے، اپنی بگھی رکوا کے بول بیٹھی تھی۔

شاہ جی، آپ کی دیگ میں ہمارا بھی کوئی حصہ ہے یا نہیں۔

اس نے تو دل لگی کی تھی۔

شاہ جی کے رب نے اس کے گھر میں اپنی دیگ کا ایک معمولی سا چمچ بھیج دیا تھا

کہ لو پہلے اپنا شک دور کرلو۔ تو جو مدت سے نرگس کا پھول بنی اپنی آرتی اتارتی آئی ہو۔ اس آئینے میں اپنا اصل روپ دیکھ لو۔

آزمالو اپنی ساری شکتی۔

کوک شاستر کے سارے آسن برت کے دیکھ لو۔

میرا بندہ تیری طرف نگہ اٹھا کے دیکھتا بھی ہے یا نہیں؟

صبح ہونے تک صاحباں، فضل دین کے پیروں میں سر دے کے گرگئی۔ روتے ہوئے بولی، میں تو اپنے آپ کو ایسی تلوار بنا کے جی رہی تھی جس نے چار ضلعوں کا کوئی بڑا بت نہیں چھوڑا، جسے پاش پاش نہ کر دیا ہو۔ تم کس مٹی کے بنے ہو۔ جس نے میری تلوار کی انی میرے کلیجے کے آر پار کر دی ہے۔ خود ٹس سے مس نہیں ہوئے۔

تمہیں کون منع کر رہا ہے؟

کس کا کہا مان رہے ہو؟

ہے، وہ مجھے دیکھے جا رہا ہے۔

یہاں تو کوئی بھی نہیں، سارے سازندے، تیرے ساتھی کب کے چلے گئے۔ باہر سے کنڈی تالہ لگا ہے۔ چل کے دیکھ لو۔

ادھر ہے کون تیرے میرے سوا۔

ہے، تیسرا ہے!

کون؟

فضل دین نے ایک انگلی اٹھا کے چاروں طرف گھمائی پھر اوپر کھڑی کر دی۔ بولا، اللہ ہے۔ اس کی نگہ سے چھپا لو، تو جو کہو گی کروں گا۔

صاحباں، یہ سن کے تھپ سے پھٹی بوری کی طرح گر گئی۔

پتہ نہیں اس ایک رات میں وہ اپنی گزری زندگی دیکھ دیکھ کے کتنی بار گزار گئی۔

صبح جب اس کے کوٹھے کا دروازہ سازندوں نے کھولا تو صاحباں اپنے جسم و جاں کے تمام تر سازینوں سے بے نیاز ہو چکی تھی۔

یہ اسی دن کی صبح کا واقعہ ہے جب دن ڈھلنے سے پہلے، صاحباں اپنی بگھی میں بیٹھ کے تینوں تانگوں میں اپنے سازندے بٹھا کے، سوڈی شاہ کے پاس جا کے بولی تھی۔

شاہ جی، میں آ گئی ہو۔

اب نہیں جانا۔

صاحباں اس ایک رات میں اپنے شیش محل میں اپنے وجود کی بے وقعت کرچیاں دیکھ کے برسوں سے بنایا ہوا اپنا بت توڑ کے اللہ کے کھونٹے سے جا بندھی تھی۔ وہ رستے جو تسبیح کے منکے پھیرنے والوں سے کبھی برس ہا برس کی تپسیا سے طے نہ ہوئے، وہ اس نے ایک رات میں گھنگھرو پہن کے بھاگم بھاگ عبور کر لیے۔

سوڈی شاہ کی چوکی پہ بیٹھ کے بھی وہ لنگر کی ڈوئی ہاتھ میں لیے ساری خیاتی اللہ کو سوچ کے، اس کے بندے فضل دین کو بھی سوچتی رہی، جو اس کے ہاتھ سے لنگر کھانے کبھی اس درگاہ پہ بھی نہ آیا کہ کہیں چوکی پہ بیٹھی صاحباں ڈوئی چھوڑ کے پھر اٹھ کے کھڑی نہ ہو جائے۔

ان دونوں کو نہیں پتہ تھا، کہ وہ دونوں بے قصور ہیں۔

اصل کھیلنے والا کوئی اور ہے۔

جس کی ڈور سے بندھی دونوں پتلیاں ہیں۔

کب کس نے اٹھنا ہے۔

کس نے بیٹھنا ہے۔

کہاں بیٹھنا ہے۔

یہ پتلی تماشے والا جانتا ہے۔

صاحباں نے وہیں پاوتر آستانے پہ آنا تھا۔

سوڈی شاہ کے منہ میں اس نے ہی اپنے بول ڈالے تھے اور صاحباں کے سجے شیش محل میں ایستادہ ''میں'' کا دیو ہیکل بت توڑنے اسی نے فضل دین کو بھیجا تھا۔

یہ تینوں کردار اپنی اپنی جگہ کتنے ہی طاقت ور سہی ان تینوں کو گوشت پوست کے لبادے میں، ایسے محیر العقول کردار ادا کرنے کے لیے کئی جنم کی شکتی درکار تھی۔

استرے کی دھار پہ ننگے پاؤں کا یہ سفر صرف چلنے والے جانتے ہیں۔

اس جادونگری میں سارے بے قصور ہوتے ہیں۔

کوئی بکری ہے،

کوئی بکری کا چارا۔

اور کوئی ایسی ہی بکریوں کا گڈریا۔

گڈریے کی کہانی اشفاق احمد سے بہتر کسی نے نہیں کہی۔ اسے دوبارہ پڑھ لو۔ سوڈی شاہ کے ساتھ ملا کے۔

باقی بکری اور چارے کی داستاں تمہیں سنانی ہے۔

کچھ تم نے سن لی، باقی آگے سنتی جاؤ۔

اس آب و گل کی دنیا میں دو ہی طرح کی ہستیاں ہیں۔

ایک بکری، دوسرا چارا۔ گڈریا وہ خود آپ ہے، اس ساری کائنات کا کارخانہ چلانے والا۔

اس سے مستی نہ کرنا۔

اسے منٹ نہیں لگتا، بکری کو چارا بنانے میں۔

چارے کو بھی وہ چٹکی میں بکری بنا دیتا ہے۔

بکری کی عمر ہی کیا ہوتی ہے؟

چارے کی دو مٹھیاں کھانے سے چھری نیچے آنے تک۔

زیادہ سوچا نہ کرو۔

خاص طور پر ان باتوں پہ، جن پہ سوچنے کا کہا نہیں گیا۔

جہاں سوچنے کا حکم ہوا ہے، وہاں سوچو۔

ستاروں کو دیکھو، آسماں کو ناپو اور اسے سوچو۔

پتوں میں جاگتی آنکھ کا چہرہ دیکھو، اور سوچو۔
اپنے چہرے کے خدوخال کو اس وقت دیکھو جب وہ بن رہے تھے۔
یہ سوچو۔
یہ جو ملا ہے، وہ ملا کیوں ہے؟
جو چلے گئے، وہ کہاں چلے گئے؟
یہ سوچو۔

سوچتے سوچتے میری جاں، یہ بھی سوچو، کہ یہ جو دلوں میں تیر پرونے والا کہیں بیٹھا تیر چلائے جاتا ہے۔ ہمیں اک دوسرے کے دل کی سلاخوں پہ تکے بوٹی کی طرح پرو کے جدائی کے جلتے کوئلوں پہ رکھتا رہتا ہے۔ وہ خود اپنے لیے کونسا خوش بخت دل چنتا ہے۔

جو اس کی توجہ پانے کا اہل ہو۔
جانتی ہو۔ کون ایسا بخت آور ہوتا ہے۔

وہ جو اس کی بنائی ہوئی دیواروں میں انارکلی بن کے اپنے آپ کو چنوا کے بیٹھ جاتا ہے۔

یہ سوچو۔
یہ سوچنا آسان نہیں ہے۔

اس کی بنائی کھڑی ہوئی دیواروں میں، اس کا نام جاپتے ہوئے انارکلی بننا تم کیسے سوچ سکتی ہو۔ جب کہ تم خود مہاولی بنی مجھ جیسے سرعام تیرا نام لیتے بندے کے لیے چہار اطراف دیواریں کھڑی کرنے پہ تلی ہو۔

تلی رہو۔

تمہیں صاحباں، سوڈی شاہ اور فضل دین کی باتیں بنا مقصد نہیں سنائیں۔ اس لیے سنائی ہیں کہ ذرا سوچ لو۔ دنیا میں جہاں تم جیسے ''میں نہ مانوں'' قسم کے من موہنے قیمتی پتھر دل ہیں، وہیں کچھ ایسے سر پھرے لوگ بھی ہیں جو انارکلی کی مہک اور

اس کا نصیب، اپنے بخت میں لکھوانے کی ضد پال لیتے ہیں۔

تم مانو نہ مانو۔

ایسے لوگ ہوئے ہیں۔

ایسے لوگ ہوتے ہیں۔

اور ایسے لوگ ہیں۔

خدا جانے یہ آسان بات ہوتی ہے یا مشکل۔

اتنا ضرور ہے جس پہ یوں بیتتی ہے اسے تلوار کی دھار پہ چلنا پڑتا ہے۔ کوئی مانے یا نہ مانے، ایسا ہوتا ہے۔ کوئی ایسا نظام ہے، جو پیدا ہوتے ہی آنکھیں کھولتے ہوئے عقاب بچے کے کان میں کہہ دیتا ہے کہ یاد رکھ، تو شاہین ہے، ایگل ہے 'کوا' نہیں ہے۔ فضل دین شروع ہی سے اپنے آپ سے آگاہ تھا اور جانتا تھا کہ اسے اپنی پرواز اونچی رکھنی ہے۔

وہ فضل دین میرا باپ تھا۔

تم ابھی کوئی رائے قائم نہ کرنا۔ پہلے ان کی پوری کہانی سن لینا پھر بتانا۔ عقاب بچے کو کیسے بتایا جاتا ہے کہ بچے تو 'کوا' نہیں ہے، 'شاہین' ہے، جب پر مل جائیں تو ان سے نیچے نیچے نہ اڑنا۔ ٹھونگیں نہ مارنا۔ جھپٹنا پلٹنا اور خون گرم رکھنا۔

تم عجیب کبوتری ہو، خون گرم بھی کرتی ہو اور پوچھتی بھی ہو کہ کیوں جھپٹے۔

■

اُمّ الفضل اور بلّو

بلّو بھی ایک کبوتری تھی۔

مگر غلط چھتری پہ اتر گئی۔

بلّو کی کہانی سننے بیٹھی تو تمھیں بھی بھاگو کی طرح بخار چڑھ جانا ہے۔ کسی مرد نے سن لی تو بخار کے ساتھ تشنج کا حملہ بھی ہو جانا ہے۔ بلّو وہ نہیں تھی، جس کے تم آج کل گانے سنتی ہو۔

"کِنے کِنے جانا بلو دے گھر"

آج کی بلّو بتی جلا کے نظر آتی ہے۔ وہ پلو مار کے دیا بجھانے والی تھی۔ کہ اب دیکھ۔ دیکھ روشنی میں زیادہ نظر آتا ہے یا میری نگہ کے چمکتے تاروں میں۔

ابوالفضل کا سوچو، جس نے کبھی بلّو کے گھر جانے کے لیے لائن نہیں بنوائی تھی۔ اوپر سے خود بلّو اس کے گھر میں آ گئی۔

ابوالفضل کی بیوی کے سامنے دن دیہاڑے۔

ابوالفضل کی بیوی کا نام بھاگو تھا۔ سیستان سے آکر وہ اسے بیاہ کے لایا تھا۔ نکاح کر دیا تھا والدین نے سیستان جانے سے پہلے۔ رخصتی واپسی پہ ہوئی۔ وہ چھوٹی عمر کی تھی کہ ابوالفضل کے گھر آ گئی۔ دین دنیا کا کچھ اسے پتہ نہیں تھا۔ اپنے گاؤں سے باہر قدم نہ نکالا تھا۔ اور ادھر ابوالفضل گھاٹ گھاٹ کا پانی پیا ہوا تھا۔ عمر میں بھی یہ

اس سے دس سال بڑا تھا۔ بھا گو پہ ان باتوں کا رعب پڑا ہوا تھا۔ اوپر سے او پر تلے تین بچے بچیاں پیدا ہوتے ہی مر گئے یا مردہ پیدا ہوئے۔ وہ سہم گئی۔ چہرہ پیلا زرد ہو گیا۔ ٹانگیں کانپنے لگیں۔ ہر وقت اسے سانس سا چڑھا رہتا۔ ابوالفضل چہرے کی پیلی رنگت کا پو چھتا تو اسے غشی پڑ جاتی۔ یہ ایک اور غم تھا۔ وہ بس اسی وہم میں پریشان رہتی کہ یہ اللہ کا بندہ مجھے چھوڑ کے اور نکاح نہ پڑھ لے۔ کسی اور کو نہ گھر میں بسا لے میں کدھر جاؤں گی؟

وہ ابوالفضل کے مامے کی بیٹی تھی۔

انہیں میں سے ایک مامے کی جنہوں نے اسے اپنی کشتی میں برسات کے دنوں میں گھر سے میلوں دور پردیس میں دھتکار کے اتار دیا تھا۔

اس نے ساری کہانی سنی ہوئی تھی۔

اس کہانی کی وجہ سے بھی اس کے دل میں ڈر بیٹھا ہوا تھا کہ یہ بندہ میرے باپ کے کیے کا مجھ سے بدلہ نہ لے لے۔

جب گرمیوں کے بعد برسات آتی۔

جاڑے کی پہلی ہوا چلتی۔

تو وہ پریشان ہو جاتی۔

کہ لو۔

اب آیا مجھے ہاتھ سے پکڑ کے باہر نکالنے کا موسم۔

اب یہ بھی میرے باپ کی طرح میری گٹھڑی کپڑوں کی اٹھا کے گھر کی دہلیز سے باہر پھینکے گا اور کہے گا۔

چل اپنے باپ کے پاس۔

جا کے پوچھ اس سے،

کہ پہلی جھڑی پہ میں نے تمہیں کیوں نکال دیا۔

پھر بتانا اسے کہ بے آسرا بندے کو سردیوں کی پہلی ہوا اور تیز بارش کے نیچے بے

یارومددگار آسمان کے نیچے تن وتنہا چلتے ہوئے کیسا لگتا ہے۔

بس وہ دل ہی دل میں بات سے بات سوچتی رہتی۔

پریشان ہوتی رہتی۔

پڑھی لکھی اس نے کیا ہونا تھا۔

پڑھا لکھا تو اس زمانے میں کوئی کوئی ہوتا تھا۔ان کے پورے گاؤں میں کوئی پڑھا لکھا نہ تھا۔ابوالفضل بھی پہلے چٹا ان پڑھ تھا۔روپڑ ہیڈ پہ بیلداری کرتے ہوئے وہ بازار گیا۔بازار سے قائدہ خرید لایا۔یسرہ القرآن لے آیا۔قریب ہی روپڑ شہر میں ایک خانقاہ تھی۔کوئی حافظ غلام میرن شاہ تھا ادھر۔وہاں جا کے قران پڑھ لیا۔جس اوورسیئر کی وہ گھوڑی چراتا تھا، مالش کرتا تھا،اسی کے سامنے قائدہ لے کر بیٹھ جاتا۔اردو، فارسی دونوں زبانیں اس سے سیکھ گیا۔گھوڑی کی سیوا نے جاہل سے عالم بنا دیا۔

سیوا کرنے سے زیادہ علمی کام کوئی ہے ہی نہیں۔

سیوا سے تو علم کے وہ وہ دروازے کھلتے ہیں جو جاگتی حسوں سے محسوس ہی نہیں کیے جا سکتے۔ایک بے زبان گھوڑی کی سیوا کرنے کے اگر اتنے انعام ہو سکتے ہیں تو کسی ''قادر الکلام'' انسان کی سیوا کیا رنگ نہیں لا سکتی۔

اور وظیفہ کیا ہے؟

کس کی سیوا ہے؟

یہ بس سوچنے کی باتیں ہیں۔

تم بیٹھی بیٹھی پتہ نہیں کیا سوچنے لگتی ہو؟

میں اپنی بات نہیں کہہ رہا۔ابوالفضل کی کہانی سنا رہا ہوں۔

سن رہی ہو!

ہاں تو اس نے حکایات سعدی سے لیکر داستانِ رومی تک جو کتاب ملی، پڑھ لی۔ایک بنیئے سے حساب بھی سکھ لیا۔

بھاگو یہی بیٹھی سوچتی رہتی۔

ڈرتی رہتی۔

ایسے پڑھے لکھے آدمی کی جورو بننا کوئی آسان کام ہے۔ وہ خود سے بیٹھی باتیں کرتی رہتی۔ اللہ بیٹے دے دے۔ انہیں پڑھاؤں گی۔ پھر میں اس کے گھر بس جاؤں گی۔ وہ یہی دعائیں مانگتی رہتی۔ بڑے بیٹے فضل دین کے پیدا ہونے سے کچھ دن پہلے اس نے خواب دیکھا کہ کوئی بہت عالیشان قسم کی سفید پتھروں کی مسجد ہے۔ وہ اس میں چلی جاتی ہے۔ خواب میں بھی وہ سہمی سہمی مسجد میں چلتی جاتی ہے۔ منبر کے سامنے پہنچتی ہے۔ کیا دیکھتی ہے۔ منبر کی سب سے اوپر والی سیڑھی سے ایک سرخ گلاب کا پھول ابھرا ہے۔ ابھرتے ابھرتے وہ بڑا ہو جاتا ہے۔ پھر ایک دم سے وہ اس کی جھولی میں آ جاتا ہے۔ جھولی میں وہ پھول آتا ہے تو اسے محسوس ہوتا ہے جیسے اس کی جھولی میں اس پھول کی پتیوں سے بڑے بڑے قلعے اور محلات بنتے جا رہے ہوں۔

وہ خوشی سے نہال ہو گئی۔

ایک دم تروتازگی کے منوں احساس کے ساتھ جاگ گئی۔ کچھ دن بعد فضل دین پیدا ہو گیا۔ بھاگو فضل دین کو دیکھتے ہی سوچنے لگتی ہے۔ اب میں ابوالفضل کے گھر ہی رہوں گی۔

ابوالفضل کو جو فضل ملا ہے میں اس کی ماں ہوں۔

میں امّ الفضل ہوں۔

اب مجھے کوئی نہیں نکال سکتا۔ ساری عمر وہ اڑوسنو پڑوسنو کو یہ کہانی سناتی رہی۔ کہ پہلا بیٹا پیدا ہوا تو میرا خون بڑھ گیا۔ وہ بھی پیدا ہوتے ہی مجھے پٹر پٹر آنکھیں کھول کے دیکھنے لگا۔ بہن میں کیا بتاؤں، اس نے آنکھوں آنکھوں دیکھ کے مجھے بکری سے شیرنی بنا دیا۔

یہ بچہ تو میرا شیر ہے۔

بچے کو دیکھ کے ماں کو شک ہو گیا تھا کہ اس کی کوکھ سے سورج پیدا ہو گیا ہے۔ وہ

ہندو عورتوں سے سورج دیوتا کی اسی قسم کی نشانیاں سنا کرتی تھیں۔ دوسرا بچہ پیدا ہوا تو بھاگو ابوالفضل سے بولی۔ یہ تو اپنا چاند ہے۔ ابوالفضل نے نام بدر رکھ دیا۔

اس کے بعد نذر کی باری تھی۔

اسے پیدا ہونے میں ابھی کچھ مہینے رہتے تھے کہ ایک گڑبڑ ہوگئی۔

بلّو ان کے گھر آ گئی۔

جس چیز کا اسے ڈر تھا۔ وہی ہوگیا۔

ہوا یوں کہ ایک بار ان کے ہیڈ ماں پور والے گھر میں گاؤں سے کچھ رشتے دار آئے۔ عورتیں بھی آئیں۔ انہیں میں ایک بلّو تھی۔

بلّو سر سے پاؤں تک آفت تھی۔

نام تھا بلّو۔

بلوری، خوانخوار چیتے کی ماں جیسی اس کی آنکھیں تھیں۔ جسے ایک نظر بھر کے دیکھتی ہڈیوں سے گوشت اکھاڑ لیتی۔ ہڈیاں بندہ خود اس کے حلق میں ڈھونسنے کی جستجو کرنے لگتا۔ اسے دیکھ کے بندے میں بیٹھے بٹھائے ایک دم سے فنا ہونے کی آرزو انگڑائی لے کر کھڑی ہو جاتی۔ بندہ چاہنے لگتا کہ بس یہ بلّو رہ جائے، میں نہ رہوں۔ اسی میں دفن ہو جاؤں۔

گم ہو جاؤں۔

یہ مجھے سر سے پیر تک اوڑھ لے۔

میری چادر بن جائے۔

قبر بن جائے۔

شکر کرو، اسے میرے دادا نے دیکھا تھا۔ میں نے نہیں۔ مگر اتنا بھی میرے شکر کا یقین نہ کرو، کیونکہ میں نے تمہیں دیکھا ہوا ہے۔

تم شکر کرو، تم پہ میرے دادا کی نظر نہیں پڑی۔

ورنہ تم بچ جاتی۔

خیر تم تو سر سے پاؤں تک وہ شہد ہو جسے کشید ہونا ہے۔

وہ کشید کی ہوئی شراب تھی۔ لال موٹے انگور کی۔

جو اسے دیکھتا بہک جاتا۔

بہکی بہکی باتیں کرنے لگتا۔ جیسے دیکھ کے ہی اسے پی گیا ہو۔ وہ بھی ایسی تیز تھی کہ ایک گھونٹ سے ہی پاؤں ڈگمگا دیتی۔ کہنے کو نہ وہ گوری تھی نہ کالی۔

تم یہ سمجھو نہ صبح نہ دوپہر نہ رات۔ بس وہ شام تھی۔

شام بھی وہ جس کے بعد انسان کسی رات کی آرزو نہ کرے۔ نہ کسی صبح کا اسے خیال آئے۔ تیلی پتنگ نازک اندام، جس میں سمندر کے سارے طوفان بھرے تھے۔ پتلا سا رومی ٹوپی کے پھندنے جیسا اسکا ناک تھا۔ جو اسکی ہر سانس سے بٹیرے کی طرح پھدکتا۔ اسے سانس بھی عجیب طرح سے چڑھا رہتا تھا۔

سانس چڑھا نہیں ہوتا تھا، لگتا تھا کہ چڑھا ہوا ہے۔

ہر سانس کے ساتھ اسکی آنکھیں مسکراتیں۔ کھل کھلا کے ہنستیں۔

دور دور تک اس کی آنکھوں سے بہکے ہوئے شربت انگور کے چھینٹے جاتے۔ جو قریب جاتا سر سے پاؤں تک لتھڑ جاتا۔ چپ چپ کرنے لگتا۔ پھر وہ باتیں بھی ایسی لچھے دار کرتی کہ قریب سے گزرتا بندہ آ کے پاس بیٹھ جاتا۔ وہ اپنے مسکراتے ہونٹوں سے یوں باتیں گراتی۔ جیسے جلیبیاں تل رہی ہو۔ جلیبیاں بھی وہ جن میں شیرے کے ساتھ کالی مرچ بھی ہو۔ اس کے میٹھے سے بھی سوں سوں ہوتی۔

پہلی نظر اسے دیکھ کے ہی بھاگو کے سینے پہ سانپ لوٹا۔

یہ کدھر سے آ گئی۔

بلّو کی گود میں اک بچہ تھا۔ شادی شدہ تھی وہ بھی تمہاری طرح۔ بچہ دودھ پیتا تھا۔

اسکا سینہ دودھ کی کٹوریوں سے بھرا ہوتا۔

کٹوریاں اسکی قمیض کے اندر پڑی کھڑک رہی تھیں۔

اتنے میں صحن کا دروازہ کھلا اور ابوالفضل اندر آ گیا۔

بھاگو کے پیروں تلے سے زمین نکل گئی۔ میرے اللہ زمین پھٹ جائے اور بلّو اس میں چلی جائے۔ اس پہ تو ایک رنگ آئے ایک جائے۔ وہ یہی سوچے جائے کہ اللہ کرے ابھی باہر سے کوئی ابوالفضل کو بلانے آجائے۔ کسی نہر کا بند ٹوٹ جائے، کوئی تار آجائے۔ یہ ابھی گھر سے چلا جائے۔ یا یہ آئی بلا کہیں چلی جائے۔ ٹل جائے مصیبت۔ مگر یہ کیوں ٹلے گی۔ اس نے بھی قریب بیٹھ کے میرے میاں سے سیستان کی کہانیاں سننی ہیں۔

کہانیاں ابوالفضل کے پاس بہت تھیں۔

وہ کہیں سے بات شروع کر دیتا۔

بات چل پڑتی۔

حقہ اٹھا کے کوئی سامنے رکھ دیتا۔

گڑ گڑ ہونے لگتی۔

اس کا قافلہ چمن ٹرین سے اتر کے اونٹوں پہ سوار ہو جاتا۔ صاحب لوگ گھوڑے پہ چڑھے بیٹھے تھے۔ آگے ریگستان آ گیا۔ قافلے کے دو حصے ہو گئے۔ ایک کو کہا گیا جاؤ۔ سیدھے رستم کے قلعے میں پہنچو۔ سات دن کا سفر ہے۔ تین دن جانے کے تین آنے کے، ایک راہ میں آرام کے لیے۔ ساتویں دن واپس پہنچنا ہے۔ آٹھ دن کا راشن رکھ لو۔ وہ چلے گئے۔ میں پڑاؤ میں تھا۔ قافلے کے ساتھ نہ گیا۔ لاٹ صاحب کے ساتھ رہا۔ لو جی ایک ایک کر کے سات دن ہو گئے۔

سات دنوں کے سفر کی داستان میں بلّو نے سات بار جگہ بدلی۔

کھسکتی کھسکتی وہ ابوالفضل کے عین سامنے آ کے موڑھا بچھا کے بیٹھ گئی اور گود میں لیے اپنے بچے کو اپنی دودھ کی کٹوریوں سے رگڑ رگڑ کے پیاس کو آواز دینے لگی۔

وہ اس کے سینے میں لیٹا لیٹا آنکھیں میچے میچے ہونٹ کھولتا جائے جیسے کہہ رہا ہو، رستم تو میں ہوں اور دیکھو میرا قلعہ۔ چھوڑو پرانے وقتوں کو۔

گئے ہوؤں سے کوئی نہ پلٹا۔ ابوالفضل کی کہانی جاری تھی۔

فکر ہوگئی۔

نوواں دن بھی گزر گیا۔

دسویں دن بھی کوئی نہ آیا۔

گیارھواں دن چڑھا تو صبح صبح ایک بندا اس قافلے کا، گرتا پڑتا، روتا دھوتا پہنچ گیا۔ بولا، سارے مر گئے۔ بندے اکٹھے ہو گئے۔ لاٹ صاحب بھی اپنے تمبو سے باہر آ گئے۔ پوری کہانی سنی۔ سامنے زمین پہ نقشہ بچھا لیا۔ جو جو وہ کہتا جاتا لاٹ صاحب اپنی سوٹی سے نقشے پہ دیکھتے رہتے۔ راہ کی نشانیاں پوچھتے۔ بتاتے، اچھی طرح تصدیق کر کر کے نقشے پہ سوٹی ہلاتے جاتے۔ وہ بندا بتاتا جاتا۔ کدھر کدھر سے گئے تھے۔ پتہ چلا کہ پہلے دو دن انہوں نے صحیح رخ پہ سفر کیا۔ تیسرے دن غلط موڑ مڑ گئے۔ چوتھے دن آگے جا کے انہیں اپنی غلطی کا احساس ہو گیا۔ نقشہ ان کے پاس بھی تھا۔ واپس پلٹے۔ پانچ دن ہو گئے تھے۔ راہ دو دن کی کٹی۔ راشن ڈھائی دن کا رہ گیا۔ پانی کا ذخیرہ ختم ہو گیا۔ گرمی اندازے سے زیادہ تھی۔ پیاس کی شدت کا کچھ نہ پوچھیں۔ ایک نشیب میں شک ہوا پانی ہے۔ کھدائی کروا دی ہمارے صاحب نے۔ ایک دن ریت ہٹاتے رہے۔ پانی نہ نکلا۔ بندے بے ہوش ہو کے گرنے لگے۔

گھوڑے مر گئے۔

اونٹ ذبح کر لیے۔

ہمارا افسر بیٹھ کے اپنے حالات لکھنے لگا۔

چھٹا دن بھی گزر گیا۔

راشن ڈیڑھ دن کا رہ گیا۔ راہ کا پتہ کوئی نہ تھا۔ نہ آگے کی خبر تھی۔ نہ پیچھے کی۔ مجھے میرے صاحب نے دوڑایا کہ جاؤ کسی طرح لاٹ صاحب کو خبر دو۔

کمک لے کر آؤ۔

ورنہ ہم گئے۔

میں بھاگا۔

دو دن پیدل چلا۔

گرمی بہت تھی۔

ریت ایسی تھی کہ گھٹنے تک ٹانگ کھب جاتی تھی۔ پانی نہ ملا۔ میں گر گیا۔ مجھے کوئی ہوش نہیں کہاں گرا پڑا ہوں۔ وہ تو میری زندگی تھی۔ اللہ نے سبب بنا دیا۔ ایک ٹیلے پہ چڑھ کے چاروں طرف دیکھنے لگا۔ کہیں کچھ نہ تھا۔ گر گیا۔ بے ہوش ہو گیا۔ ایک قافلہ اونٹوں کا ادھر سے گزرا۔ ریت پہ انہوں نے میرے قدموں کے نشان شاید دیکھ لیے تھے۔ نشان نشان پہ پاؤں رکھتے چلتے وہ اوپر ٹیلے تک آ گئے۔ اوپر میں پڑا تھا۔ مرا ہوا ہی سمجھیں جی۔ وہ نہ آتے تو اب کوئے چیلیں کھا رہے ہوتے۔ مگر سرکار یہاں ریگستان میں کوئی پرندہ تو پر مارنے کو ہے نہیں۔ وہیں پڑا پڑا سوکھ کے چمڑا بنا ہوتا، اب تک۔ شکر ہے رب کا۔ وہ آ گئے۔ مقامی ایرانی لوگ تھے وہ۔ مجھے ریت پہ بے سرت پڑا دیکھا تو اٹھا کے ڈال لیا اونٹ کے کوہان پہ۔ اپنے ڈیرے لے گئے۔ چھاؤں میں لٹایا۔ مجھے پانی پلایا۔ میں اٹھ کے بیٹھ گیا۔ وہ پوچھیں کون ہے۔ میں روتا جاؤں۔

بلّو کی گود میں لیٹا بچہ رونے لگا۔ بلّو نے اپنے دوپٹے کی ادھوری سی اوٹ میں اسے دودھ پلانا شروع کر دیا۔

دودھ کی کٹوری ایک خالی ہونے لگی۔ ابوالفضل کی نگہ میں طوفان ابھرے۔

وہ بیتیاں کہتے کہتے، ان کہیاں بیتنے لگا۔

اس کے جی میں آئے، کہانی کہنی چھوڑوں۔ بیتنا شروع کروں۔

میرے اپنے جی میں یہی آتا ہے، تمہیں سوچ کے۔

مگر کیا کروں۔

تم نہ بیتنے دیتی ہو، نہ کہنے۔

نہ آتی ہو، نہ بلاتی ہو۔

نہ کسی فیصلے پہ پہنچتی ہو، نہ پہنچے دیتی ہو۔

یہاں کیسے پہنچے۔

لاٹ صاحب جلدی جلدی کہانی کے اختتام تک پہنچنا چاہتے تھے۔ کہ جو گم گئے ہیں۔ ان لوگوں کو ڈھونڈا جائے۔ وہ آدمی بولا، بس صاحب جی، وہی قافلے والے یہاں قریب کیمپ کے چھوڑ گئے۔ سرکاری جھنڈا اوپر درخت پر لگا دیکھ کے تو وہ لوگ قریب نہیں آتے نا۔

اچھا، جلدی کرو۔

ہم پیچھے جائیں گے اس قافلے کے۔ تیاری کرو سب کوچ کی۔

لاٹ صاحب نے فیصلہ سنا دیا۔

میں بھی اٹھ بیٹھا۔ ابوالفضل کھڑے کھڑے کہانی سناتے بیٹھ گیا۔

عین بلّو کے موڑھے کے سامنے بچھی ایک چارپائی کی کنی پہ۔ بھاگو دور بیٹھی ابوالفضل اور بلّو کے موڑھے کے درمیانی فاصلے کو ناپتی رہی۔ جوں جوں فاصلہ کم ہوتا جاتا، بھاگو کے ماتھے پہ بل بڑھتے جاتے۔

لو جی۔ لاٹ صاحب نے منٹوں میں مہم تیار کر لی۔

بڑے فوجی انداز میں انتظامات ہونے لگے۔

یہ پارٹی یہاں رکے گی۔ دوسری ادھر سے چل کے یہاں پہنچے گی۔ وہ نقشہ لے کر کھڑے ہو گئے۔ احکامات جاری ہونے لگے۔ ہر کوئی اپنا اپنا کام نوٹ کرنے لگا۔ ہر مقام پہ لاٹ صاحب نے چوکیاں بنا دیں۔ کچھ آگے چل پڑتے۔ کچھ وہیں رک جاتے۔ خیمے لگا دیتے۔ بڑی پارٹی آگے بڑھتی۔ تھوڑے پیچھے پلٹتے۔ بس جی وہاں ریگستان میں ڈاک چل پڑی۔ خط وہاں تک پہنچ جاتے تھے۔

خط وکتابت کے نام سے بلّو کی آنکھیں نشے سے چھلکنے لگیں جیسے اسے خط لکھنے کے انتظام ہو رہے ہوں۔

کہانی جاری رہی۔

راشن پیچھے سے آگے آتا۔

بیمار زخمی آگے سے پیچھے لائے جاتے۔

گھوڑے بدلے جاتے۔

تازہ دم آ گے۔

تھکے ہوئے روک لیے جاتے۔

لاٹ صاحب نے تو ایسا انتظام کیا کہ ریگستان کا سفر بھی نخلستان کا سا بنا دیا۔ مجال ہے جو پانی کی کمی ہوئی ہو۔ ہاں حکم تھا کم پینے کا۔ ہر ایک کا کوٹہ مقرر تھا پانی کا۔ بوتل بوتل بھر کے ہر ایک کو دی جاتی۔ اب ہر بندے کو پتہ تھا۔ خالی ہو گئی تو گئے کام سے۔ بوند بوند پیتے تھے۔ مگر بہت تھا وہ۔ کوئی پیاس سے نہ مرتا۔

پیاس کا ذکر کرتے ہوئے کہیں ابوالفضل کی نگہ بلّو کی کٹوریوں پہ پڑی تو دوپٹے کی اوٹ میں رکھی رکھی وہ اچھلنے لگیں۔

ابوالفضل نے فوراً تھوک نگل کے کہانی آگے کہی۔

کھانا پینا بھی وقت پہ ملتا تھا۔ ہر شام مقررہ جگہ پہ پڑاؤ ہوتا۔ لاٹ صاحب نے ہر جگہ پہلے ہی ایڈوانس پارٹیاں بھیجیں ہوتی۔ مجال ہے جو کوئی ایک سوتر بھی اِدھر سے اُدھر ہوا ہو۔ سارا ریگستان انہوں نے اپنے نقشے سے باندھ لیا۔ ہر وقت نقشے کے ساتھ نظر آتے وہ۔ تیسرے دن پہنچ گئے۔ اسی مقام پہ،

ڈھونڈ لیا گم ہوا قافلہ۔

ریت پہ لاشیں ہی لاشیں بکھری پڑی تھیں۔

ایک بھی ان میں زندہ نہ تھا۔

جسم سب کے سوکھ سوکھ کے چمڑا بنے ہوئے تھے۔ کالا سیاہ رنگ تھا ہر لاش کا۔ شکلیں صاف پہچانی جاتی تھیں۔ نین نقش اسی طرح تھے۔ مگر سب سکڑ گئے تھے۔ چہرے ڈراؤنے ہو گئے تھے۔ اونٹ گھوڑوں کا بھی یہی حال تھا۔ ہڈیاں ہی ہڈیاں اور ہڈیوں پہ کالا چمڑا۔

اس قافلے کا لیڈر بھی لاشوں میں مرا مل گیا۔

اس کے پاس ہی وہ کاغذوں کا تھبہ تھا۔

لاٹ صاحب اس کی لاش کو چھوڑ کر وہ کاغذات پڑھنے بیٹھ گئے۔

کہتے ہیں اس نے مرنے سے پہلے کے سارے حالات لکھ دیے تھے۔ اس علاقے کے بارے میں جو قابل ذکر بات تھی وہ اس نے لکھ دی۔ اس کے لوگوں کو جو جو مشکلات آئیں وہ بیٹھا لکھتا رہا۔ کیسے پانی کی کمی ہوئی۔ پیاس نے لوگوں پہ کیا اثر ڈالا۔ کہاں کہاں اس سے غلط فیصلہ ہوا۔ اس نے ساری کہانی لکھ دی۔

میں ایسے تو نہیں نو سال سے ٹیک لگائے بیٹھا تمہیں یہ کہانیاں سنائے جاتا ہوں۔ لکھے جاتا ہوں۔ صحرا میں تیرے سراب کو اوڑھ کے پیاسا چلے جاتا ہوں۔ بیٹھا اپنے چلنے کو لکھے جاتا ہوں کہ جو جو بیتی ہے، وہ کسی اور کو بیتنی پڑے تو وہ کیا کرے۔ جہاں جہاں موڑ مڑتے ہیں، ان کی نشاندہی رہے۔

تم کہو گی کیسے عجیب بندے ہو۔ اٹھ کے بھاگتے کیوں نہیں۔

جب تمہیں معلوم ہو گیا ہے کہ تیرے قافلے والے کہیں سے غلط موڑ مڑ گئے ہیں، تو اپنی جان بچاؤ۔ کیوں دو ٹکے کے لال سبز جھنڈیاں پکڑے اہل کار کی طرح، آنے والے قافلوں کی ریل گاڑیوں کے لیے لٹے پٹے اسٹیشن پہ کھڑے بغیر کسی معاوضے کے سیٹیاں بجا رہے ہو۔ پاگل ہو۔ سر پھرے۔ کیوں یخ راتوں میں سلگھتے ہو۔ آگ اوڑھے دنوں میں آنسوؤں کے بادل نچوڑتے ہو۔ کیوں اس دنیا کے بارے میں یہ سوچ بیٹھے ہو کہ اس میں تمہاری زندگی قافلے کے پڑاؤ کا ایک لمحہ ہے۔ کس نے تمہیں مجبور کیا ہے کہ تم اپنے آج کے مزوں پہ آنے والے قافلوں کی آسانیوں کو ترجیح دیے رکھے رہو۔ جو سفر گم ہوئے قافلوں نے کیے ہیں وہ بیٹھے لکھتے رہو۔ عجیب نالائق ہو۔

کہو۔

کہتی رہو۔

وہ بھی عجیب آدمی تھا۔ جب سر پہ موت کھڑی تھی، بجائے اس کے بھاگ جاتا۔ بیٹھ کے مرنے کے لیے تیار ہو گیا دھوپ کے نیچے۔ ریگستان کے گم شدہ رستے پہ۔ صرف اس لیے کہ بعد میں آنے والوں کو ایسا حادثہ نہ پیش آئے۔ اور جو اسے پیش آ چکا

ہے۔اس کی ہر ہر تفصیل محفوظ ہو جائے۔

بس جی۔

کاغذات پڑھے لاٹ صاحب نے۔سارے باندھ کے اپنے بیگ میں رکھے اور پھر قافلہ چل پڑا۔ بھاگو دور بیٹھی دال چنتی چنتی، تھالی کو زمین پہ مار کے، پیر پٹختی اٹھی اور کمرے کے اندر جانے لگی۔ابوالفضل نے دیکھا تو آواز دی، کدھر چلی تو۔

بیٹھ سن،

قلعے میں پہنچنے والا ہے قافلہ۔

دو دن بعد قلعے پہنچ گئے۔

رستم کا قلعہ کہتے تھے اسے۔

بلّو نے موڑھے پہ بیٹھے بیٹھے پہلو بدلا،

گود میں لیا بچہ منہ میں اس کا پستان لیے سو گیا تھا۔ بلّو نے اپنی چھاتی پہ دودھ کی بوندوں کو دوپٹے سے صاف کیا اور اچٹتی نگہ سے ابوالفضل کو دیکھا۔ جیسے کہہ رہی ہو، آگے کہو۔

وہ بڑی ہیبت ناک عمارت تھی۔سرخ پتھر کی بنی ہوئی۔ پتھروں اور چونے کا کام تھا سارا۔ بہت بڑا قلعہ تھا۔

اب تمہیں کیسے سمجھاؤں،

ابوالفضل یہ کہتے کہتے اپنے چاروں طرف دیکھنے لگا۔ پھر بولا، بس سمجھ لو جتنا اپنا گاؤں ہے، اتنا وہ اکیلا قلعہ تھا۔ اونچی اونچی اس کی دیواریں تھیں۔ ہمارے کمرے جتنی موٹی ان کی ایک دیوار تھی۔

قلعہ کیا تھا آدمیوں کا بنایا ہوا پہاڑ تھا ایک۔

ریت کے سمندر میں ڈوبا ہوا۔

مگر سنو

حیرانی والی بات

اتنا بڑا قلعہ تھا۔

تھا بھی سارا سالم

مگر سارے کا سارا ٹیڑھا ہوا ہوا تھا۔

یوں ہوا تھا۔ ابوالفضل نے چارپائی کی کنی پہ بیٹھے بیٹھے آگے بڑھ کے سامنے بیٹھی بلو کے موڑھے کو پکڑ کے ایک طرف سے اٹھا دیا بلو ہنستی ہوئی ٹیڑھے ہوئے موڑھے کے ساتھ ترچھی سی ہوگئی۔

ابوالفضل بولا۔ سمجھ یہی بلو، قلعہ ہے رستم کا۔ کیوں بھئی رستم یہ کہہ کے ابوالفضل نے بلو کی گود میں سوئے ہوئے بچے کے گال پہ ہاتھ لگایا اور اس کا موڑھا چھوڑ کے کہنے لگا۔ اتنا بڑا قلعہ وقت کے ہاتھوں مٹی کا کھلونا بن گیا تھا، کھلونا بھی وہ جو ایک طرف کو دب گیا ہو۔ دور سے نظر آ گیا تھا۔ لق و دق ریت کے صحرا میں لال پتھروں کا شہر۔ قریب گئے تو سارا ریت میں ڈوبا ہو تھا۔

لو جی۔

ہم سمجھتے تھے، چیزیں صرف پانی میں ڈوبا کرتی ہیں۔

نہ جی

ریت بھی پانی کی طرح ڈبو دیتی ہے۔

ہوں،

بلّو آنکھیں پھاڑ پھاڑ کے توجہ سے کہانی سن رہی تھی، جیسے سن نہیں رہی، سارا واقعہ دیکھ رہی ہو۔ اور ایسے سر ہلا ہلا کے داد دے رہی تھی، کہ ابوالفضل کا جی چاہتا تھا۔ وہ سناتا رہے۔

اپنی آنکھوں سے دیکھا تو یقین آیا۔ دیواروں پر اوپر تک ریت ہی ریت۔ اندر گئے ریت ہی ریت۔ ہر طرف ریت۔ بس ریت کا ہڑ آیا ہوا تھا۔

تم نے کبھی ریت کا سیلاب رکا دیکھا ہے ایسے قلعوں میں؟

میں نے دیکھا ہے۔

چلو، کسی دن چولستان۔ تمہیں دراوڑ فورٹ لے کر چلوں۔ وہاں تک تو پکی سڑک ہے تم پہنچ جاؤ گی۔ آگے، بنجوٹ قلعہ تک کا سارا رستہ ریت ہی ریت ہے۔

وہاں چلو پھر دیکھنا، بجنوٹ قلعہ کیسے ریت میں ڈوب کے اجڑا، ٹیڑھا کھڑا صدیوں پہلے کے اپنے مکینوں کی آوازیں سناتا ہے۔

تم نے سنی کوئی وہاں کی سرگوشی؟

وہ مرتے ہوئے لوگ پانی پانی پکار رہے تھے۔

ابوالفضل نے بھی رستم کے قلعے سے ایسی سرگوشیاں سنی ہوں گی۔ بلّو کو کہانی سناتے سناتے بولا،

اندر ہمیں ایک کنواں نظر آ گیا۔

لاٹ صاحب خوش ہوئے۔ چلو پانی کا مسئلہ حل ہو جائے گا۔ جھانکا اندر ریت۔ جس طرح ہمارے کھوہ میں پانی کی سطح ہوتی ہے، اسی طرح اس کنویں کے اندر بھی ایک سطح تھی، لیکن اس میں ریت تھی۔ لاٹ صاحب پھر بھی نہ ہٹے۔ کچھ بندے لگا دیے۔ کنویں کے اندر سے ریت نکالو۔ وہ نکالتے جائیں۔ ریت اندر کہیں سے آ آ کے اور بھرتی جائے۔ وہاں تو اللہ جانے، نیچے زمین کے بھی ریت ہی تھی۔ بڑی ریت نکالی مگر ریت ہی نکلتی رہی۔ کنویں کے کنارے نکلی ریت کا ٹیلہ کھڑا ہو گیا۔ پانی نہ نکلا۔

اچھا حیرانی والی بات تو بتائی نہیں۔ ابوالفضل ایک دم چونک کے بولا۔

بلّو بھی چونکی۔ وہ اتنا چونک کے ابوالفضل کی طرف متوجہ ہوئی، جیسے کہانی میں اس کا ذکر رہ گیا ہو۔ جو ابوالفضل ابھی کرنے لگا ہو۔

ابوالفضل بولا۔

وہ کنواں بھی لال پتھر کا بنا ہوا تھا سارا۔ مگر حیرانی والی بات یہ نہیں تھی۔ حیران ہم یہ دیکھ کے ہوئے اس کنویں کے منہ پہ اس کا ڈھکنا بھی پڑا تھا ایک طرف کو کھسکا ہوا۔ ٹیڑھا ہوا ہوا۔ وہ بھی سارا پتھر کا بنا تھا۔ جوڑ نہیں تھا اس میں۔ ایک چٹان سے تراشا ہوا تھا۔ اسی میں سے تراش تراش کے اوپر اسکا ایک ہینڈل بھی بنا ہوا تھا۔

واہ

بلّو کی آنکھیں چمک رہی تھیں، جیسے اسے نظر آ رہا ہو۔

لو سوچو، وہ بارہ ہاتھ چوڑا کھوہ تھا۔ اس کے ڈھکنے کا پتھر کوئی بیسیوں من کا ہوگا۔ ہمارے پچیس آدمیوں نے مل کر اسے پوری طاقت لگا کے ایک ہاتھ سرکایا تھا۔ اٹھا نہیں تھا وہ پھر بھی۔ مگر کہتے ہیں، اسی ہینڈل سے پکڑ کر رستم اکیلا اس ڈھکن کو اٹھا تا رکھتا تھا۔

واہ جی۔ کیا طاقت ہوگی۔ رستم کی۔

اس ایک لمحے ابوالفضل نے کچھ تذبذب میں بلّو کو نگہ اٹھا کے دیکھا تھا۔ جیسے کہانی کہتے کہتے اس سے چوک ہوگئی ہو۔ شاید رستم ایک دم سے اسے اپنا رقیب محسوس ہوا ہو۔ بلّو نے رستم کی طاقت کا احوال سن کے کچھ اس انداز سے اپنے سینے میں ڈھیر ساری ہوا بھر کے، کندھے پھیلاتے ہوئے، گردن خم دے کر آنکھیں پھیلا کے داد دی تھی جیسے پوچھ رہی ہو۔ اب کدھر ہے رستم۔ بلاؤ، میں دیکھوں اسے!

واقعی اتنا بڑا تھا، کنویں کا ڈھکن رستم والا؟

ہاں جی،

اپنی آنکھوں سے وہ ڈھکن نہ دیکھتا تو یقین نہ آتا۔

لو اور مزے کی بات سنو۔

تالے، جندرے تو شروع زمانے سے ہی چلتے آئے ہیں۔ آخر کونسا دور ایسا تھا۔ جب چوری چکاری نہیں ہوتی تھی۔ ہوتی ہوگی رستم کے دنوں میں بھی۔ وہاں اسکے قلعے میں بھی ہم نے تالے پڑے دیکھے دروازوں پہ۔ مگر کمال ہے۔ ایسے تالے زندگی میں ہم نے نہیں دیکھے تھے۔ تھے بالکل ہمارے تالوں جیسے تالے۔ یہ گھوڑے کے سم کی شکل کے۔ مڑی ہوئی انگل کی طرح جس میں لوہے کی مڑی ہوئی سلاخ جاتی ہے۔ مگر نہ جی۔ ان تالوں میں ایک رتی کا بھی لوہا نہ تھا۔ سارے تالے پتھر کے بنے ہوئے تھے۔ پتھر کو ہی تراش تراش کے انہیں بنایا ہوا تھا۔ اللہ جانے ان کی چابیاں بھی شاید

پتھر کی ہی ہوں گی؟

ہم نے چابی کوئی نہیں دیکھی کسی کی۔

لاٹ صاحب نے ہم سب کو حکم دے دیا تھا۔ کہ ہر بندہ ریت کو کھنگالے۔ جو شے بھی کسی کو ملے وہ اُدھر میرے پاس جمع کرواتا جائے۔ چاہے پتھر کی چیز ہو وہ یا سونے کی۔ کچھ بھی ہو۔ اٹھا لینا ہے۔ ہر ایک کو اسکی چیز کے برابر تول کے منصوری سکے ملیں گے۔ لو جی ہر کوئی خوشی خوشی جُت گیا۔ بڑی بڑی عجیب چیزیں ملیں لوگوں کو۔ مجھے بھی بڑی چیزیں ملیں۔ پتھر کے تولنے والے باٹ ملے تھے مجھے۔ ایک کو تو سونے کا لوٹا بھی ملا تھا۔ اسی لوٹے میں تانبے کے سکے بھر کے لاٹ صاحب نے اسکی جھولی بھر دی۔ لوٹا رکھ لیا۔ ہڈیاں بہت ملیں ادھر سے۔ انسانوں کے علاوہ جانوروں کی ہڈیاں بھی تھیں۔ وہاں ریت میں دبی ہوئی۔ اونٹوں کی ہڈیاں زیادہ تھیں۔ یا پھر گھوڑوں کی۔ ہتھیار بہت ملے۔ تلواریں بہت بھاری بھاری۔ لو جی وہ ریت سے کھینچی نہیں جاتی تھیں۔ ایک کو ہمارے تین آدمی اٹھاتے تھے۔ کچھ کے دستوں پہ تو ایسا اعلیٰ نقش ونگار ہوا تھا کہ کیا بتاؤں۔ سچ پوچھو تو ایک تلوار پہ میرا جی میلا ہوا تھا۔ پر کیا کرتا دو چار لوگوں نے دیکھ لیا تھا۔

جمع کرادی۔

تیر کمان کئی طرح کے ملے۔ کمان تھوڑے ملے تیر زیادہ ملے۔ ریت میں دبے دبے سینکڑوں سال سے پڑے وہ سارے کند اور بھربھرے ہوئے ہوئے تھے۔ ڈھالیں بھی تھیں قلعے کے اندر۔ کھالیں تک لوگوں نے ریت میں دبے کمروں سے نکال لیں پرانی بچھی ہوئیں۔ کپڑا کوئی نہیں ملا۔ میرا خیال ہے۔ اتنی گرمی، ایسا ریت سے بھرا ریگستان۔ کپڑے جل جلا گئے ہونگے۔

لاشیں بھی کہاں تھیں۔

بس ہڈیاں تھیں۔

اور ان پہ کالا چمڑا چپکا ہوا تھا۔ لاٹ صاحب کے تمبو کے پاس تو قلعے سے نکلی

چیزوں کا انبار لگ گیا۔ وہ بڑے خوش ہوئے۔

کیمرہ مین بلوایا۔

وہ بڑا سا کالا ڈبہ لے کر آ گیا۔

پیچھے اس کے کپڑا لگا ہوا تھا۔ ڈبہ سٹینڈ پہ کھڑا کر کے کیمرہ مین ڈبے کے اندر پیچھے سے گردن دے کے کھڑا ہو گیا۔ لاٹ صاحب سامنے قلعے کے عین اندر کنویں کے سامنے ریت کے ایک ٹیلے پر کمر پہ دونوں ہاتھ رکھ کے کھڑے ہو گئے۔ دائیں بائیں اور لوگ کھڑے کر لیے۔ میں سامنے آیا تو مجھے بھی اشارے سے بلا لیا۔ میں بھی کھڑا ہو گیا تن کے۔ کلا پگڑی سر پہ تھا میرے۔ نیلا کپڑا تھا کلے کا۔ پلے پہ سنہرا سونے کے تاروں کا کام ہوا تھا اس کے۔ ڈیڑھ سیر کی ریشم تھی اس میں۔ یہاں لے آیا تھا۔ پوچھ لو۔ بھاگو سے ابھی بھی اس نے ٹرنک میں تالہ لگا کے سنبھال کے وہ کلے کا کپڑا رکھا ہوا ہو گا۔

ہے نا۔ بھاگو۔

کوئی بات نہیں۔ خراب نہیں ہوتا۔ سچا تلا ہے۔ کبھی کبھی تو پہنتا ہوں اب۔ یہی بس چھوٹی عید پر یا کسی کی شادی پہ۔ وہی تو پہن کے گیا تھا، بھاگو کو لینے شادی کے بعد کیوں بھاگو۔ مگر اس نے تصویر نہیں بنوائی۔ تصویر بنانے والا اس وقت عام کہاں ملتا تھا۔ وہ تو لاٹ صاحب تھے۔ ہر طرح کی آسانی انہیں میسر تھی۔ موچی تھے جوتے بنانے والے۔ نائی تھے حجامت کرتے روز لاٹ صاحب کی۔ درزی تک وہ ساتھ لیکر گئے تھے اپنے۔ بڑی بڑی شاندار وردیاں سی دیتا تھا درزی ہمارا۔ ہم بھی اسی سے سلواتے تھے۔ صرف لاٹ صاحب کی وردی تو نہیں وہ سیتا تھا۔ سب کے کام کرتا تھا۔ اسی کی سلی ہوئی برجیس پہن کے کھڑا تھا تصویر میں۔ یوں یہ دیکھو۔ ابوالفضل پھر اسی طرح ٹانگیں کھول کے ہیڈ مان پور والے گھر کے صحن میں کھڑا ہو گیا۔ اور وہ تیکھے نین نقشوں والی بلّو اپنی نظریں ٹیڑھی کر کے یوں شست لگا کے اسے دیکھنے لگی۔ جیسے اب کیمرے کی قمیض کا دامن پیچھے سے اٹھا کے یہ سر دیے کھڑی ہو اور کیمرے کے شیشے

اسکی آنکھوں میں لگے ہوں۔ سر سے پاؤں تک وہ ابوالفضل کو دیکھتی گئی۔

اپنے پیروں کی چپلوں کو ایک دوسرے سے رگڑ کے ابوالفضل بولا، نیچے ایسی چپل نہیں تھی۔ یہ لمبے لمبے بوٹ تھے چمڑے کے۔

بلّو نے موڑھے سے اٹھ کے اپنی گود میں سویا ہوا بچہ ساتھ والی چارپائی پہ بیٹھی ایک عورت کو تھمایا اور ابوالفضل کے کندھوں سے کندھا جوڑ کے تن کے کھڑی ہو کے بولی۔ بائی مجھے وہ جوتے پہن کے دکھادو۔ اگر ہیں تمہارے پاس، ایک بار پتلون کے ساتھ، کیا نام لیا تھا۔ اس کاتم نے۔ ہاں برجیس۔

بھاگو کے ہاتھوں میں تو پسینہ آ گیا۔ وہ بیٹھی بیٹھی غصے اور نفرت سے بلّو کو دیکھتی جائے۔ ابوالفضل کہنے لگا۔ جوتے تو شاید میں لایا نہیں تھا۔ پتلون کہیں پڑی ہو گی۔ پر اب نہیں وہ پہنی جاتی۔

کیوں۔

ابوالفضل بولا، اب عادت نہیں رہی نا اسکی۔ یہ کہہ کے وہ ہنسنے لگا۔

کیوں، عادت ڈال لونا۔

بلّو بولی۔

رہنے دو، اب کس کو دکھانی ہے پہن کے وہ پتلون؟

میں دیکھوں گی۔

بلّو تیکھی نظروں سے دیکھتی دیکھتی ابوالفضل کے آگے آگے پھرنے لگی۔ تن کے چلتی ہوئی۔ سینہ سارا باہر نکال کے۔ وہ ہر قدم پہ ابوالفضل کی طرف نگاہ یوں پھینکتی جیسے کرکٹ کی پچ پہ کھڑے بلے باز پہ باؤلر گیند پھینکتا ہے۔ اسکی ہر نگاہ پہ صحن میں بیٹھی عورتوں کے منہ سے جیسے شور اٹھتا۔

ہو از اٹ۔

پھر صحن میں بیٹھی سب عورتیں گردنیں گھما کے بھاگو کی طرف دیکھتیں۔ جیسے کہہ رہی ہوں،

دیکھا۔

ہوا زاٹ۔

اللہ جانے کوئی وکٹ گری یا نہ گری۔ مگر بھاگو تو بیٹھی بیٹھی تلملانے لگی۔ بیٹھی وہ ایک نکر میں تھال میں مسور کی دال لیے ہوئے تھی۔ کہنے کو وہ دال میں کوکرو چن رہی تھی۔ مگر کوکرو تو اسکی آنکھوں میں رڑک رہے تھے۔ اس کے تن بدن میں آگ لگی ہوئی تھی۔

اتنے میں کیا ہوا،

قریب بیٹھی عورت کی گود میں لیٹا ہوا، بلّو کا بچہ رونے لگا۔ بلّو نے جا کے بچہ گود میں اٹھالیا۔ اب وہ بچے کو لیکر ٹہلنے لگی۔ کہنے کو گود میں بچہ تھا۔ مگر وہ تو ایسے ٹہل رہی تھی۔ جیسے کوئی تمغہ ملا ہوا ہو کسی بہادری کا۔ اس کا انگ انگ مٹک مٹک کے وہی بہادری پھر دکھانے کے لیے تڑپ رہا تھا۔

اللہ جانے پھر کیا ہوا۔

پتہ نہیں وہ ابوالفضل کے قریب آ کے بولی تھی کہ بائی پکڑنا ذرا بچہ میں دودھ بنا لاؤں کٹوری میں۔ یا شاید ابوالفضل خود ہی دو قدم آگے بڑھ کے بچے کو پیار کرنے کے بہانے اس کے پاس گیا۔ یہ سب بھاگو کو یاد نہیں۔ اتنا بھاگو کو پتہ ہے کہ پھر اچانک ابوالفضل کے دونوں ہاتھ اس کے بچے کو پکڑنے کے لیے بڑھے تھے۔ بلّو بھی اسکی طرف تھوڑی جھکی تھی۔ اب پتہ نہیں بچہ ابوالفضل نے پکڑ لیا تھا۔ یا پکڑنے لگا تھا۔ کہ اسکا دائیاں ہاتھ ٹھیک بھاگو کی نظروں کے سامنے بچے کی دائیں کہنی سے ذرا نیچے بلّو کی بائیں چھاتی سے ٹکرا گیا تھا۔

ہاتھ کا اُدھر لگنا تھا کہ بھاگو کے سر پہ تو جیسے گولا چل گیا۔ تھڑاک سے اس نے مسور کی دال سے بھری تھالی زمین پہ پٹخی، پیڑھی پہ بیٹھی بیٹھی یوں بھنا کے اٹھی۔ جیسے کسی بچھو نے کاٹ لیا ہو۔ اٹھتے ہی پیڑھی پہ زور سے پاؤں مارا۔ وہ لڑھکتی دور گئی۔ منہ سے بھی کچھ بڑبڑ کی اس نے۔ اور اٹھ کے اندر چلی گئی۔ اس کے آنکھوں میں وہ ایک منظر

کھب گیا۔ابوالفضل کا ہاتھ پورا کھلا تھا۔اور بچے کو پکڑتے پکڑتے اس کی چھاتیوں کو
چھوتا ہوا گزر گیا۔اسی لمحے بھاگو نے سراو پر کرکے ان دونوں کے چہروں کو بھی دیکھا
تھا۔ابوالفضل کا رخ تو اس کی گردن کی طرف تھا۔ مگر وہ چھنال (بھاگو اسے اسی نام
سے یاد کرتی تھی) اس طرح یک لخت مسکرائی تھی۔ جیسے سورگ کا ٹکٹ مل گیا ہو۔ کوئی
خزانہ ہاتھ آن لگا ہو۔ جیسے اس کے دروازے پر اس کے یار نے دستک دے دی ہو۔
وہ تو جی خوشی سے گلابی ہوگئی۔اس کے اندر تو شب رات کا انار چل گیا۔ آنکھوں میں
کنجری کے لاٹو گھومنے لگے۔(بھاگو اپنی سہیلیوں کو بعد میں اسی طرح کہانی سناتی تھی)
اب بھاگو ایک دم سے تھالی پھینک کر بڑبڑ کرتی اندر گئی تو ابوالفضل چونک گیا۔ صحن میں
بیٹھی عورتوں میں سے ایک ابوالفضل کی بہن بھی تھی، جیراں، وہ شادی شدہ تھی مگر زیادہ
تر اپنے سسرال میں لڑائی کرکے آئی،اپنی ماں کے پاس رہتی تھی۔ وہ بھی آئی بیٹھی
ہوئی تھی۔ ابوالفضل نے حیرانی سے نگاہ ادھر ادھر گھمائی تو بہن جیراں نے ابرو اوپر
کیے۔جیسے پوچھ رہی ہو۔

کیا ہوا تمہاری دلہن کو۔

پھر آنکھ کے اشارے سے اسے کہا۔ جاؤ پوچھو۔

یہ چلا گیا قدم قدم چلتا۔ بھاگو کے پیچھے۔ اندر بھاگو دیوار کے پاس اینٹوں پہ
رکھے جست کی پیٹی کے اوپر پڑے ٹرنکوں پہ ڈالے ہوئے لٹھے کے رومال کی سفید
کروشیے کی جھالر میں منہ دیے اوں اوں کر رہی تھی۔ اور دونوں ہاتھ اٹھا کے اپنے
چہرے کے پاس رکھ کے ہولے ہولے اوپر والے ٹرنک کو کھڑکاتی جاتی تھی۔ابوالفضل
جا کے پیچھے کھڑا ہوگیا۔ وہ نہ پلٹی۔ پھر ابوالفضل نے خاموشی سے بڑھ کے اس کے
دونوں ہاتھ کلائیوں سے پکڑ لیے۔ وہ اسکے ہاتھوں میں زور لگا کے کلائیاں چھڑانے
لگی۔ابوالفضل نے اسکے ہاتھوں کو ایک زور کا جھٹکا دیا۔اور بولا۔ ہوا کیا ہے تمہیں؟
مت لگاؤ ہاتھ مجھے۔

جاؤ اپنی اسی کچھ لگتی کے پاس، بھاگو ایک دم سے بولی۔

ابوالفضل نے اسکی دونوں کلائیاں ایک جھٹکے سے گھما کے اسکا رخ اپنی طرف کر لیا۔اور آہستہ سے ٹھہر ٹھہر کے بولا، کیا کہا تم نے۔

ہاں ٹھیک کہتی ہوں۔

بلّو کو دیکھ کے تمہاری آنکھوں میں تارے ناچتے ہیں۔

چہرے پہ روپ چڑھ جاتا ہے۔دل میں لڈو پھوٹتے ہیں۔

بکواس کرتی ہو تم۔

بکواس نہیں کرتی، سچ کہتی ہوں۔

دیکھ نہیں رہی تھی کہ کیسے ڈیڑھ گھنٹے سے تم اسے رجا رہے تھے۔

سیستان چڑھا ہوا تھا تم پہ۔

کبھی سنائی مجھے سیستان کی کوئی کہانی۔

وہ آ گئی تو شروع ہو گئے۔

رستم کے قلعے تک پہنچ گئے۔

ہو گیا نہ دل ٹھنڈا۔

میں جانتی نہیں کیا، تم جو پیاس پیاس کی کہانی سنا رہے تھے۔

کیوں

کیوں سنا رہا تھا۔

اسی لیے۔

اسی لیے سنا رہے تھے کہ وہ اپنی کھوئی کے ہتھے یہ تمہارا ہاتھ رکھ لے۔

رکھ لیا نا۔

بکواس نہ کرو میں کہتا ہوں۔آواز تمہاری باہر جاتی ہے۔

میری آواز بھی نہ کمرے سے باہر جائے۔اور خود سرعام سب کی آنکھوں میں دھول جھونکتے ہو۔

اوھو۔کیا کیا ہے میں نے۔

کچھ نہیں کیا؟

کیا؟

اچھا کھاؤ بڑے کاکے کی قسم۔

لاؤں اسے میں، اس کے سر پہ ہاتھ رکھ کے کہنا۔

اوھو۔ بکے جا رہی ہے۔ کونسی قسم۔

بڑے بھولے بن رہے ہیں۔ جیسے کچھ کیا نہیں۔

کیا کیا ہے؟ میں کہتا ہوں، چپ ہو جاؤ۔

دیکھو۔ تم بڑی اللہ اللہ کرتے ہو۔ صبح سے شام تک تسبیح کے منکے گنتے پھرتے ہو۔ جھوٹ نہ بولنا۔

جھوٹ کیوں بولوں گا، میں، بے وقوف اول فول بکے جا رہی ہے۔

بکتی کچھ نہیں میں، اٹھاؤ۔ یہ قرآن شریف۔

کدھر گیا۔ ادھر ہی پڑا رہتا تھا۔ جزدان میں لپٹا۔ میں نے خود شنیل کی اپنی پُرانی قمیض کے کپڑے سے سیا تھا۔ اس کے بعد کونسی مجھے شنیل کی قمیض ملنی ہے۔ اب تو آ گئی چھنال۔ کون لے گیا۔ اُدھر اپنے حجرے میں لے گئے ہوں گے۔ جہاں کہنے کو سرکاری کام کرتے ہو۔

کہنا کیا چاہتی ہو؟

آپ کو نہیں پتہ!

نہیں؟

بڑا حوصلہ ہے آپکا۔ میری تو زبان سے بھی وہ بات نہیں نکلتی جو دن دھاڑے ساری عورتوں کے سامنے آپ نے رستم زماں والا کارنامہ کیا۔

پھر بکواس کرتی ہے تُو۔

بکواس نہیں، میں پوچھتی ہوں اسکی چھاتیاں دیکھ کے طبعیت میں ہیجان آ گیا؟

اب گندگی بکتی ہو۔ شرم کرو۔

ہاں یہ کہنا گندگی ہے۔ بچہ پکڑنے کے بہانے گندے نہیں۔

بچہ پکڑنا گناہ ہے کیا؟

اپنے بچے کو کبھی ایک منٹ کے لیے بھی اٹھایا؟

مجھے کبھی بچے کو اٹھائے پھرتے نہیں دیکھا؟

لیا کبھی بچہ مجھ سے۔

نہ جی۔

میری چھاتیاں ویسی نوک دار تھوڑی ہیں۔ بیل کی پکّی چڑھا کے آئی ہے چھنال۔

تو چپ ہوجا۔ میں کہتا ہوں۔ زبان روک لے۔

ہاں۔ اب میری زبان کیوں چلے۔ اب تو آ گئی وہ۔ گھر سنبھالنے۔ آپ نے بھی نیو درا دے دیا۔ جائیں وہ ٹہل ٹہل کے بلا رہی ہے۔ وہ کھڑکی سے دیکھیں۔ ابھی تک چھنال کے پیروں کے پہیے نہیں رکے۔

ابوالفضل لپک کے کمرے کی کھڑکی کے پٹ بند کرتا ہے۔ اور پھر اس کے سامنے آ کے کھڑا ہو جاتا ہے۔

میں پوچھتی ہوں، لگتی کیا ہے وہ آپکی۔ جو آئی ہے ہمارا گھر پھوکنے۔ پہلے سے کوئی یارانہ ہوگا۔ اسی کا نام سیراں تو نہیں ہے، گاؤں میں جس سے پرانا یارانہ تھا۔

بس تم نے ایک لفظ بھی اور نکالا تو۔

مجھے گُت سے پکڑ کے باہر نکال دیں گے؟

ہاں۔ کہتا ہوا ابوالفضل پیچھے ہٹ گیا اور پاؤں پٹختا ہوا باہر آیا۔ عورتوں سے نظریں بچا کے، جھکی جھکی نظروں سے اپنی بہن کے پاس سے گزرا تو بہن اٹھ کے اس کے پیچھے پیچھے آ گئی۔ یہ گھر کے باہر ڈیوڑھی کے پاس بنے سرکاری کام کرنے والے کمرے میں گیا۔ تو بہن وہیں پہنچ گئی۔ یہ بار بار اس سے گردن پرے موڑ رہا تھا۔ جیسے کچھ بولنا، سننا نہ چاہتا ہو۔ مگر جیراں سامنے آ کے کھڑی ہو گئی۔ وہ ابوالفضل سے بڑی

تھی عمر میں۔ بال بچوں والی تھی۔ ابوالفضل اسکی عزت کرتا تھا۔ اس نے ابوالفضل کو کندھے سے پکڑلیا اور بولی۔

دیکھ لیا سواد۔ وہ ہٹی کو گاؤں سے لا کر یہاں علیحدہ اپنے پاس رکھنے کا۔ میں نہ کہتی تھی۔ اسے چار دن ہمارے پاس گاؤں چھوڑ دے۔ گاؤں میں ماں ہماری کے پاس کوئی روٹی ہانڈی پکانے والا نہیں۔ اگر تمہاری زنانی نے چار دن ساس اپنی کی سیوا کی ہوتی تو آج اسے ایسی بات کہتے لاج نہ آتی۔ کلیجہ نہ پھٹ جاتا اس کا۔ ہمارے فرشتہ بھائی پہ الزام لگا کر۔ کیسے چبا چبا کے بول رہی تھی بڑی بڑی باتیں۔

مگر نہ جی۔

اسے تو کسی کی شرم ہے ہی نہیں۔ تمہاری نہیں ہے تو تمہاری ماں کی کیا ہونی ہے۔ ماں کے پاس چار دن رہی ہوتی تو اسے پتہ ہوتا کہ تمہارے آگے پیچھے بھی کوئی ہے۔ سیکھ لیتی یہ بھی بات کرنے کا سلیقہ۔

مگر نہ جی۔

ادھر تو ماں ہماری، تمہاری بیگم سے خدمت کرائے گی۔ لو، میں پوچھتی ہوں کیا دیگیں پکوانی ہیں اس بوڑھی نے، تمہاری چھمک چھلو سے۔ اور چار دن ماں کی زندگی ہے۔ سوکھ کے کانٹا ہوئی ہوتی ہے۔ کھانا اس نے کیا ہے۔ ایک روٹی کھاتی ہے۔ وہ بھی کھائی نہ کھائی۔ گھر میں ادھر کونسے تم نے پسو باندھ رکھے ہیں جنکی تمہاری بیگم سے ہم دودھ لسی بنوا لیتے۔

ایک چکی ہی ہے نا۔

ماں پیس لیتی ہے۔ تم فکر نہ کرو۔

یہاں رکھو اسے سر پہ چڑھا کے۔ تمہاری خوب شان میں اضافہ کرتی ہے۔ دو بیٹے کیا پیدا کر لیے اس نے، ناک پہ مکھی نہیں بیٹھنے دیتی۔ یاد ہے جب پہلے بچے پیدا ہی مردہ ہوتے تھے کیسی مردار بنی رہتی تھی۔ منہ سے بات نہیں نکلتی تھی۔ ذرا سا آنکھ کھول کے دیکھ لیتے تھے تو کانپنا شروع کر دیتی تھی۔ ہم نے بھی جنے ہیں بیٹے۔ ہم تو

اپنے سر کے سائیں سے یوں بحث نہیں کرتیں۔ پھر بات کیا ہوئی؟ کیا میں دیکھ نہیں رہی تھی۔ وہ بے چاری آئی تمہیں بچہ دکھانے۔ تم نے پکڑ لیا۔

لو بھئی۔ کیا گناہ ہو گیا۔

بات کا بتنگڑ بنا لیا۔

میں تو کہتی ہوں۔ بھائی اسے چار چھ مہینوں کے لیے ہمارے ساتھ گاؤں بھیج دے۔ پھر دیکھنا کیسی سیدھی ہوتی ہے۔ وہ جیسے چرخے کا تکلا ہوتا ہے ایسی۔ یہی اک صورت ہے اسے سدھارنے کی۔ آج گھر میں تمہارے منہ لگی ہے۔ کل بھرے بازار میں تم سے الجھ جائے گی۔ میں نہ کہتی تھی یہ ہے ہی بدلحاظ، بدزبان۔ تم ہی کہتے تھے۔ نہ بی بی۔ اسے نہ کچھ کہو۔ اس کے منہ میں تو زبان ہی نہیں ہے۔ گاؤ گنگالی ہے بے چاری۔ وا میری گاؤ گنگالی۔

دو ٹکے کی رن ہے، لاکھوں کا ہمارا بھائی باندھ لیا۔

اسی کے ٹرنکوں میں لالا کے تم نے بھائی رکھ دیے نا سارے سیستان کے تلے اور ریشم کے تھان۔ لو اب بھگتو۔ ہم تو بیچاریاں پرایا مال ہیں۔ ہمارا کیا مان ہے بھائی کے گھر پہ۔ بھائی تو باپ کی جگہ ہوتا ہے۔ وہ تجھے اڈیکتا اڈیکتا مر گیا۔

کبوتر بن کے گیا تجھے ملنے،

اُدھر تمہارے پاس سیستان۔

کر گیا ہمیں تمہارے حوالے۔ چھوٹے دونوں بھائی تو پکڑائی نہیں دیتے۔ نہ ان کی جورو ئیں۔ پھر وہ ہیں کس قابل۔ وہ تو اپنا بوجھ نہیں اٹھا سکتے۔ ایک تمہیں کو اللہ نے بھاگ لگائے ہیں تو ہمارے نصیب میں یہ بھاگو آ گئی۔

ہائے پھوٹ گئی قسمت۔

ایک سے ایک رشتہ پڑا تھا۔ بس تم ہی نہیں مانے۔ پہلے کیا نہیں دی تھی بچپن میں طلاق۔ اس وقت تو جھٹ انگوٹھا لگا دیا تھا۔ میں کہتی ہوں انگوٹھا لگانے کا موقع تو اب آیا ہے۔

نہیں نہیں بی بی۔ یہ بات نہ کر۔

نہ میں نے کیا بات کرنی ہے۔ میں ہوتی کون ہوں۔ کچھ کہنے والی۔ تم اسے بنا سجا کے رکھو یہاں۔ کرے تمہاری بے عزتی وہ سرعام۔ لو دیکھو جی۔ نہ کوئی بات نہ کوئی کہانی۔ اس نے داستان ہی بنادی ہیر رانجھا کی۔

چل چھوڑ آپا۔

میں تو تیرے ہی بھلے کو کہتی ہوں۔ چار دن گاؤں میں رہے گی تو اپنی اوقات میں آجائے گی۔ یہاں تو کوئی ہے ہی نہیں روکنے ٹوکنے والا۔ اوپر سے بیلدار آ آ گھر میں پانی بھرتے ہیں۔ تم نے تو نواب زادی بنا کے رکھا ہے، اسے۔ اپنی اوقات کیسے یاد آئے۔ پر تو کیوں بھیجے گا اپنی جورو کو ماں کے پاس۔ مرنے دو ماں اکیلی کو۔ اس کے سر پہ کونسا سر کا سائیں بیٹھا ہے۔ ہم جو ہیں تیرے حصے کی انکی سیوا کرنے والیاں۔ نہ بھیجو بھائی۔ رکھو اپنی جورو کو اپنے پاس۔

نہیں بی بی سنو تو یہ بات نہیں۔

نہ جی۔ تم سے کون دماغ کھپائے، تمہیں تو بیوی کا عشق چڑھا ہے۔

بے عزتی تو کروالی۔ اب جوتے کھانے رہ گئے۔

وہ یہ کہہ کے پیر پٹختی گھر کے اندر گئی۔ بھاگو ابھی تک ٹرنکوں میں سر دیے کھڑی تھی۔ اوپر والے ٹرنک کی پوری کروشیے کی جھالر اس نے رو رو کے بھگو دی تھی۔ ساری چادر ہاتھوں میں چڑ مڑ کر کے کھڑی تھی۔ ابوالفضل کی وہی بہن چلتی چلتی اسکے پاس آ گئی۔ اور آتے ہی اسے اپنی دونوں بانہوں میں لے لیا۔ اور اسکا سر سہلاتے ہوئے آہستگی سے بولی۔

تمہیں نے بہت انہیں فرشتہ بنایا ہوا تھا۔

دیکھ لیا نا۔ اپنی آنکھوں سے سارا کھیل؟

یہ تو کچھ بھی نہیں۔ تم نے ابھی دیکھا کیا ہے۔

آگے آگے دیکھنا۔

ہاں ابھی دیکھنا۔

ابھی تو صرف ایک پستان تک ہاتھ آیا ہے۔ابھی تو اس کا سارا جسم باقی ہے۔تم رہو دیکھتی تماشہ ۔ میں نے کل ہی تمہیں چوکنا کر دیا تھا۔جس وقت یہ آئی تھی چھیل چھبیلی۔بول کہا نہیں تھا؟ اب یاد کر،میں نے تمہیں سمجھا دیا تھا کہ میاں کو اس سے دور رکھنا۔

بھائی کا بھی کیا دوش ہے۔وہ عورت ہی منہ کو آتی ہے۔لے یہ بھی کوئی بات ہے کہ پرائے مرد کے ہاتھ میں اپنا بچہ دے کہ چھاتیاں رگڑنے لگے؟ کوئی پوچھے۔بول تجھے کوئی اور بہانہ نہیں ملا۔

اے بھر جائی میں نہ کہتی تھی تمہیں۔کہ مجھے تو پہلے ہی شک ہے یہ بچہ اس عورت کے میاں کا نہیں۔تو نے دیکھا نہیں ہے اُس کو،دِق کا مارا ہوا خصم ہے اس کا،عمر میں بھی اس سے دو گنا۔

سیدھا تو اس سے کھڑا ہوا جاتا نہیں۔

میں پوچھتی ہوں وہ کیا بچے کا تخم دے گا۔

اب اللہ جانے یہ بچہ ہے کس کا۔

میں نے خدا کو جان دینی ہے۔میں اپنے بھائی کا نام نہیں لوں گی۔

میں نے اپنی آنکھوں سے کچھ نہیں دیکھا۔

آدمی نے اپنی قبر میں جانا ہے۔کیوں بنا کے بات کرے کوئی۔

لیکن بھر جائی۔

میں سوچتی ہوں۔ہے کملی،اگر کسی نے کچھ کرنا ہو تو وہ میرے تیرے سامنے آ کے کرے گا۔تمہارا خصم میرا بھائی ہی ہے۔اتنے چھوٹے کو لے لے کے پھری ہوں۔اس کی رگ رگ سے واقف ہوں۔یہاں سب کے سامنے نہیں ٹلا۔چلو،اسی کا قصور سہی،بہانہ بنا کے بچہ پکڑانے کا۔بھئی،تم ہی اپنا ہاتھ سنبھالو۔نہ جی اوپر سے تمہیں ڈانٹتا ہے۔

کس طرح تمہیں غصے ہو رہا تھا۔

اپنا پتہ نہیں۔

بھئی بندہ اپنی غلطی مان لے۔

چلو جو ہو گیا۔ ہو گیا۔ مٹی ڈالو۔

مگر نہ جی۔ یہاں تو بھائی لاٹ صاحب کی کہانی سناتا سناتا خود کو بھی لاٹ صاحب سمجھے بیٹھا ہے۔ لو آ گئی اب اس کی میم صاحب بھی۔ اب تمہاری یہاں کیا ضرورت؟

ہیں بولو۔

اگر روز بے عزت ہو کے اسکے جوتے چاٹنے ہیں تو تمہاری مرضی۔ بھئی ہم سے تو یہ سب دیکھا نہیں جاتا۔ کل کے جاتے ہمیں آج ہی تانگے پہ بٹھا دو۔ میں تو کہتی ہوں۔ ، مارو ان چار ٹرنکوں کی چابیاں اسکے منہ پہ۔ اور چل تو بھی ہمارے ساتھ گاؤں۔ دیکھو کیسے تیری قدر آئے گی۔ تیسرے دن بھاگا آئے گا تیرے پاس۔ ہاتھ جوڑ جوڑ کے معافی نہ مانگے تو کہنا۔ پھر بات کرنا۔ ورنہ کوئی ضرورت نہیں۔ ہماری لاکھوں میں ایک بھرجائی اور بھائی پرائی زنانیوں کی خاطر اسکی مٹی پلید کرتا ہے۔ وہ اوں اوں کر کے بھاگو سے لپٹ جاتی ہے۔ دونوں عورتیں خوب روتیں ہیں۔ اسی شام کو ابوالفضل کی بہن کے ساتھ بھاگو گھر سے چلی جاتی ہے۔ بچے دونوں ساتھ لے جاتی ہے۔

جس وقت وہ جا رہی ہوتی ہے، اس وقت وہ تین مہینوں کے حمل سے ہوتی ہے۔ ابوالفضل کا تیسرا بیٹا اس کے پیٹ میں ہوتا ہے۔ اب اللہ جانے ابوالفضل کو یہ بات پتہ تھی یا نہیں۔

بھاگو گاؤں پہنچ جاتی ہے۔

وہاں پہنچتے ہی ابوالفضل کی تین بہنیں اکٹھی ہو جاتی ہیں۔ چوتھی ان کی ماں شامل ہو جاتی ہے۔ چاروں مل کر بھاگو کی ایسی درگت بناتی ہیں۔ کہ اسے سمجھ نہیں آتی کہ

میں پہنچ کس جہان میں گئی ہوں۔

تین بجے صبح وہ اسے اٹھا کے آٹا پیسنے کی چکی پہ بٹھا دیتیں۔ تینوں بہنیں شادی شدہ تھیں۔ اپنے اپنے گھروں میں رہتی تھیں۔ مگر اپنے اپنے سارے کنبوں کا آٹا پسوانے گندم یہاں لے کر آ جاتیں۔ چل بھاگو پیس۔ سوٹی لیکر بڑی بہن کھڑی ہو جاتی ہے۔ اوں آں کرتی تو ایسے اس کی ٹھکائی کرتی جیسے بیل کو اڑی کرنے پہ مارتے ہیں۔ آٹا پیس کے فارغ ہوتی۔ ہاتھوں میں رتن پڑ جاتے۔ زخم رستے تو دوسری نند نمک کی سل اٹھا کے لے آتی۔ لے اسے کونڈی میں کوٹ۔ پتہ نہیں اسی واقعے سے زخموں پہ نمک چھڑکنے کی کہاوت بنی ہو۔ یا اسی کہاوت کو سن کر ابوالفضل کی بہنوں کو بھاگو کو تڑپانے کا یہ انداز ملا ہو۔ خیر جی ان چاروں نے مل کر بھاگو کا پلیتھن نکال دیا۔ ضد میں آ کے پڑوسنوں کی پھنڈر چوتیاں انکے صحن میں بندھوانے لگیں کہ محلے میں آ کڑا اپنی ہو، اور ان کی دیکھ بھال یہ کرے۔ اپنے اپنے گھروں میں بھی انکی بھینسیں تھیں۔ سب کا دہی رڑکانے ادھر لے آتیں۔ ابوالفضل نے اسی کی خاطر ایک بھینس اور گھر میں بھیج دی تھی۔ اس کا دودھ دہی رڑکنا بھی اسکے ذمے تھا۔ مگر جب لسی سے مکھن اتر جاتا تو بہنیں پلنگ سے اتر کر چاٹی کے پاس آ بیٹھتیں۔ اور اسے دھکا دے کر کہتیں چل ہٹ۔ وہ نظر نہیں آتے کپڑے دھونے والے۔ یہ ادھر لگ جاتی۔ سارا سارا دن یہ کام میں کولہو کے بیل کی طرح جتی رہتی۔ کھانے کے وقت سوکھی روٹی وہ اسکے آگے پھینک دیتیں۔ اور پسی ہوئی مرچ کی کونڈی لات مار کے اسکے قریب کر دیتیں۔ اور کہتیں۔ کھامر۔ کام نہ کاج کی دشمن اناج کی۔ پوری کونڈی صاف کر جاتی ہے۔

دو بیٹے تھے۔

دونوں چھوٹے تھے۔

ان کے ابھی سکول کے دن نہیں آئے تھے۔ نہ گاؤں کے قریب کوئی سکول تھا۔

تیسرا بچہ پیٹ میں سوکھی روٹیوں اور کونڈی مرچوں سے پل رہا تھا۔

اسے جننے کے بھی دن آ گئے۔

وہ پیدا ہوا تو اک اور طوفان کھڑا ہو گیا۔

پہلے سے کہیں بڑا اور خوفناک۔

بچہ پیدا ہوا تو بے حد گورا چٹا۔ اوپر سے آنکھیں بھوری۔ نندوں نے دیکھا تو سر پیٹ لیا۔ ماں کو پکڑ کے لے آئیں۔ لے دیکھ ماں۔ تیری بہو نے کیسے تیرے بوڑھے سر میں دھول جھونکی ہے۔ اب لے مٹھی راکھ کی اور ڈال لے سر میں۔

گاؤں میں کس کس کا منہ بند کروائے گی۔ ماں دیکھ نہیں رہی۔ اس حرامی بچے کی شکل ہو بہو سیدوں کے منجھلے لڑکے جیسی ہے۔ ہائے نی۔ ہمارا ہیرے جیسا بھائی۔ کیسی عورت کے ساتھ بندھ گیا۔

اب کیا ہو گا ماں۔ بھائی تو جیتے جی مر جائے گا۔

میں نہ کہتی تھی یہ زنانی نہیں ڈائن ہے۔ کھا جائے گی ہمارے ویر کو۔

کھا لیا ڈائن۔ کھا لیا۔

وہ اچھل اچھل کے بھاگو کا چہرہ نوچنے کو آئیں۔ بھاگو سہمی ہوئی بستر سے چپکی پڑی رہی۔ اسے سمجھ نہ آئے۔ یہ اسکے کونسے گناہ کی سزا ہے۔ اس نے یہاں چکی کونڈی سے کبھی ہاتھ نہیں اٹھایا۔ ہاتھ اسکے ٹوٹے چھتر کی طرح بن گئے۔ زخم پرانے ہو ہو کے اندر ہی اندر رسنے لگے۔ یہ کیا ہو گیا۔ بچے کی آنکھیں کیا واقعی بھوری ہیں؟

اسے اندھیرے کمرے میں ساتھ پڑا کپڑوں میں لپٹا لپٹایا نوزائیدہ بچہ صحیح سے نظر بھی نہ آئے۔ یہ سیّدوں کا منجھلا لڑکا کونسا ہے۔ بھاگو کو اسکی شکل بھی یاد نہ آئے۔ اس نے تو اس سے کبھی بات تک نہیں کی۔ اس لڑکے کا بھاگو کی ماسی کی بیٹی کے ساتھ یارانہ تھا۔ اس کے پاس وہ آتا جاتا تھا۔ مگر بھاگو کو اس سے کیا لینا دینا۔ وہ تو یہ الزام سن کر زمین میں گڑ گئی۔ بس اوپر منہ کر کے اللہ سے دل ہی دل میں باتیں کرے۔ تو نے مجھے کس بات کی سزا دی۔ ہاں میری غلطی ایک ہی ہے۔ میں نے اپنے ہیرے جیسے خاوند سے ناجائز بحث کی۔ اس پر بلاوجہ شک کیا۔ (اللہ سے یہ باتیں کرتے کرتے بھی

ایک لمحے کو اسے وہی خیال آیا تو وہ پھر سب سوچنا شروع ہو گئی۔ لیکن ہاتھ تو ابوالفضل کا اسکی چھاتی پہ لگا تھا۔ میں نے جھوٹ تھوڑی کہا تھا) پھر وہ اللہ سے باتیں کرنے لگی۔ غلطی سے لگ گیا ہوگا ہاتھ جی انکا۔ وہ ایسے تھوڑی ہیں۔ (پھر وہ سوچنا شروع ہو جائے۔ چاہے غلطی سے لگا ہو ہاتھ، پر مزہ تو آیا ہوگا انہیں)۔ کیا پتہ جی۔ اللہ جی۔ انہیں شاید یہ بھی نہ پتہ چلا ہو کہ ہاتھ لگا کہاں ہے۔ (ویسے ہی چھاتیاں اس کی اوپر کو اٹھی ہوئی ہیں۔ بازاری گتے والی بنیان پہن کے۔ اندر کیا ہونا ہے۔ خواہ مخواہ۔) بڑی آئی تھی ہیر سیال بن کے۔ میرا بے چارہ میاں، اسے نہیں پتہ ہونا ہاتھ کس جگہ لگا ہے۔ اللہ جی اب مجھے بچالے۔ تو تو جانتا ہے یہ جو نئی مصیبت کھڑی ہوئی ہے۔ میں اس میں نردوش ہوں۔ میرے تو فرشتوں کو بھی علم نہیں وہ سیّدوں کا منجھلا لڑکا ہے کدھر۔ میں نے تو کبھی زندگی میں کسی غیر مرد کو ہاتھ نہیں لگانے دیا۔ (پھر وہ سوچ میں پڑ جاتی کہ آخری دفعہ کب ابوالفضل نے اسے چھوا تھا) اکیلی بیٹھی وہ روتی رہتی۔ ایک دن سائیں بگو شاہ آ گیا۔ وہ تو گاؤں میں ہی رہتا تھا۔ یہ رونے لگ گئی۔

بائی جی۔

مجھ سے اللہ کیوں روٹھا ہوا ہے۔ میں نے اس کا کیا بگاڑ دیا۔ بھا گو زور زور سے رونے لگ گئی۔

سائیں نے سر پہ ہاتھ پھیرا۔ دل میلا نہیں کرتے اللہ سے۔

پھر کیا کروں۔

میں نے اس کا کچھ نہیں بگاڑا پھر اس نے کیوں میری شکل بگاڑ دی۔

میرا نصیب بگاڑ دیا۔

آپ کو کیا پتہ اب مجھ پہ کیا بہتان لگا ہے۔

دیکھ میری بہن۔ یہ آزمائش ہے!

کس کی آزمائش؟

کچھ تیری، کچھ تیرے میاں کی۔

پر کیوں۔ ہم نے کیا خدا کی دیوار گرا دی جو ہم پہ سارے طوفان کھول دیے ہیں۔

ایسے نہیں کہتے۔

اسے سزا نہ سمجھ۔ یہ تو امتحان ہے۔ اور امتحان کے بعد تو اگلی جماعت میں بچہ جاتا ہے نا۔ تیرے بھی بھاگ کھل جائیں گے۔ تو دکھی نہ ہو۔ بس تھوڑے دن کی بات ہے۔

برا وقت جانے والا ہے۔

وقت سارے گزر جاتے ہیں۔ اچھے بھی، برے بھی، دل نہ بُرا کرنا۔

ادھر سائیں بگو شاہ یہ کہہ کے گیا۔

ادھر اگلے دن ابوالفضل گاؤں پہنچ گیا۔ صبح صبح کا وقت تھا۔ وہ گھر میں داخل ہوا۔ دروازہ کھلنے کی آواز آئی۔ ابوالفضل کے گھر میں قدم پڑتے ہی بھاگو پہچان گئی۔ وہ اتنے مہینوں سے اسکے ایک ایک قدم کو یاد کرتی آئی تھی۔ قدموں کی چاپ زبانی یاد تھی۔ پچھلے کمرے میں بچے کو گود میں چھپائے چھپی بیٹھی تھی۔ قدموں کی آہٹ سے تڑپ کے اٹھی۔ اسے دونوں طرح کے وسوسے تھے۔ شاید وہ اس کے آنسو پونچھ دے۔ اسکا منہ چوم کے اسے ساتھ اپنے تانگے پہ بٹھا کے نہر کے بنگلے پہ لے جائے۔ لیکن اگر یہ بھی اپنی بہنوں کے کہنے میں آ گیا۔ وہ اتنا سوچ کے لرز گئی اور اس سے اٹھا نہیں گیا۔

ادھر ابوالفضل گھر کے اندر آیا۔ ادھر تینوں بہنیں اسے پکڑ کے صحن گھر کے ایک کونے میں لے گئیں۔ اور اپنے سر پہ ہاتھ مار مار کے اسے کچھ بتانے لگیں۔ ایک دو نے اپنے بال کھول لیے۔ ایک چیخ مار کے کچے صحن پہ پاؤں پھیلا کے بیٹھ گئی۔ مٹھی بھر کے مٹی بالوں میں ڈالنے لگی۔ ابوالفضل کھڑا کھڑا کانپنے لگا۔ اتنے میں ماں برآمدے سے اٹھ کے آ گئی۔ آتے ہی سینے پہ دوہتڑ مار کے رونے لگی۔ ابوالفضل کے دماغ میں تو طوفان میل چلنے لگی۔ اس کی روح تک کٹ گئی۔ وہ آدم خور شیر کی طرح جست لگا

کے اندر آیا۔ بھاگو باہر کی کھسر پھسر سن کے آدھی بے ہوش ہو چکی تھی۔ چپکی پڑی رہی۔ جیسے سو رہی ہو۔ اندر سے دیمک زدہ لکڑی کی طرح کھوکھلی ہو چکی تھی۔ ڈوبتی ڈوبتی نیچے تہہ تک لگ گئی۔ آنکھیں بند کیے، سہمی چپکی بس اللہ سے باتیں کرتی جائے۔

اللہ میرا وکیل بن جا۔

میری گواہی دینے والا ادھر کوئی نہیں ہے۔

میں بے گناہ ہوں، تو جانتا ہے۔

جانتا ہے تو چپ نہ رہنا تو۔

مجھے نہ ذلیل کروا اللہ۔

کیوں دے دیا اتنا سوہنا بیٹا۔ میرا تو کوئی اور ہے ہی نہیں۔ کوئی ٹھکانہ نہیں۔ نہ ماں نہ باپ۔ بھائیوں کا بھی کوئی پتہ نہیں۔ کہاں مزدوریاں کرتے پھرتے ہیں۔ اب کیا میرا منہ کالا کروانا ہے۔ اس سے پہلے کہ ابوالفضل مجھ سے یہ سوال جواب کرے۔ مجھے لے چل۔

بس ہار گئی بازی میں۔

دیکھ لی تیری بڑی خدائی۔ میری باتیں تو سن رہا ہے نا۔ نیلی چھت والے مجھ بے سہارا کو سننے کے لیے۔ تیرے پاس کیوں وقت ہونے لگا۔

تو بھی میری ڈائن نندوں کے کہنے میں آگیا۔

یہ تو مجھے مروا کے چھوڑیں گی۔ کیوں تو کسی کے ہاتھ سے مجھے مرواتا ہے۔ نکال لے سانس جو تیرے ہیں اس بت میں سے۔ لیٹی بظاہر سوئی ہوئی یونہی تڑپ تڑپ کے اللہ سے باتیں کرتی جائے۔ کہ اتنے میں ایک دم سے ابوالفضل اندر آیا۔ ایک دفعہ اسے ہاتھ لگا کے یوں پلٹایا جیسے ریت کی بوری کو ہلاتے ہیں۔ پھر ہاتھ بڑھا کے اسکے پاس لیٹا ہوا بچہ اٹھالیا۔ یہ لیٹی لیٹی تڑپ گئی۔ اسکا سارا خون خشک ہو گیا۔ ابوالفضل بچے کو اٹھا کے باہر صحن میں لے گیا اور دن کی روشنی میں اسکی آنکھیں دیکھنے لگا۔ بچہ آنکھیں ہی نہ کھولے۔ چار دن کا بچہ تھا۔ اوپر سے صحن میں بھری ہوئی دھوپ۔ گرمیوں

کے دن۔ ابوالفضل نے بچے کو بہت ہی شک کی نظروں سے سر سے پاؤں تک دیکھا۔ بازوؤں ٹانگوں سے کپڑا ہٹا کے بغور معائنہ کیا۔ اسکے چہرے کو دائیں بائیں اوپر نیچے سے کئی بار دیکھا۔ سمجھ نہ آئی۔ دل ہی دل میں یہ کہے۔ ہاں رنگ تو گورا ہے۔ زیادہ گورا ہے۔ میں بھی گورا تو ہوں۔ مگر اتنا نہیں۔ بھاگو بھی کالی تو نہیں۔ نہیں ہے گوری ہے اچھی خاصی۔ یہ کچھ زیادہ صاف رنگ کا ہے۔ کیا پتہ بچے شروع میں زیادہ گورے لگتے ہوں بعد کی نسبت۔ وہ اپنے دوسرے دونوں بچوں کے پہلے پہل کے دن سوچنے لگا۔ سب بھائیوں کے رنگ ایک سے تو نہیں ہوتے نا۔ اسے ایک دم اپنا ایک چھوٹا بھائی یاد آ گیا۔ جو بے حد کالا تھا۔ ہاں رنگ کی خیر ہے۔ مگر یہ آنکھیں۔ ذرا دیکھوں تو۔ وہ انگلیاں لگا لگا کے بچے کی آنکھوں کو کھولنے کی کوشش کرے۔ بچہ رونے لگ گیا۔ آنکھیں نہیں کھولیں۔ آخر لا کے اس نے بھاگو کے پاس لٹا دیا۔

رات وہ وہیں رہا۔ بھاگو سے بات نہیں کی۔ اپنی ماں اور بہنوں سے بولا۔ میں کچھ بندوبست کرلوں گا۔ صبح لیکر جا رہا ہوں بھاگو کو ہیڈ مان پور۔

لے گیا۔

سارا راستہ یہی سوچتا جائے کہ چھوڑنا نہیں اسے۔ جان سے ماردوں گا، پر ماروں اسے کیسے؟ مار کے کہاں پھینکوں۔ پھر اسے خیال آیا۔ ہیڈ پہ نہریں کس لیے ہیں ان میں بہتی ہوئی لکڑی آتی ہے۔ دیودار کے شہتیر۔ لکڑی کے ٹھیکیدار اوپر دریا کے پاس روپڑ ہیڈ سے اپنی اپنی مہر لگا کے لکڑی پانی میں گرا دیتے۔ لکڑیاں پانی میں بہتی آتیں ہیں۔ سواری کا کرایہ بچ جاتا ہے لکڑی مفت نیچے دورا ہے پہنچ جاتی۔ یہاں ہیڈ پہ وہ آ کے لوہے کے آدھ کھولے گیٹ سے لگ جاتی ہیں۔ پل کے نیچے اکٹھی ہو جاتیں۔ ڈیڑھ آنہ فی شہتیری دے کے وہ لے جاتے اپنی شہتیریاں۔ ابوالفضل سوچنے لگا۔ میں دو شہتیریاں خود رکھ لوں گا۔ مجھے کیا کسی نے کہنا ہے۔ وہ تو پہلے بھی ہزار بار کہہ چکے ہیں۔ لے لو جتنی لکڑی چاہیے۔ وہ تو اس لیے نہیں لی۔ کہ کیا کرنی۔ دو ڈھائی روپے کی شہتیری ہے ایک۔ ایک دو رکھیں تھیں ایک بار۔ مگر وہ تو

خرچ ہو گئیں۔ وہ پھر سوچنے لگا کہ پچھلی بار لی ہوئی شہتیری سے کیا کیا بنوایا تھا۔ اسے وہ سارے پلنگ، کرسیاں اور بکس یاد آ گئے۔ بکس دماغ میں آتے ہی وہ سوچنے لگا۔ وہ تو سارے چھوٹے ہیں۔ یہ تو پوری نہیں آئے گی ان میں سے کسی میں۔ ایک بھی بڑا نہیں بنوایا بکس۔ اب بنوالوں گا۔ لمبا سا صندوق۔ ترخان اپنے بھروسے والا ہے۔ پھر اسے بھی تو غرض ہے۔ اسے نہیں چاہیے شہتیر دیودار کے۔ جیسا کہوں گا بنا دے گا۔ اسے شک تو نہیں پڑے گا؟ لے کیوں۔ میں نے کہنا ہے سرکاری حکم ہے۔ اوپر سے یہی سائز دیا ہے۔ بڑے صاحب کو بھیجنے ہیں۔ لولکڑی تو ساری یہاں پانی ہی کے راستے آتی جاتی ہے۔ بس صندوق بنا کے اس میں اسے بند کر دوں گا۔ اسے اکیلے کیوں، اس حرامی کو بھی ساتھ۔ دونوں کو بند کروں گا۔ اور پانی میں چھوڑ دوں گا۔

اللہ اللہ اور خیر صلا۔

بس یہی سوچتے سوچتے ہیڈ مان پور آ گیا۔

پورا رستہ دونوں میں سے کسی نے بھی بات نہیں کی۔

ابوالفضل اپنے منصوبوں میں لگا رہا۔ بھاگو اپنے اللہ جی سے باتیں کرتی رہی۔

گھر پہنچ گئے۔

ابوالفضل اندر گیا۔ اپنی کوٹھری سے جذدان میں پڑا ہوا قرآن اٹھا کے لے آیا۔

بولا، اسے پکڑ کے قسم کھاؤ۔

بھاگو۔ قرآن دیکھ کے پیچھے ہٹ گئی۔

ابوالفضل کے اندر سانپ لہرایا۔

ہوں۔ اب آیا نہ اونٹ پہاڑ کے نیچے۔

بولا۔ ہاتھ کیوں نہیں لگا رہی۔

بھاگو رونے لگ گئی۔ روتے روتے بولی۔

میں ناپاک ہوں جی۔ چھلا نہا کے پکڑ و گی۔

ہوں، ایک دم ابوالفضل کے دماغ نے پلٹا کھایا۔ اچھا میں اس پہ ہاتھ رکھتا

ہوں۔ تم میرے ہاتھ پہ ہاتھ رکھ کے قسم کھاؤ۔

کھاتی ہوں جی۔ اس نے ہاتھ رکھ دیا۔ کس بات کی قسم کھانی ہے۔

بولو، بتاؤ یہ بچہ کس کا۔

وہ پھر رونے لگ گئی۔ اور روتے روتے ابوالفضل کے قرآن پہ رکھے ہاتھ سے لپٹ گئی۔ اپنا چہرہ بھی وہیں رکھ دیا۔ اور زور زور سے روتی ہوئی بولی۔ یہ آپکا بچہ ہے۔ میں نے آپ کے علاوہ کسی مرد کا ہاتھ اپنے جسم پہ نہیں لگنے دیا۔ ایسے ہی جی میں اس دن آپ سے الجھ گئی تھی۔ وہ میری غلطی تھی۔ مجھے معاف کر دیں۔ اور میری کوئی غلطی نہیں۔

پھر کاکے کی آنکھیں کیوں بھوری ہیں؟

جی میں نے تو دیکھی نہیں۔

تو نے ابھی تک اسے آنکھیں کھولتے ہوئے نہیں دیکھا۔

نہیں جی۔

آنکھیں دیکھنے لگے دونوں۔

یہ آنکھیں کیوں نہیں کھولتا بچہ؟

دکھنے تو نہیں آ گئیں آنکھیں اسکی۔ چلو چل کے وید کو دکھاتے ہیں۔ قریبی قصبے دورا ہے کے ایک بوڑھے حکیم کے پاس چلے گئے۔ حکیم نے گلاب کے عرق کی بوند دونوں آنکھوں میں ٹپکائی اور رومال سے آنکھیں پونچھ دیں۔ گد اتر گئی۔ بچے نے آنکھیں کھول دیں۔ ہیں یہ کیا۔ ابوالفضل کے پیروں نیچے زمین ہلنے لگی۔ آنکھیں تو دونوں کالی سیاہ ہیں۔ یہ دیکھ۔ بھاگو دیکھ آنکھیں تو کالی ہیں۔ وہ ہذیانی آواز میں چلانے لگا۔ حکیم بولا، بابو لوک شور کیوں مچا رہے ہو۔ کالی آنکھیں پہلے نہیں دیکھیں کبھی۔ کیا بنی بنائی تمہاری صورت ہے۔ واہ۔ کوئی کوئی بچہ اپنے باپ سے ایسی مشابہت رکھتا ہے۔ لگتا ہے اسکی ماں تمہارے ہی دھیان میں لگی رہی۔

پر حکیم صاحب یہ آنکھیں کیوں نہیں کھولتا تھا پہلے

پتر جالا آیا ہوا تھا آنکھوں میں۔ لگتا ہے۔ جب سے پیدا ہوا ہے کسی نے اسے اچھی طرح صاف ہی نہیں کیا تھا۔ اسی چپ چپاہٹ سے آنکھیں چپکی رہیں۔

مگر حکیم جی وہ تو کہتی تھیں آنکھیں بھوری ہیں۔

بیٹا کس کی بات کر رہا ہے تو۔

وہ جی اپنی ہی بہنیں ہیں میری۔ وہ کہتی تھیں۔

کب دیکھا تھا کڑیے انہوں نے؟

حکیم بھاگو سے مخاطب ہوا۔

میں تو جی بس لیٹی ہوئی تھی اندر کمرے میں۔ وہ اسے اٹھا کر باہر لیجانے لگیں تو میں نے منع کر دیا۔ پھر رات پڑ گئی۔ بچے کی تیسری پھوپھی لالٹین لے کر آ گئی میرے سرہانے۔ بولی۔ بچہ دیکھنا ہے۔

بس اسی وقت انہوں نے لالٹین کی روشنی میں اسے دیکھا تھا۔

پھر، حکیم صاحب بولے۔

پھر وہ کہنے لگیں۔ آنکھیں بھوری ہیں۔

تم نے بھی دیکھی اس کی آنکھیں۔

جی میں دیکھنے لگی تو وہ بتی لے گئیں۔ مجھے دیکھنے ہی نہیں دیا۔ میں تو کہتی رہی مجھے بھی دکھاؤ۔ نہیں دکھائیں۔ پھر بچے نے آنکھیں ہی نہیں کھولیں چار دن۔ شاید کھولتا ہو۔ میں بھی سو جاتی تھی نا جی۔

یہ بس آنکھیں میچے میچے ہی دودھ پی لیتا تھا۔

ایسے کرتے ہیں بچے، اس کی آنکھوں میں ذرا ذراسی سوزش ہے۔ یہ لے جاؤ شیشی عرق کی۔ دن میں تین دفعہ ایک ایک قطرہ ڈالنا ہے۔ مگر سن میری بچی۔ ہاتھ دھو کے اسکی آنکھوں کو ہاتھ لگانا۔ پہلے کسی نے گندے ہاتھ لگا دیے اسکی آنکھوں پر۔ تبھی اسکی آنکھیں جڑ گئیں تھیں۔ بڑی نازک ہوتی ہیں یہ، سمجھ گئی۔

جی بھاگو کو تو نئی زندگی مل گئی۔

واپسی پہ سارا رستہ یہ سوچتی آئی کہ اب ابوالفضل اس سے کیسے اچھی طرح ملا کرے گا۔ ادھر ابوالفضل پورا رستہ اپنے اللہ سے باتیں کرتا آئے استغفار۔ اللہ جی۔ میں بھول گیا۔ مجھ سے کتنا بڑا گناہ ہونے والا تھا۔ توبہ توبہ۔ تم نے بچالیا۔ پر تو نے کیوں مجھے بے خبر رکھا۔ بھٹکا کیوں تھا میں۔ دوسروں پہ بیتنے والی باتیں تو مجھے کبھی کبھار پتہ چل جاتی ہیں۔ اپنی باتوں سے بے علم رہا۔ توبہ توبہ میں اتنا برا ہوں۔ میں ایسے ایسے پلان بناتا رہا۔ توبہ توبہ شکر ہے میں نے اسے گزند نہیں پہنچا دی۔ مگر تھوڑی سزا تو نہیں دی بیچاری کو۔ بلاوجہ۔ اس کا قصور ہی کیا تھا۔

سارا کیا دھرا میرا ہے۔

آخر میں نے ایسا شک اس پہ کیا ہی کیوں؟

میں ہوں ہی برا۔ اللہ جی اچھے بندے کو تو ایسا شک نہیں پڑتا ہوگا؟

ہے نا جی۔ پھر تو مدد کرے تو شک نکلتا ہے۔ شکر ہے تیرا تو نے مدد کر دی۔ لیکن یہ سب ہوا کیوں؟ یہ سب کیا دھرا میری بہنوں کا ہے۔ دیکھ مجھ سے کیا کہتی تھیں۔ اور اسکا حال وہاں جا کے کیا کر دیا۔ مجھے اس کے ہاتھ دیکھ کے سب نظر آتا ہے۔ اس سے پوچھنے کی ضرورت نہیں۔ وہ بہت پیار سے بھاگو کو تکنے لگتا۔ لیکن اللہ جی۔ میری عقل کہاں چلی گئی تھی۔ مجھے کیوں ہوش نہ آئی کہ یہ بہنیں حسد کی ماری ایسے کر رہی ہیں۔ وہ ہیں بدفطرت عورتیں۔ ہاں میں بھی انہیں کا بھائی ہوں۔ میں بھی برا ہوں۔ قصور میرا ہی ہے۔ سارا قضیہ مجھی سے شروع ہوا تھا۔ لیکن اللہ جی تو تو جانتا ہے۔ میں نے اس کی چھاتی پہ ہاتھ لگانے کا کوئی ارادہ نہیں کیا تھا۔ اب تجھے تو سارے ارادے بھی معلوم ہوتے ہیں۔ بول۔ ایمانداری سے۔ میری نیت خراب تھی؟ ہاتھ لگنے سے پہلے۔ میں تو کہتا ہوں ہاتھ بھی شاید نہیں لگا تھا۔ لگا تو تھا کہیں مگر اس لمحے یہ خیال ہی نہ آیا کہ یہ اسکی چھاتی ہے۔ وہ تو جب بھاگو نے طوفان سر پہ اٹھا لیا۔ تو مجھے بھی اندر دل میں وسوسہ پیدا ہو گیا کہ ہاں ہاتھ چھاتی پہ ہی لگا تھا۔ سچی بات کہوں اب تم سے جھوٹ بول کے کونسا بات بدل جانی ہے۔ تُو تو دلوں کو جانتا ہے۔ جب بھاگو نے اس کی چھاتیوں

کا ایسا نقشہ کھینچا اور ثابت کر دیا کہ میرا ہاتھ واقعی لگا تھا، تو تھوڑی دیر کے لیے میرا دل بھی الجھ گیا۔ پتہ نہیں اندر ہی اندر کیوں مجھے اچھا لگا اس بات سے۔ بس میں اس لمحے کی لذت سے شرمندہ ہوں۔ تو معاف کر دے۔

مجھ سے غلطی ہو گئی۔ پر اللہ جی یہ بات ہوئی کیوں؟

بس جی۔

بات آئی گئی ہو گئی۔

پھر کیا تھا۔ بھا گو کے تو بھاگ کھل گئے۔ ابوالفضل کو اس سے عشق ہو گیا۔ ہر وقت وہ اس کے آگے پیچھے لٹو ہوا پھرتا رہے۔ اچھی سے اچھی چیزیں کھانے کو لا کے دے۔ پہننے کو بہترین کپڑے۔ سونے لگے تو وہ بستر پہ پھول بچھا دے۔ کھانے کے وقت دونوں ایک دوسرے کے منہ میں نوالے ڈالیں۔ ان کی زندگی ہی بدل گئی۔

اچانک ان کی زندگی میں پھر ایک حادثہ ہو گیا۔

سیدھی چلتی رواں دواں ان کی زندگی کے عین قلب میں ایک میخ آ کر گڑھ گئی۔ ان کی پوری حیاتی کے چلن میں کھڑکھڑ ہونے لگی۔ جیسے تم نے میرے ساتھ کیا ہے۔ دیکھو، ہر زندگی کے گھومتے پہیے ہیں اور ہر پہیے کا ٹائر۔ قدرت ہر ٹائر کے لیے الگ نوعیت کی میخ چنتی ہے۔ ان کے لیے ایک رانی چنی گئی میرے لیے مہارانی تم۔ اب لڑو چننے والے سے۔

■

رانی چانن کور

رانی چانن کور کو اپنے نصیب کے چانن پہ اتنا مان تھا کہ وہ اندھیرے کا ایک چھینٹا بھی اپنے مقدر کی روشن کتاب پہ نہ پڑنے دیتی تھی۔ کہا کرتی تھی اکثر، کہ قسمت کی کاپی میں اگر کوئی صفحہ خالی رہ بھی گیا، تو وہ اسے خود لکھ لے گی۔ صفحے تو اندر مقدر کی کتاب میں کئی خالی تھے۔ وہ ان میں اپنے من بھاتی پوتھیاں لکھنے میں لگی تھی۔ بارہ گاؤں کی اس کی جاگیر تھی۔ پونے دو سو مربعے زرخیز زمین کی عمل داری تھی۔ مگر رانی کی کوکھ بنجر تھی۔

گیارہ برس پہلے وہ اس جاگیر میں بیاہی آئی تھی۔ اس کے بیاہ کی خوشی میں جاگیردار گوبند سنگھ نے اکتالیس باغ لگوائے تھے۔ سب پیڑ جواں ہو کے پھلوں سے لدے پڑے تھے۔ رانی کی گود ہری نہ ہوئی تھی۔ اتنی بڑی قلمرو کے راج پاٹھ میں وہ بادلوں کی ٹولیوں میں اندھیرے کھلے آسماں پہ تیرتے ہوئے پورن ماشی کے چاند کی طرح تنہا تھی۔ جس کا آسماں پہ بھرے ستاروں سے سوائے بیر اور بیراگ کے کوئی تعلق نہیں ہوتا۔

چاند چڑھے تو تارے بجھنے لگتے ہیں۔
چاند اترے تو ناچنے لگتے ہیں۔

کچھ اسی قسم کا اپنے سسرال سے اس کا تعلق تھا۔ شریکے والیاں اس کے ڈوبنے

کی دعائیں مانگتی۔ یہ انہیں بے اثر رکھے رکھنے کی چالاکیاں کرتی رہتی۔ کہنے کو آسائشوں اور آسودگیوں کے ڈھیر لگے تھے۔ مگر دلی خوشی اور خرسندی کی پوٹلی خالی تھی۔ سولہ سال کی تھی جب گھوڑوں، رتھوں اور گاڑیوں کے جلوس میں سونے کے پتروں سے سجی پالکی میں بیٹھ کے وہ پٹیالے سے اس جاگیر میں بیاہی آئی تھی۔

جاگیر کا نام بیر تھا۔

لدھیانے اور جگراؤں کے درمیان میں تھی یہ جاگیر۔ جاگیر کیا ریاست تھی۔

جاگیر کے اکلوتے وارث کی دلہن بن کے آئی تو رانی بن گئی۔ بیاہ کے پہلے چند سالوں میں ہی ساس سسر لدھ گئے۔ رانی خود کو مہارانی سمجھنے لگی۔ بچپن سے اسے شبہہ تھا کہ وہ صرف محلوں اور حویلیوں میں راج کرنے کے لیے پیدا ہوئی ہے۔ اپنے باپ کی بھی وہ اکیلی بیٹی تھی۔ لاڈلی تھی۔ اسی نے اس کے کان میں کہا تھا۔

تو پچھلے جنم میں ہفت اقلیم کی شہزادی تھی۔

اس نے اس جنم میں بھی راج پاٹھ سجالیا۔

باپ اس کا کوئی عام آدمی تھوڑی تھا۔ مہاراجہ پٹیالے کے دربار کا دیوان تھا۔

شاہی قلم دوات والا قلم دان، چانن کور کے بچپن کا پہلا کھلونا تھا۔

اسے پتہ تھا۔

راج بھون کے قلم دان کی سیاہی سے تقدیروں میں چانن بھرا جاتا ہے۔

کھرچا جاتا ہے۔

یوں چانن اور چاندنی سے کھیلتی یہ بڑی ہوئی تھی۔ سونے کا چمچہ اس کی پیدائش سے اس کے منہ میں تھا۔ مگر یہی اب اس کے حلق میں پھنسا ہوا تھا۔ معاملہ اس سے کہیں زیادہ سنگین تھا جتنا بظاہر دیکھنے میں نظر آتا تھا۔

اس کا خاوند سردار گوبند سنگھ دیکھنے میں کڑیل شہتیر جیسا جوان تھا مگر اندر سے اسے گھن لگا ہوا تھا۔ دیمک کی طرح ایک مہلک بیماری دھیرے دھیرے اسے چاٹ رہی تھی اور رانی چانن کور کی چنتا صرف یہی نہیں تھی، اسے پتہ تھا کہ اگر سردار۔ لاولد مر

گیا تو سارا راج پاٹھ ختم ہو جائے گا۔

وارث اس کے پاس نہ ہوا، تو خاندانی رسم و رواج کے مطابق ساری جاگیر سردار گوبند سنگھ کے چھوٹے بھائی ہری چند سنگھ کے ہتھے لگ جائے گی اور رانی چانن کور کے نصیب میں چانن کی ایک بوند بھی نہ بچے گی۔ مقدر میں لکھا اندھیرا اسے مکڑی کے جالے میں پھنسی مکھی کی طرح چاٹ لے گا۔ مگر وہ مقدر کی کسی ایسی تحریر کو ماننے کو تیار نہ تھی جو اس کے خواب کی تعبیر کے الٹ ہو۔ جس میں اندھیرا ہو' چانن نہ ہو۔

اسے پتہ تھا کہ وہ جس شام پیدا ہوئی تھی تو ساری بستی میں چانن تھا۔ جگ مگ جگ مگ دیے جل رہے تھے۔ وہ دیوالی کی رات تھی۔ اسی لیے اس کے باپ دلبیر سنگھ نے اس کا نام ہی چانن کور رکھ دیا تھا۔ دلبیر سنگھ بڑا موٹا تندیل آدمی تھا۔ جوانی سے اسے ذیابیطس کی بیماری تھی۔ ویدوں، حکیموں اور ڈاکٹروں کا علاج تو وہ کرواتا رہا، مگر اپنی دھن کا ایسا پکا تھا کہ اپنے کسی شوق اور ذائقے کو اس نے زندگی کی طلب کے سامنے بھی کچھ نہ سمجھا۔ کھیر کھانے کا شوقین تھا، تازہ تازہ گرم گڑ اس کی کمزوری تھی۔ دونوں شوق اس نے نہ چھوڑے۔ بچے چھوڑ کے مر گیا۔ مہاراجہ کے دربار میں دیوان کی کرسی پہ کوئی اور بیٹھ گیا۔ تین بیٹے تھے، ان کے لیے پٹیالے کے مضاف میں بہتیری جاگیر تھی۔ بیٹی اس کی ایک ہی تھی، چانن کور۔ جس کے نصیب میں ابلتے ہوئے اندھیرے دیکھنے سے پہلے ہی وہ چلا گیا۔

چانن کور صرف نام ہی کی چانن نہ تھی۔

روشنی اس کے وجود کے اندر سے لشکارے مارتی تھی۔

شام کے ملگجے اندھیرے میں نظر آتی تو لگتا، اندر کسی نے لالٹین جلا کے رکھ چھوڑی ہے۔ صبح ہونے سے پہلے سرمئی اجالے میں اسے دیکھنا بڑا جوکھوں کا کام تھا۔ ایک طرف دھوپ میں اس کا اجلا چہرہ اور گوری باہیں لش لش کرتی' سورج کے نیچے دھوپ بانٹتی پھرتیں اور دوسری طرف اس کی لمبی پلکیں، غزال آنکھوں پہ چھتری تانے اس کی نگاہ کے رخ میں سرسراتی' دیکھنے والوں کو سائباں کا پتہ بتاتیں۔ پتلی لمبی مورتی

جیسی لڑکی تھی وہ۔ جیسے مکھن بھری لسی کی بلٹوئی سے شیشے کا گلاس بھر کے نکالا ہو۔ اجلی ملائم اور چکنی۔ گیارہ سال کی خالی کوکھ کا بوجھ اٹھائے اٹھائے اس شیشے کے گلاس میں دراڑیں پڑ گئیں تھی۔ سوچوں کی بوندا باندی نے اسے اندر اور باہر سے سنگسار کر دیا تھا۔ سینتیس سال کی عمر میں چانن کور کے چہرے پہ چھائیاں اور دھبے پڑ گئے تھے۔ غزال آنکھوں کے کانوں کی طرف کے کونوں پہ بطخوں کے پیروں کے نشان ابھر آئے تھے۔ اسے اپنے اندر سر اٹھاتے اندیشوں بھرے سوالوں کا جواب نہیں مل رہا تھا۔ جتنا وہ سوچتی ڈور اتنی الجھتی جاتی۔ وہ سرا کدھر سے ڈھونڈے۔ کس سے پوچھے۔ کس سے کہے۔ اس کا درد ہی کچھ ایسا تھا کہ وہ تنہا، اکیلی اسے انڈوں کی ٹوکری بنا کے، مرغی کی طرح پر پھیلائے اس پہ بیٹھی تھی۔ یہ جانتے ہوئے بھی کہ سارے انڈے ابلے ہوئے ہیں، کسی میں آنے والی زندگی کی روئید نہیں۔

اس کا خاوند، سردار گوبند سنگھ بیمار تھا۔

پانچ سال سے بیماری چلی آرہی تھی۔ پہلے تو چلتا پھرتا تھا، ساڑھے تین مہینوں سے وہ بستر پہ لیٹا ہوا تھا۔ اسے بخار چڑھتا اترتا تھا۔ حکیم وید ڈاکٹر جوشی، جوتشی، مہنت، سادھو، فقیر، صوفی، جوگی، یوگی سب اس کی سیڑھیاں چڑھ اتر چکے تھے۔ کسی کے پلے مرض نے ہاتھ نہ پھڑایا تھا۔ جالندھر کے ایک انگریز ڈاکٹر نے ہچکچاتے، خوف زدہ سا چہرہ بنا کے آہستہ سے ایک بار کوئی مشکل سا انگریزی نام بیماری کا لیا تھا۔ اس وقت وہ ڈاکٹر، گوبند سنگھ کے بخار کو تھرمامیٹر میں نہیں دیکھ رہا تھا۔ بلکہ اس کے ہاتھ سردار گوبند سنگھ کی گردن پر، بائیں کان کے پیچھے، بالوں کی کنی کے سرے پہ ابھری ہوئیں سردار کے گلے میں پہنی ہوئی سچے موتیوں کی مالا کے موتیوں جتنی بڑی دو گلٹیوں کو ٹٹول رہے تھے۔ ڈاکٹر نے پھر سردار گوبند سنگھ کے بازو اوپر اٹھوا کے، پیچھے کھڑے ہو کے۔ اپنے دونوں ہاتھ اس کی بغلوں کے اندر گھسیڑ کے انگلیوں کی پوروں سے کچھ ٹٹولا تھا۔ بائیں بغل میں اخروٹ کے سائز کی گلٹی تھی۔ انگریز ڈاکٹر جب ان گلٹیوں کو دیکھ کے ٹھٹھکا تھا تو پاس کھڑی چانن کور ایک دم سے بول پڑی تھی۔

ڈاکٹر جی یہ گلٹیاں تو درد نہیں کرتیں۔

خیر ہے۔

میں نے کئی بار انہیں دبا دبا کے سردار سے پوچھا ہے۔

کیوں سردار جی بولو نا۔

ہاں جی، درد نہیں ہے ان میں۔ سردار آہستگی سے سہما سہما بولا۔

یہی تو ڈرنے والی بات ہے۔ انگریز ڈاکٹر زیر لبی کہنے لگا۔

چانن کور کے چہرے سے اسی لمحے چانن اتر گیا۔

وہ کھڑی کھڑی جیسے بے وزن ہوگئی۔ اسے چکر سا آیا۔ ایکا ایکی میں اس نے دیوار پہ ہاتھ رکھا اور پھر ہوا نکلتے ہوئے غبارے کی طرح گچھی مچھی سی ہو کے سردار کی پرانتی بستر پہ بیٹھ گئی۔ اس کی آنکھوں کے سامنے اندھیرا سا آ گیا تھا۔ جیسے کمرے میں بتی بند ہوگئی ہو۔ ایک بار تو وہ کہنے بھی لگی تھی، ڈاکٹر لائٹ تو جلائے رکھو۔ مگر اس کے ہونٹ خشک ہو گئے، زبان تالو میں کنکر کی طرح چبھنے لگی۔ اس سے بولا نہ گیا۔ ڈاکٹر نے سردار کو لٹا کے اس کے پیٹ میں انگلیاں گوڑ گوڑ کے اس کی پسلیوں کے نیچے، پیٹ میں دونوں طرف دیکھنا شروع کر دیا۔ دائیں پسلیوں کے نیچے ہتھیلی پھیلا کے ایک ایک انگلی کو دبا دبا کے اٹھاتا ہوا' ڈاکٹر پھر کچھ ماپنے لگا۔ پھر وہ ساتھ کھڑی ہوئی نرس سے انگریزی میں کچھ بولا۔ چانن کور انگریزی پڑھی ہوئی تھی۔ ایک دم بیٹھے بیٹھے خشک حلق میں انگریزی بول ڈال کے۔ بولی، جگر اور تلی کی بات کر رہے ہیں آپ ڈاکٹر؟ ہاں، ڈاکٹر ایک دم چانن کور کے منہ سے انگریزی سن کے اس کی طرف پلٹا۔ یہ دونوں بڑھ گئے ہیں۔ ڈاکٹر بولا۔

اس کا کیا مطلب؟

چانن کور فیصلہ کن متوقع جواب کے انتظار میں ڈاکٹر کو دیکھتے دیکھتے بوڑھی ہو گئی۔ ڈاکٹر نے ایک دو لمحے چانن کور کے چہرے سے چانن اترتے دیکھا۔ پھر جیسے وہ سوچ میں پڑ گیا۔ کہ کہے نہ کہے۔ ایک دو بار اس نے کہنے کے لیے ہونٹ کھولے۔ پھر

کچھ کہے بنا ہی ہونٹ بھینچ لیے۔ چانن کور کے دائیں کندھے پہ ہاتھ رکھ کر ڈاکٹر بولا، آنرایبل لیڈی ڈونٹ وری مچ۔ ریلیکس۔

ہاؤ کین آئی، ڈاکٹر؟ چانن کور بڑبڑائی۔ مجھے بتاؤ۔ ان کا کیا مطلب ہے؟

مطلب ظاہر ہے، ڈاکٹر نے آہستہ آہستہ کہنا شروع کیا۔

کیا؟ چانن کور سننے میں بے صبری تھی، مگر جیسے اب وہ چاہتی تھی ڈاکٹر کچھ نہ بولے۔ چپ رہے۔

بیماری بڑھ گئی ہے۔ پھیل گئی ہے۔ ڈاکٹر نے یہ فقرہ ایسے کہا، جیسے جج کوئی فیصلہ لکھتے ہوئے آخر میں قلم توڑ دیتا ہے۔

رانی چانن کور کی زندگی فیصلے سنتے، سناتے گزری تھی۔ وہ جانتی تھی کہ فیصلے کے بعد بھی اپیل کا حق ہوتا ہے۔ تڑپ کے بولی۔ لیکن بیماری ہے کیا؟

آپ کو بتایا تو تھا۔

مجھے یاد نہیں رہا ڈاکٹر۔

وہی ہے۔ پھر بھی ایک بار اور خون کے ٹیسٹ کروا لیتے ہیں اور بھی کچھ ٹیسٹ ہونے ہیں، میں لکھ دیتا ہوں۔

لکھ دیں، بیماری کا نام نہیں بتایا ڈاکٹر آپ نے۔ چانن کور بولی۔

ڈاکٹر خفیف سا ہو کے، سردار گوبند سنگھ کا چہرہ دیکھنے لگا۔ جو حیران سا چہرہ بنائے معصومیت سے باری باری ڈاکٹر اور اپنی بیوی کو انگریزی میں باتیں کرتا دیکھ رہا تھا۔ خود وہ انگریزی سے ناواقف تھا اس لیے اس کی سمجھ میں سوائے یس نو کے کچھ نہ آ رہا تھا۔ ڈاکٹر نے سردار گوبند سنگھ کے کندھے تھپتھپائے، مسکرا کے حوصلہ دیا اور رانی کی طرف منہ کر کے بولا مجھے آپ کی زبان میں اس کا نام نہیں مل رہا۔ ہم تو اسے ''ہاج کن ڈیزیز'' کہتے ہیں۔

چانن کور نے یہ لفظ پہلی بار سنے تھے۔ مگر سن کے سہم گئی۔ جیسے کسی بہت بڑے دشمن کا نام لے لیا گیا ہو۔ آہستہ سے بولی۔

''خطرناک تو نہیں ہے یہ؟''

''ہے تو خطرناک ہی''

رانی چانن کور کے چہرے پہ کمزوری کی پہلی زرد لہر لہرائی۔ اپنے آپ کو سنبھالتی ہوئی وہ پھر بولی۔ ''لیکن ڈاکٹر، ہر بیماری کا علاج ہوتا ہے۔''

''ہاں ہوتا ہے، لندن میں ہم کرتے ہیں علاج اس کا بھی۔''

رانی چانن کے چہرے پہ روشنی کی کرن لوٹ آئی، بولی۔

''پھر ادھر لے چلیں، سردار کو۔''

''آپ کی مرضی ہے'' ڈاکٹر جانے کے لیے مڑنے کا چہرہ بنانے لگا۔ چانن کور اُٹھ کے اس کے پیچھے لپکنے کو کھڑی ہوئی اور پوچھنے لگی۔

''ادھر مریض اچھے ہو جاتے ہیں نا، اس بیماری کے، سبھی؟''

چانن کور تجسس سے انگریز ڈاکٹر کا چہرہ دیکھنے لگی، جو اس سوال کا جواب دینے کے لیے چلتا چلتا، مڑ کے کھڑا سوچ میں پڑ گیا تھا۔ اس کی بدن بولی تو نفی میں سر ہلا رہی تھی مگر اس کا چہرہ زبان سے کوئی معقول لفظ ڈھونڈنے کی کوشش کرتا نظر آ رہا تھا۔ چانن کور جیسے ڈاکٹر کی بدن بولی اور زبان سے کہی جانے والی باتوں، سبھی سے اپنا اعتبار ختم کیے کسی اور سوچ میں ڈوبی ہوئی تھی۔

سردار گوبند سنگھ لیٹا لیٹا، تکیے پہ سر رکھے باری باری دونوں کو تکے جا رہا تھا۔ اسے کسی کی کہی بات بھی سمجھ میں نہ آ رہی تھی۔ اپنی بیوی کو انگریزی میں فر فر کرتے دیکھ کے اس کی آنکھوں میں بچوں کی سی خوش کن چمک آ گئی تھی۔ پیلے زرد چہرے پہ نقاہت کے باعث اس کے چہرے کی ہڈیاں اور ناک اور زیادہ نمایاں ہو گئے تھے۔ داڑھی کے بال بندھے ہونے کے باوجود سفید براق تکیے پہ بے ترتیب سے ہو کے اُلجھے ہوئے نظر آ رہے تھے۔ سر کی پگڑی ڈھیلی ڈھیلی سی لگ رہی تھی۔ جیسے باندھتے سمے زور نہ لگا ہو یا اندر سے سر چھوٹا ہو کے سکڑ گیا ہو۔ ڈاکٹر نے سوچتے سوچتے ایک بار گردن گھما کے گوبند سنگھ کی طرف بھی دیکھا، جو ڈاکٹر سے نظر ملتے ہی دانت کھول کے

بچوں کی طرح مسکرانے لگا۔ ڈاکٹر کے چہرے پہ دکھ کی لہر تھی اور اس سے گوبند سنگھ کی مسکراہٹ کا جواب نہ دیا گیا۔ پلٹ کے چانن کور کی طرف دیکھ کے اس کا پوچھا ہوا سوال منہ ہی منہ میں بڑبڑانے لگا۔

ادھر مریض سبھی اچھے ہو جاتے ہیں؟

پھر ایک ایک لفظ کو دھیرے دھیرے بولتے ہوئے کہنے لگا۔

خدا کرے ایسا ہو جائے، ہوا تو نہیں ابھی تک۔ لیکن کیا حرج ہے کوشش میں۔ صرف چار دن ہی تو لگتے ہیں ہوائی جہاز میں۔ ایمپریل ایئر سروس موجود ہے۔ کراچی سے لندن۔ وہ سردار گوبند سنگھ کی طرف مڑا۔

''کیوں سردار جی۔ چلنا ہائے لندن؟''

انگریز ڈاکٹر کے منہ سے دیسی زبان میں یہ سوال سن کے گوبند سنگھ ایک دم سے کھلکھلا کے ہنس پڑا اور لیٹے لیٹے جسم میں ایک دم سے قوت بھری جھرجھری لی اور پھر ہنسی روک کے سنجیدہ سا چہرہ بنا کے بولا۔

بس ڈاکٹر صاحب، ذرا یہ بخار اتر جائے۔

اچھا ہو جاؤں۔ پھر چلوں گا۔

مزے کریں گے اُدھر۔

کیوں چانن رانی۔ وہ اپنی بیوی کی طرف دیکھ کے پھر مسکرانے لگا۔ کمزوری کی وجہ سے اس کی مسکراہٹ اس کے لیے تکلیف دہ لگتی تھی۔ لگتا تھا، مسکراتے سمے اس کے چہرے کے پٹھے دکھنے لگتے ہوں گے۔ چانن کور یہ سن کے مسکرا نہ سکی۔ اس کے چہرے پہ اداسی اور گہری ہو گئی۔ البتہ انگریز ڈاکٹر لندن چلنے کے ذکر سے جیسے کسی یاد میں کھو گیا۔ اس کے ذہن میں ٹون ناٹر جہاز کے دونوں پروں پہ دو دو لگے پنکھے چلنے لگے اور اس کی آنکھوں میں لندن کی کوئی خنک حسین شام کے سائے سرسرانے لگے۔ سردار گوبند سنگھ کی آواز پھر ڈاکٹر کو سنائی دی۔ سردار کہہ رہا تھا۔ سنو ڈاکٹر جی ''آپاں ذرا ٹھیک ہو گئے تو چلاں گے'' آپ بھی چلنا ہمارے ساتھ۔ آپ کی میم صاحب اُدھر ہی

ہیں یا اِدھر ہیں؟ گوبند سنگھ پھر ہنس کے ڈاکٹر کو دیکھنے لگا۔ ڈاکٹر اس بار ہنس پڑا، بولا، گاڈ نوز، ابھی تک شادی نہیں کیا ہم لوگ نے۔ یہ کہہ کے اس نے ساتھ کھڑی گوری نرس کے کندھے پہ ہاتھ رکھ دیا۔ جو کھڑی کھڑی ایک دم شرم سے دہری ہوگئی۔ چہرہ لال بھبوکا کرلیا۔ جیسے کوئی اس کے متعلق بات کر لی ہو۔ چانن کور انگریز نرس کو یوں شرماتے دیکھ کے سوچنے لگی، یہ میموں کو بھی شرمانا آتا ہے....؟ ڈاکٹر کو جیسے احساس ہوگیا کہ کسی بات کی وجہ سے گفتگو کا رخ کسی اور جانب ہوگیا ہے۔ وہ بات کو واپس اس رخ پہ لانے کے لیے گوبند سنگھ کے چہرے کے پاس جھک کے، اس کے کندھے پہ ہاتھ تھپتھپاتے ہوئے بولا۔

یس، آپ ٹھیک ہو جائے، پھر چلے گا۔ لامبا سفر ہے۔ سردی بھی بوہت ہے ادھر۔ ڈاکٹر ہاتھوں کی نلکیاں سی بنا کر ان میں سردی کی کپکپاہٹ کے انداز میں پھونکیں مارتے ہوئے ہنس کے بولا اور اٹھ کے سیدھا کھڑا ہوگیا۔

سردار گوبند سنگھ ایک بار پھر مسکرانے کے لیے منہ کھول کے بولا۔

''سردی میں ہی تو مزہ آتا ہے، صاحب رم پینے کا۔

اِدھر تو نہ کام کی سردی پڑتی ہے نہ رم مزہ دیتی ہے۔''

ڈاکٹر نے ایک دو لمحے اس بات کو سن کے سوچا، سمجھا اور پھر گوبند سنگھ کے ہنستے ہوئے چہرے کو دیکھ کے خود بھی زور زور سے ہنسنے لگا۔ جاتے جاتے، ہاتھ ہلا کے مسکراتے ہوئے گوبند سنگھ سے کہنے لگا۔

ابھی رم کو ہاتھ نہیں لگانا۔

گوبند سنگھ مسکراہٹ روک کے چانن کور کی طرف تکنے لگا۔ جیسے ڈر رہا ہو، اب اس نے سن لیا ہے، یہ ہاتھ نہیں لگانے دے گی رم کو۔

ڈاکٹر نے گوبند سنگھ کی نگاہ اپنی بیوی کی طرف مڑی دیکھی، تو جاتے جاتے، بولتا گیا۔

''رم سے منع کیا ہے۔ اس سے نہیں۔''

ڈاکٹر کی آواز دور برآمدے میں اس کی مسکراہٹ اور نرس کے جوتوں کی ٹک ٹک کے ساتھ مل کر زندگی سے بھرپور تاثر دے رہی تھی۔ چانن کور لیکن بڑی تشویش سے اپنے خاوند کو دیکھے جا رہی تھی۔

وہ اسے گھر لے آئی۔

اس کے سرہانے دواؤں کا ڈھیر لگا تھا۔ انگریزی گولیاں، کیپسول، ٹیکے، شربت، دیسی کشتے، معجون، پڑیاں، پڑھے ہوئے متبرک پانی، نمک، مقدس اشلوکوں کی کہی ہوئی سرگوشیوں میں جلی ساگوان کی جلتی ہوئی لکڑی کی دھونی اور راکھ۔ اس کے پاس سنی کہی ہوئی ہر دوا تھی۔ مگر سردار دن بدن کمزور تر ہوتا جا رہا تھا۔ چہرہ پچک گیا۔ جسم سکڑ گیا۔ کپڑے ڈھیلے ہو گئے۔ کھال میں جھریاں پڑ گئیں۔ ہڈیاں نمایاں ہو گئیں۔ چہرے پہ آنکھیں ہی آنکھیں دکھنے لگیں۔ ناک ایک دم سے بڑا بڑا دکھنے لگا۔ گالوں میں کھڈے پڑ گئے۔ آنکھوں کے نیچے حلقے گہرے ہو گئے۔ چہرہ پیلا زرد ہو گیا۔ داڑھی کے بال بندھے بندھے جڑوں سے اکھڑنے لگے۔ وہ ہاتھ لگا کے دیکھتی، پنڈا بخار سے تپ رہا ہوتا۔ گردن پہ ہاتھ لگا کے تکتی، گلٹیاں بڑی ہو گئیں تھی۔

اسے ایک حکیم نے کہا تھا، دعا کرو، یہ گلٹیاں پھوڑا بن جائیں، پھٹ جائیں۔

وہ دعائیں کرتی رہتی۔ پھوڑا نہ بنا۔ نہ کوئی گلٹی پھٹی۔ وہ سردار کو روز صبح بنا سنوار کے ایک آرام دہ کرسی پہ دراز کر دیتی۔ گردن پہ اس کی ایک مفلر لپیٹ دیتی۔ سر پہ نارنجی رنگ کی پگڑی باندھ کے ٹکا دیتی۔ حویلی کے نوکر چاکر، آتے جاتے اپنے جاگیردار کو سلام کرنے کے لیے ہاتھ جوڑتے، کمر میں خم ڈالتے، ماتھا نیچے کر کے ادب اور محبت کا اظہار کرتے رہتے۔ عام ملنے ملانے والوں پہ چانن کور نے پابندی لگا رکھی تھی کہ ملاقاتی آ کر پھر اٹھنے کا نام نہیں لیتے تھے۔ سردار کو آرام نہیں کرنے دیتے تھے۔ یہ بات تو وہ سردار کو بتایا کرتی تھی۔ اصل میں اس کے دل میں یہ وہم تھا ملنے ملانے والوں کا سلسلہ چل نکلا تو اس کے شریکے والے بھی آنا جانا شروع ہو جائیں گے۔ سردار کا چھوٹا بھائی ہری چند سنگھ بھی لہراتا ہوا، آنکھیں نچاتا آ دھمکے گا۔ کہنے کو وہ بڑے

بھائی کی عیادت کے لیے آئے گا، مگر بڑے بھائی کے چہرے پہ نقاہت اور مرونی دیکھ کے اس کے اپنے چہرے پہ جو دلیری اور خوشی ابھرنی تھی، وہ چانن کور نہ دیکھ سکتی تھی۔ جاگیر اور زمینوں کے مسئلے پہ دونوں گھروں میں بڑی سرد جنگ چل رہی تھی۔ یہ بہر حال طے تھا کہ اگر گوبند سنگھ لاولد مر گیا تو ساری جاگیر، بارہ کے بارہ گاؤں، حویلی، موٹریں، بگھیاں، گھوڑے سب چھن جائیں گے۔

اولاد کہاں سے لاؤں، وہ بھی نرینہ اولاد۔

بیٹا، کیسے پیدا ہو جائے ایک دم سے۔

رانی چانن کور گھنٹوں سردار کے پاس بیٹھی سوچتی رہتی۔ گیارہ سال بڑا عرصہ ہوتا ہے۔ اس نے سارے جتن کر دیکھے تھے۔ کچھ نہ ہوا۔ پہلے اس کا خیال تھا، سردار میں نقص ہے۔ اس نے اس کا علاج کروایا۔ کچھ نہ ہوا۔ پھر اسے خیال آیا شاید اسی میں حرج ہو۔ سردار ٹھیک ہو۔ اس خیال سے اس نے حویلی میں آگے پیچھے پھرتی بے شمار باندیوں میں سے ایک خوبرو جواں کنیز کو اعتماد میں لے کر سردار کے ساتھ سلایا۔ اس سے پہلے وچن لے لیا کہ اگر حمل ٹھہر گیا تو گرانا نہیں۔ تمہارے دور کہیں رہنے کا بندوبست کر دوں گی۔ خرچہ خود اٹھاؤں گی۔ انعام الگ ہوگا۔ بس یہ وعدہ کرو بچہ مجھے لا دو گی۔ اور کسی کو کانوں کان خبر نہ ہوگی۔ کنیز نے کانوں کو ہاتھ لگایا اور سردار کے ساتھ سوتی رہی۔ سردار سے بھی تحفے تحائف لیتی رہی۔ رانی سے بھی انعام پاتی رہی۔ مگر کچھ نہ ہوا۔ پھر چانن کور کی نگہ اپنے جسم پہ آ ٹھہری۔ شاید میں ہی مغالطے میں رہی۔ جہاں اُدھر اثر پذیری کا موقع دے کر دیکھا ہے، خود کو بھی کیوں نہ آزماؤں۔ بیجوں کے لیے مٹی بدلی ہے، اب مٹی کے لیے بیج بدل کے دیکھ لوں۔

سردار کی طویل بیماری نے بھی اس کے جسم کی بوٹی بوٹی کے اندر ہی اندر کہرام مچایا ہوا تھا۔ چانن کور کو اپنے آپ کو سمجھانے کے لیے ایک آدرش مل گیا۔ جہاں سردار کے لیے باندیوں کی قطاریں تھیں، خود سردارنی کے لیے بندوں کی کونسی کمی تھی۔ اتنی اونچی چھتوں چھتیوں کے آگے بنی کامدار دیودار کی بالکونیوں والی اس حویلی میں اتنے

کمرے تھے کہ رانی کو اس کشت سے گزرنے کے لیے کہیں باہر نہ جانا پڑا۔ اس کی تنی نسیں تو تھوڑی دیر کے لیے شانت ہو جاتیں، مگر جو وہ چاہتی تھی وہ نہ ہوا۔ سمبل کی روئی سے بھرے ریشمی گدے جیسے اپنے گداز نکھے جسم کی حرارت وہ خفیہ خفیہ بانٹتی رہی۔ مگر کچھ نہ ہوا۔ آخر اس نے ایک دن اپنی راز دار سیانی عمر کی دایہ سے پوچھ لیا۔ وہ دایہ روز آ کر اس کے پیر دباتی تھی، اس کے بالوں میں تیل لگاتی تھی۔ راز داری سے چانن کور پوچھنے لگی۔

''ماسی، کیا ہم دونوں بانجھ ہیں۔''

''شاید کر دیے ہوں؟'' دایہ بولی۔

''کر دیے ہوں، کس نے؟''

''شریکوں نے، اور کہنوں نے!''

''ان کی اتنی طاقت ہے۔''

طاقت تو رانی جی، دوا میں ہوتی ہے۔ کھلا دی ہو گی چٹکی چٹکی دونوں کو۔

رانی بیٹھ کے سوچنے لگی، کب کب وہ اپنے دیور کے گھر کھانے پہ گئی ہے، کب انہوں نے ادھر چکر لگایا ہے۔ کس کھانے میں کچھ ملایا ہو گا، کب ایسا ہوا ہو گا۔ چانن کور کی ہوائیاں اڑ گئیں۔ شریکے میں اتنا ظلم بھی کوئی کر سکتا ہے۔ سوچتے سوچتے وہ اسی نتیجے پہ پہنچی۔ ایسا ہی ہوا ہو گا۔ اسی دن اس نے ایک تہیہ کر لیا چاہے کچھ بھی ہو۔ اس نے ہار نہیں ماننی۔ بچہ بہر حال اس نے جننا ہے۔ ماں اسے بننا ہے۔ وارث ہر حال میں اس جاگیر کا لانا ہے۔

شریکوں سے ان کے ظلم کا بدلہ لینے کے لیے اب وارث اور ضروری ہو گیا تھا۔

یہ جاگیر شریکوں کے حوالے نہیں کرنی۔

وہ سردار کے سرہانے بیٹھی سوچ رہی تھی۔

سردار تکیوں کا سہارا لیے چوڑے نواڑی پلنگ پہ لیٹا ہوا تھا۔ اس کی آنکھوں میں غروب آفتاب کا منظر تھا۔ باہر کھڑکی سے ابھی صبح ہو رہی تھی۔ رانی نے ہاتھ کی پشت

سے سردار کا ماتھا چھوا۔ جسم بخار سے تپ رہا تھا۔ اس نے سردار کی کمر میں ہاتھ ڈال کے اسے دائیں طرف کروٹ دلائی۔ سردار کا بائیاں کان اوپر ہوا تو رانی چانن کور سردار گوبند کے کان پیچھے گردن پر سے کھلے کیس ہٹا کے دھیرے دھیرے اس کی گلٹیاں دیکھنے لگی۔ گلٹیاں موتیوں کے سائز سے بڑھ کے باداموں جتنی بڑی ہو گئیں تھیں۔ وہ انہیں دباتی تو وہ اس کی انگلیوں میں پھسلتیں۔ لیکن سردار کے خصیوں کی طرح اپنی صورت برقرار رکھتیں۔ اسے خیال آیا، اس نے ڈاکٹر سے ان کے اپریشن کی بھی بات کی تھی۔ مگر وہ ٹال گیا تھا۔ اب چانن کور کو سمجھ آ رہی تھی کہ ڈاکٹر کے ٹالنے کا مقصد یہ تھا کہ اب دیر ہو چکی ہے۔ سردار کی طبیعت دنوں میں بگڑتی جا رہی تھی۔ پہلے تو کئی سال صرف گردن کی گلٹیاں رہیں۔ پھر بغل میں گلٹی بنی۔ چھ مہینوں سے بخار چڑھ اتر رہا تھا۔ اب بخار اترے سوا مہینہ ہو گیا تھا۔

کھانا پینا کم ہو گیا۔ کھانسی بڑھ گئی تھی۔ گلہ خراب رہنے لگا تھا۔ سردار کی آواز بدل کے بھاری بھاری سی ہو گئی تھی۔ بولتا تو ایسے لگتا جیسے حلق ہی حلق میں کچھ اپنے آپ سے بول رہا ہو۔ دنوں، ہفتوں لیٹے لیٹے رہنے سے سردار کے کندھوں، کمر اور کولھوں پہ، جہاں جہاں وزن پڑتا تھا، پھوڑے جیسے زخم بن گئے تھے۔ وزن بھی گھٹتا گھٹتا اس کا آدھے سے کم رہ گیا تھا۔

رانی نے وہ رات پوری سردار کے سرہانے بیٹھ کے گزاری تھی۔ وہ کھانستا تو اسے تھوکنے کو اگالدان دیتی۔ وہ کروٹ بدلنے کے لیے کندھا ہلاتا تو اچھل کے اس کے بستر پہ چڑھ کے اسے بچوں کی طرح پکڑ کے کروٹ دلا دیتی۔ وہ پانی مانگنے کے لیے خشک ہونٹوں کو دانتوں پہ رگڑتا تو وہ لپک کے گلاس پانی کا اس کے منہ سے لگاتی ہوئی اسے بازوؤں میں بھر کے بیٹھ جاتی۔ پانی پی کے سردار اپنی بیمار میلی کمزور آنکھوں میں منوں تشکر بھر کے پیار سے رانی کو تکنے لگتا تو رانی بے چین ہو کے اس کا ماتھا چومنے لگتی اور کہتی جاتی۔ میں نے تو کوئی خدمت نہیں کی تمہاری ساری عمر۔ ایسے کیوں تکتے ہو اتنے تشکر سے۔

وہ کچھ کہنے کے لیے زبان دانتوں میں ہلانے لگتا۔ تو رانی اس کے ہونٹوں سے ہونٹ لگا کے رونے لگتی۔ میں اچھی نہیں ہوں۔ بری ہوں۔ تم نے ساری عمر میری سیوا کی۔ مجھے رانی بنا کے رکھا۔ میں ہی تمہیں سکھ نہ دے سکی۔ وہ رونے لگی۔ کھڑکی سے باہر سورج افق سے اوپر اٹھ آیا۔ ہلکی سی دھوپ کمرے میں آ گئی۔ جاتی سردیوں کے دن تھے۔ دھوپ کی خوشگوار حدت سے کمرہ ہولے ہولے بھرنے لگا۔ رانی نے سردار کی رضائی اس کے سینے پہ لپیٹ کے اسے بازوؤں سے اوپر اٹھایا اور اس کے نیچے ادھر ادھر پڑے گداز تکیے کھینچ کے درست کیے۔ سردار تکیوں کے اوپر ہو کے مسہری کی ٹیک پہ سر رکھ کے کہنیاں بستر سے لگا کے بیٹھنے کے انداز میں لیٹ گیا۔

رانی جانن کور آہستگی سے اس کے بستر پہ چڑھ کے اس کے پہلو میں رضائی میں گھس گئی۔ اور اس کے کھلے لمبے بالوں میں انگلیوں سے کنگھی کرنے لگی۔ سردار گردن موڑ کے محبت سے رانی کو تکنے لگا۔ اس سمے اچانک رانی کے دل میں یہ انکشاف ہوا کہ وہ سردار گوبند سنگھ کو دل کی گہرائیوں سے پیار کرتی ہے۔ وہ اس خیال سے نہال ہوگئی۔ پہلے ہزاروں بار اس نے اپنی محبت کا سردار سے اظہار کیا تھا مگر یقین پہلی بار اس لمحے اس کے دل میں اترا تھا۔ وہ اپنے اس جذبے کی ایماندارانہ حدت سے سر سے پاؤں تک لبریز ہوگئی۔ اس کی آنکھوں میں انوکھے احساسات کی شدت سے آنسو آ گئے۔ سردار کا ایک ہاتھ رانی کی ٹھوڑی کے نیچے تھا۔ ایک آنسو اس کے ہاتھ کی پشت پہ گرا تو ہڑبڑا کے رانی کی آنکھوں سے آنسو پونچھنے کے لیے اٹھنے لگا۔ رانی نے پیار سے اسے کندھوں سے پکڑ کے لٹا دیا اور اس کے دونوں ہاتھ پکڑ کے چومتے ہوئے بولی۔

یہ آنسو نہ پونچھو سردار۔ یہ خوشی کے آنسو ہیں۔

''کوئی خوشی والی بات ہے؟'' سردار کی بیمار آنکھوں میں خوشی کا لفظ سن کے ارتعاش سا ہوا اور وہ ایسی آنکھوں سے رانی کو تکنے لگا۔ جیسے کہہ رہا ہو، کوئی اچھی خبر سناؤ۔

رانی نے سردار کو گلے لگا لیا۔ پہلو میں رضائی ہٹا کے اس کے بخار سے تپتے کمزور

جسم سے لپٹ گئی۔ اور پھر آنسوؤں سے بھرا اپنا چہرہ اٹھا کے سردار کی آنکھوں میں آنکھیں ڈال کے بولی۔

''ہاں سردار۔ خوش خبری ہے۔ بہت بڑی خوش خبری۔'' ایکا ایکی میں پتہ نہیں۔ کس لمحے رانی نے وہ انوکھی خوش خبری سنانے کا فیصلہ کر لیا تھا۔

بولی، ''سردار، میں تمہارے بچے کی ماں بننے والی ہو۔''

ہیں، سردار کی آنکھوں میں خوشنما حیرت کا بم پھٹا۔

''تم سچ کہہ رہی ہو۔ چانن''

''ہاں سردار۔ رانی نے اعتماد سے جھوٹ بولا۔'' اب تم اچھے ہو جاؤ۔''

رانی، اگر یہ سچ ہے تو میں ٹھیک ہو گیا۔ وہ سچ مچ اپنی کہنیوں کے بل اٹھ کے بیٹھ گیا۔ اور چانن کور کو اپنے بازوؤں میں بھر کے چومنے لگا اور گھنٹوں اپنی گود میں لٹا کے اسے پیار کرتا رہا۔ اسی دن سردار کا بخار اتر گیا۔

پوری حویلی میں یہ خبر ایسے سنی گئی جیسے قحط کے دنوں میں بارش کے چھینٹے منہ پہ پڑتے ہوں۔ حویلی کے باہر سردار کے بھائی، بھاوج اور ان کے بچوں کے لیے یہ خبر آسمانی بجلی کی طرح گری۔ دایہ نے یہی آ کے سردارنی کو بتایا تھا۔ کہنے کو تیسرے دن دیورانی مبارک باد دینے بھی آئی تھی۔ مگر چانن کور اس کے چہرے پہ بغض اور حسد کی تپش تکتی رہی۔ وہ چلی گئی تو چانن کور کو خیال آیا۔ کہیں یہ صرف اس کا اپنا ہی وہم تو نہیں تھا۔ شاید وہ دل سے مبارک باد دینے آئی ہو۔ اس نے دایہ کو اپنے اس احساس کی بات کی۔ دایہ بولی۔ نہ رانی جی۔ آپ نے ٹھیک دیکھا تھا۔ وہ تو جل کے کوئلہ ہو گئی ہے۔ ان کے گھر میں دکھ کا ایسا سماں ہے جیسے ان کے سر پہ پہاڑ گر پڑا ہو۔ آپ کبھی اس عورت کی چکنی چپڑی باتوں اور چہرے کے بھولپن پہ نہ جایئے گا۔ بڑی چھری ہے۔ دل کا بغض چہرے پہ نہیں لاتی۔

''پھر تم کیسے پڑھ لیتی ہو۔ ماسی۔''

''لو، یہ بھی کوئی بات ہوئی۔ چہرہ تو دل کا آئینہ ہے۔''

بھلا چھپتا ہے کوئی راز دل کا، چہرے پہ آئے بغیر۔"

چانن کور ایک دم سے یہ سن کے پریشان ہوگئی۔

"بولی۔ ماسی، کسی کو ہمارے جھوٹ کی پکڑ تو نہیں ہو جائے گی۔"

"توبہ کرو۔ رانی جی۔ ایسی بات بھی منہ سے نہ نکالیے گا۔" دایہ نے جلدی جلدی گردن گھماتے چاروں طرف دیکھا۔

خیر سے آپ اس راجیہ کے وارث کی ماں بننے والی ہیں۔

میرے تو بھاگ جاگ گئے جو میرے ہاتھوں سے کنور جی کا جنم ہوگا۔

"پر ماسی، بچہ لاؤ گی کدھر سے" رانی سرگوشی میں بولی۔

رانی صاحبہ یہ آپ مجھ پہ چھوڑیے۔

میں نے دن گن رکھے ہیں۔

پوری بستی کی جنم کنڈلیاں نکالتی ہوں۔

کون سا بچہ کب کس گھر میں پیدا ہوگا سب شبھ گھڑیاں جانتی ہوں۔

آپ بس وچن یاد رکھیے گا۔ رانی جی۔

"تو دھیرج رکھ ماسی۔ کنڈے میں بٹھا کے چاندی میں تول دوں گی۔ تو شبھ گھڑی تو آنے دے۔"

چانن کور اپنے کمرے میں زیادہ وقت گزارنے لگی۔

سردار کی طبیعت قدرے سنبھل گئی۔

اب اسے روز بخار نہ چڑھتا۔ تیسرے دن چڑھتا۔ پھر اتر جاتا۔ تھوڑا بہت اس کا کھانا پینا بھی بہتر ہوا تو چہرہ قدرے سنور گیا۔ وہ اب اٹھ کے گھر میں ہولے ہولے چہل قدمی بھی کر لیتا۔ سردارنی کے پاس دایہ روز آتی۔ گھنٹوں اس کے کمرے میں دروازے پہ اندر سے کنڈی چڑھا کے اس کے بستر پر چڑھی۔ اس کے پاؤں دابتی رہتی۔ دایہ کے چہرے پہ اس سمے ایسا رنگ ہوتا۔ جیسے اس انوکھے راز کو سنبھال کے وہ ایک دم سے اونچی اور بڑی ذات کی ہوگئی ہے۔

آسمان جتنے ظرف والی۔

جو سارے جہانوں کے راز سمیٹے ہوئے ہر روز صبح صادق کے وقت افق پہ مسکراتا ہے۔

دایہ کی مشاورت میں رانی چانن کور حاملہ عورت کا سوانگ کامیابی سے بھرتی رہی۔ اس نے کھانا پینا زیادہ کر دیا۔ وزن بڑھ گیا۔ کپڑے ڈھیلے ڈھالے پہننے شروع کر دیے۔ اپنی مصروفیات بدل لیں۔ گھوڑسواری پہلے رانی خود بھی کرتی تھی۔ وہ چھوڑ دی۔ تیز تیز قدم چلانے چھوڑ دیے۔ بند کمرے میں دایہ نے رانی کو حاملہ عورت کے انداز میں قدم کھول کھول کے برابر رکھ کے چلنا بھی سکھا دیا۔ دیکھنے والا کوئی گمان میں نہ لا سکتا تھا کہ رانی کے پیٹ بچہ نہیں جھوٹ پل رہا ہے۔ رانی اس مہارت سے حاملہ عورت کا رول ادا کرتی کہ کبھی کبھار تو اسے دیکھ کے اس کی راز دار دایہ تک شک میں پڑ جاتی کہ کہیں رانی اس سے بھی تو جھوٹ نہیں بول رہی۔ رانی پڑھی لکھی عورت تھی، ان دنوں کی اس کیفیت پہ کچھ کتابیں بھی پڑھ لیں۔ لوگوں کے سامنے کھٹی میٹھی چیزیں تک کھانا شروع کر دیں۔ پھر اسے دیکھنے والے لوگ بھی کونسے زیادہ تھے۔ سسر ساس مرے کئی سال ہو گئے تھے۔ دیور دیورانی کے پریوار سے سرسری سا تعلق رہ گیا تھا۔ نہ وہ آتے نہ یہ ان کے سامنے جاتی۔ باقی حویلی میں نظر آنے والے سبھی اس کے خادم اور خادمات تھیں۔ گاؤں والے مزارعے تھے۔ ان میں سے کسی کی مجال نہیں تھی جو رانی کو دیکھ کے آنکھیں اونچی رکھے۔ رانی کو خطرہ کس سے ہونا تھا۔ اس کے اپنے رشتے داروں کا اس کے پاس آنا جانا کم تھا۔ ایک اس کی خالہ زاد بہن تھی، سندر کور۔ بچپن میں اس کے ساتھ کھیلی تھی۔ سگی بہن تو رانی کی کوئی نہ تھی، سندر کور سے ہی اس کی بہنوں والی ساری محبت تھی۔ سہیلیوں والا پیار بھی اسی سے تھا۔ سندر کور کی شادی ایک اوورسیئر سے ہوئی تھی۔ ان دنوں اس کی تعیناتی ہیڈ مان پور پہ تھی۔ اسی ہیڈ مان پور پہ جس پہ ابوالفضل اپنے بچوں کے ساتھ رہتا تھا، نوکری کرتا تھا۔ سندر کور کو بلوانے کے لیے اکثر رانی بگھی یا گاڑی بھجوا دیتی تھی۔ وہ خود تین بچوں والی تھی۔ جب آتی تو

دو چار دن رہ کے چلی جاتی۔ سندر کور جب بھی رخصت ہونے کے لیے رانی سے بغلگیر ہوتی، رانی کی آنکھیں چھلک جاتیں۔ کہتی میری تو ماں، بہن، سہیلی سب کچھ تو ہی ہے اب سندر۔ کبھی کبھار اس کے میکے سے اس کے بھائی اپنے گھوڑوں پہ بیٹھ کے آ جاتے۔ اس سمے رانی جوش سے پیر برابر رکھ کے چلنا بھی بھول جاتی۔ نوکروں کو شور مچا مچا کے بلاتی۔ یہ لاؤ، وہ رکھو، بوتلیں کھولو۔ گلے میں بنٹے والی موٹے شیشے کی بوتلوں پہ لکڑی کی ڈنڈی والی ڈبی نما چابی کو رکھ رکھ کے دبایا جاتا، ٹھاہ ٹھاہ کر کے بوتلیں کھلتیں، جیسے قہقہے لگ رہے ہوں۔ پیالوں میں بلبلے اچھلتے اور اس کے بھائی دو دو گھونٹ پانی پی کے بوتلیں رکھ دیتے۔ کہتے بہن کے گھر پانی کا گھونٹ نہیں پینا۔ تھوڑی دیر بیٹھتے، پھلوں کی ٹوکریاں رکھوا کے، سر پہ ہاتھ پھیرتے رانی کے اور یہ جا وہ جا۔ وہ دیر تک بھائیوں کے جانے کا منظر کھڑی دیکھتی رہتی۔ دور حد نظر تک، ان کی گھوڑیوں کے پیچھے اڑتی دھول کی لکیر جب تک نظر آتی رہتی، رانی اوپر بالکونی کی کنی پہ کھڑی بت بنی اسی طرف دیکھتی جاتی۔ اس سمے اس کی آنکھوں میں ممتا اتری ہوتی۔ کبھی کبھار وہ حویلی سے اتر کے ساتھ بنے پسوؤں کے طویلے کے ساتھ اپنے گھوڑوں کے اصطبل میں چلی جاتی۔ یوں تو اس کے پاس کئی گھوڑے گھوڑیاں تھیں مگر ایک کالے رنگ کی گھوڑی سے اسے خاص انس تھا۔ گھوڑی کا نام اس نے ''چھوکری'' رکھا ہوا تھا۔ وہ اسی پہ سواری کیا کرتی تھی۔ منہ سر لپیٹ کے، ڈاکوؤں کی طرح وہ چھوکری پہ چڑھ کے اپنی زمینوں کی طرف نکلا کرتی تھی۔ راہ میں جو جو گاؤں آتا، اس گاؤں کے بچے، بڑے اڑتی دھول میں اس کے پیچھے پیچھے بھاگنے لگتے۔ ان کا ساتھ بھاگنے میں بظاہر کوئی مقصد نظر نہیں آتا تھا مگر ان کی نظروں میں رانی کے سراپا کو ایک نظر قریب سے دیکھنے کا تجسس ہوتا اور ان کی بدن بولی ایسے بولتی، جیسے وہ کہہ رہے ہوں۔

ہمیں کوئی خدمت بتاؤ۔

کوئی کام کہو۔

کوئی حکم دو۔

رانی جس طرف گردن موڑتی، پیچھے بھاگنے والی ساری خلقت ادھر دیکھنے لگتی۔ ان کے سر ننگے ہوتے، پاؤں میں جوتے ندارد' کپڑے خستہ، بدرنگ، مٹی جیسے پتلی پتلی دھوپ اور افلاس سے جلی کالی ٹانگیں بے ہنگم سے طریقے سے بھاگ رہی ہوتیں۔ دھوتیاں ان کی گھٹنوں سے اوپر ہوتیں۔ مگر ان کے سراپا سے رانی کے لیے وفاداری کا وعدہ لکھا ہوتا۔ کبھی کبھار رانی رک کے کسی بچے کے مٹی سے بھرے الجھے بالوں والے سر پہ اپنی گھوڑی چھوکری پہ بیٹھی بیٹھی ایک طرف جھک کے ہاتھ پھیر لیتی۔ وہ بچہ تو زندگی بھر کے لیے اپنے گاؤں میں ممتاز ہو جاتا۔ سالوں تک پھر، جدھر سے وہ گاؤں میں گزرتا، لوگ اسے دیکھ کے اشارے سے دوسروں کو دکھاتے، اس کے سر پہ رانی جی نے ہاتھ پھیرا تھا۔ بڑا نصیبوں والا ہے۔ ادھر آ پتر۔

رانی کی گھوڑی چھوکری کے پیچھے پیچھے اس کے خاص ملازموں کے گھوڑے ہوتے۔ جو گلے میں بندوقیں ڈالے ایک مخصوص فاصلے پہ بڑے ادب سے گھوڑوں پہ بیٹھے دُلکی چال میں، گھوڑے دوڑاتے رہتے۔ ان کے پیچھے پیدل کارندوں کا ایک دستہ ہوتا۔ ان میں سے اکثر کے ہاتھ میں لوہے کی موٹی موٹی زنجیروں سے بندھے ہوئی چیتے جیسے جبڑوں والے خوفناک کتے ہوتے۔ رانی چاہے زمینوں کی سیر پہ نکلی ہو۔ حفاظتی گھوڑوں کے دستے کے علاوہ، شکاری کتوں کی ٹولی ساتھ ضرور جاتی۔ وہ کہا کرتے تھے کہ کیا پتہ کب رانی صاحبہ شکار کے لیے رک جائیں یا کوئی بھاگتا ہرن دیکھ کے گھوڑی کو ایڑ دے لے۔ رانی نے جب سے اپنے حمل کی خبر اڑائی تھی۔ اس دن سے گھوڑی پہ بیٹھنا چھوڑ دیا تھا۔

ایک دن وہ حویلی کے احاطے سے نکل کے گھوڑوں کے اسطبل میں آ گئی۔ گھوڑے دیکھتے دیکھتے، وہ اپنی گھوڑی چھوکری کے پاس آ کے رک گئی۔ گھوڑی بھی رانی سے بہت مانوس تھی۔ اتنے دنوں بعد رانی کو قریب پا کے وہ محبت سے سرشار ہو گئی۔ گردن گھما گھما کے اپنی محبت کا اظہار کرنے لگی۔ رانی نے اس کی گردن کی ایال پہ انگلیوں سے کنگھی کی، اور اسے ہاتھوں سے مل مل کے تھپکیاں دینے لگی۔ چھوکری جیسے

گلے شکوے کھول کے بیٹھ گئی۔ کہ اتنے دن سے رانی تم آئی کیوں نہیں۔ کھڑی کھڑی وہ چاروں ٹانگوں سے ٹپ ٹپ دو دو انچ اچھلنے لگی۔ پھر پھر کر کے وہ اپنی چمکتی کالی جلد کے کھڑے بالوں کو یوں سرسراتی جیسے آندھی میں گھاس کے میدان ہلتے ہیں۔ لمبی دم بار بار اپنی ٹانگوں سے نکال کے لہراتی ہوئی اپنی کمر پہ مارتی۔ جیسے کہہ رہی ہو' کاٹھی ڈالواؤ اور چلو۔ اتنے دنوں سے مجھے ادھر کمرے میں باندھ رکھا ہے.. کیوں؟

رانی اس کی بدن بولی سمجھتی تھی۔

چھوکری کو سمجھانے کے لیے بولی۔ تھوڑے دن ٹھہر جا۔

تیری رانی، ماں بننے والی ہے۔

تیری جاگیر کا وارث آ جائے۔

پھر اسے لے کر تیری سواری پہ نکلوں گی۔ تجھے سونے کے گہنے پہناؤں گی۔ رانی اس سے باتیں کرتے کرتے اس کی تھوتھنی پہ پیار کرتی جا رہی تھی۔

رانی کی باتیں سن کے چھوکری نے رانی کے ہاتھوں میں اپنا چہرہ کسمسایا، گردن اوپر کی، سر کو ادھر ادھر شرارت کرنے کے انداز میں ہلایا اور رانی کی آنکھوں میں ایسے دیکھا، جیسے دایہ گری کی ساری رمزوں سے وہ واقف ہو۔ جیسے کہہ رہی ہو۔

رانی جی! بچے تو میں نے بھی جنے ہیں۔

تم کیوں مجھ سے مخول کر رہی ہو۔

رانی نے چھوکری کی آنکھوں میں راز فاش ہوتے دیکھا تو اسے رخصتی کی تھپکی دی اور کارندے گھوڑی کو پکڑ کے رانی سے پرے لے گئے۔

دن گزرتے گئے۔

سردار کو ایک دن ڈاکٹر کو دکھانے، رانی جالندھر لے گئی۔ ڈاکٹر کہنے لگا۔ اس بیماری میں شدت مرض اور افاقے کے وقفے آتے ہیں۔ یہ وقفے کبھی کبھار مہینوں تک چلتے ہیں۔ سردیوں میں تکلیف کے بڑھنے کا زیادہ خطرہ ہوتا ہے۔ سردیاں آئیں تو محتاط رہیے گا۔

سردیاں آگئیں۔

اکتوبر کا مہینہ چڑھا تو سردار کی طبیعت بگڑنی شروع ہوگئی۔ بخار پہلے تیسرے دن چڑھتا تھا۔ اکتوبر ختم ہوتے ہوتے وہ مسلسل ہوگیا نومبر کے پہلے ہفتے میں سردار بستر سے چپک گیا۔ جسم تو کمزور تھا ہی، اوپر سے کھانسی نے آ دبوچا۔ گلہ پک گیا۔ جسم کی ذرا ذراسی پھنسی، خراش تک بگڑنے لگی۔ سردار کے جسم کی ساری مدافعت ختم ہوگئی۔ اس کی خوراک صرف پانی اور یخنی رہ گئی۔

رانی سارا وقت سردار کے پاس کمرے میں بند رہتی۔ نوکر چاکروں سے اس نے سردار کی آؤ بھگت کرانا چھوڑ دی۔ پاخانہ، پیشاب تک وہ خود ہی سردار کو کراتی۔ صرف ایک بوڑھے حکیم کو ان کے کمرے میں آنے کی اجازت تھی۔ نومبر کے دوسرے ہفتے کا پہلا دن تھا، کہ صبح کو حکیم نے رانی کو بتایا سردار کو نمونیہ ہوگیا۔ سانس کی تکلیف بڑھ گئی ہے۔ رانی نے جھٹ بائیں ہاتھ سے ایک سونے کی چوڑی اتار کے حکیم کے ہاتھ میں دی اور اپنے ہونٹوں پہ انگلی سیدھی رکھ کے بولی، آپ کو یہ بات پھر کہیں دہرانے کی ضرورت نہیں۔ دوائیں رکھ جائیں۔ اور جائیں۔

رانی یہ کہہ کے حکیم کی طرف مڑی اور مزید کچھ کہے بنا اس کی آنکھوں میں دیکھنے لگی۔ بوڑھے مسلمان حکیم نے سر جھکا کے، سر پہ ٹوپی درست کی اور اپنی سفید داڑھی میں بائیاں ہاتھ پھیرتا ہوا گردن جھکائے جھکائے سر کو خفیف سا ادب سے جھٹکا دیا۔ جیسے کہہ رہا ہو۔ حکم کی تعمیل ہوگی۔

دن گزر گیا۔

شام پڑ گئی۔

ہیڈ مان پور سے اپنی خالہ زاد بہن سندر کور کو رانی نے بلوالیا تھا۔

لالٹین کی دھیمی دھیمی روشنی کمرے میں پھیل گئی۔

دایہ کے بعد، رانی نے سندر کور کو اپنے راز میں شامل کیا ہوا تھا۔ دونوں مل کے گھنٹوں آنے والے وقت کے بارے میں دھیمی آواز میں باتیں کرتی رہتیں مگر اس

شام دونوں چپ تھیں۔

لالٹین کمرے میں سنگھار میز کے اوپر لگے آئینوں کے سامنے پڑی تھی۔ کمرے میں دو طرف پلنگ بچھے تھے۔ درمیان میں قالین پر دو موڑھے رکھے ہوئے تھے۔ ایک موڑھے پہ بوڑھی آیہ بیٹھی ہوئی تھی۔ گلابی اون کا گولہ اس کی گود میں تھا اور وہ نومولود بچے کے سائز کا ایک کھڑی بوندی کے ڈیزائن کا سویٹر بن رہی تھی۔ ہر دو چار سلائیوں کو گھمانے کے بعد وہ گردن گھما کے پہلے سردار کی طرف دیکھتی پھر رانی کے پلنگ کی طرف نگاہ کرتی۔ بولتی کچھ نہ۔

ایک پلنگ پہ رانی چانن کور اور سندر کور بیٹھی تھیں۔ دوسرے پلنگ پہ سردار گوبند سنگھ آنکھیں بند کیے، منہ کھولے ہوئے سیدھا لیٹا ہوا تھا۔ اس کا سانس عجیب طرح سے چل رہا تھا۔ چند سانس وہ دھیرے دھیرے خاموشی سے ناک کے اندر اندر لیتا اور پھر اچانک اس کے خرخرے میں خرخر کی آواز آتی اور سانس کی دھنکی تیز ہو جاتی۔ اس لمحے چانن کور لپک کے سردار کے پاس جاتی۔ سینے پہ پڑی رضائی کو درست کرتی۔ اس کا چہرہ پکڑ کے دونوں ہاتھوں سے اس کی گردن کو سہلاتی۔ اس کی سانس درست ہو جاتی تو پھر سرک کے خاموشی سے آکے سندر کور کے پاس پلنگ پہ سرہانے کی اونچی ٹیک کے ساتھ بے جان سی ہو کے بیٹھ جاتی۔ اور دیوار کو خالی خالی نظروں سے تکنے لگتی۔ اس کے برابر سندر کور خاموش بت بنی سر جھکائے بیٹھی بستر کی ڈبی دار چادر سے گہرے رنگ کی ڈبی میں ناخن سے لکیریں مارے جا رہے تھی۔ کمرے میں لالٹیں کی بتی کی مسلسل سرسر کے علاوہ وقفے وقفے سے سردار کی تیز تیز سانسوں کے چلنے کی آواز کے علاوہ کوئی آواز نہ تھی۔

خاموشی کے لمبے لمبے وقفوں میں کبھی کبھار آیہ کی سویٹر بننے کی ہیجانی سی کیفیت میں اون کی سلائیاں آپس میں چھن چھن کر کے ٹکراتی ہوئی سنائی دے جاتیں یا اون کے گولے سے اون ادھڑنے کی سرسراتی سی لکیر جیسی مدھم سی آواز آ جاتی۔ سردار کی مسہری کے پاس اس کے سینے کے قریب قالین پہ ایک لکڑی کی چوکی پہ مٹی کی لپی لپائی

انگیٹھی میں رکھے ہوئے کوئلے خاموشی سے جل جل کے سلیٹی راکھ کے غلافوں میں چھپے ہوئے سکڑ رہے تھے۔ کمرے کی سب کھڑکیاں اور دروازے بند تھے۔ اور ان پہ گہرے گہرے رنگوں کے موٹے بھاری اطلس کے کناروں والے کم خواب کے پردے تنے ہوئے تھے۔ پورے کمرے میں ڈریسنگ ٹیبل کے آئینوں کے آگے پڑی روشن لالٹین کے باعث کمرے کے در و دیوار پہ مستقل روشنی اور سائے کھبے ہوئے تھے۔ روشنی اور سایوں کی ان ٹھہری ہوئی حدود میں اس وقت اچانک بھونچال آ جاتا، جب چانن کور بوکھلا کے سردار کی سانسوں کی بگڑتی ہوئی آواز اور اس کے سینے پہ پڑی رضائی کے جھٹکوں کے باعث ہڑبڑا کے اٹھ کر لپکتی تو دیواروں اور کھڑکی کے پردوں پہ اس لمحے عجیب سے سائے ابھر آتے۔

آدھی رات گزر گئی۔

سردار کے سینے میں سانسوں کی رفتار زیادہ بگڑ گئی۔ رانی سردار کی مسہری کے پاس خالی موڑھا کھینچ کے بیٹھ گئی اور انگیٹھی کے بجھے بجھے کوئلوں کو کرید کرید کے راکھ میں چنگاریاں ہلا ہلا کے ان پہ روئی کے پھاہے گرم کر کر کے سردار کے سینے پہ رضائی کے نیچے رکھتی رہی۔ سردار کی سانسیں چھوٹی چھوٹی سی اور سطحی سے ہو گئیں۔ کچھ دیر تک یونہی ہوتا پھر ایکا ایکی میں اسے زور سے ایسے سانس آتا جیسے کسی کے ہاتھ سے وہ اپنی دبی ہوئی گردن چھڑا کے رکا ہوا سانس اندر کھینچ رہا ہو۔ اس لمحے اس کی رضائی سینے پہ اچھلنے لگتی۔ ورنہ اس کی ہلکی سانس سے رضائی کا قرمزی شنیل کا کنارا دھیرے دھیرے اس کی ٹھوڑی کے پاس ہلتا رہتا۔

چانن کور بیٹھی سردار کو تکے جا رہی تھی۔

آیا اون اور سلائیاں اسی موڑھے پہ چھوڑ کے سردار کی پرانتی بیٹھی اس کے پیروں کو سہلا رہی تھی۔ سندر کور وہیں اپنے بستر پہ دیوار سے ٹیک لگائے اونگھ رہی تھی۔

لالٹین کی بتی تیل کم ہونے کے باعث شر شر کرتی ہوئی ہچکولے کھا رہی تھی۔

کمرے میں روشنی اور سایوں کی حدیں آپس میں گتھم گتھا ہو رہی تھیں۔ چانن کور کی آنکھیں پتھر بنی سردار کی ٹھوڑی پہ پڑی رضائی کی قرمزی شنیل کی کنی کو تک رہی تھیں۔ اچانک اس کی آنکھوں پہ بجلی گری، رضائی رک گئی۔ اس نے لپک کے سردار کا چہرہ دیکھا۔ پیلا زرد، ہاتھ لگایا تو لکڑی کی طرح بے جان، ٹھنڈا۔ رانی چانن کور کے جسم میں سر سے پاؤں تک خون کی رگوں میں برف جم گئی۔ اس کا پورا جسم لرزنے لگا۔ گلے سے عجیب طرح کی سسکیاں نکلنے لگیں جیسے کسی روتی ہوئی عورت کا کوئی گلہ دبا رہا ہو۔ آیہ لالٹین کو کنڈے سے اٹھا کے اس کی بتی اونچی کرتے ہوئے اسے جھلاتی کانپتی ہوئی سردار کے سرہانے لے آئی اور پھڑکتی لالٹین کی لو میں سردار کا مردہ چہرہ دیکھ کے چیخ مار کے رو پڑی۔ چیخ کی آواز سن کے اور دیواروں پہ لرزتی ہوئی لالٹین کی ذبح ہوئے مرغے کی پھڑ پھڑاتے پروں جیسی روشنی کے بیچ دوسرے پلنگ پہ دیوار سے ٹیک لگائے بیٹھی اونگھتی ہوئی ہیڈ مان پور کی سندر کور یک لخت ہڑ بڑا کے کپکپاتی ہوئی اٹھ کے بیٹھ گئی اور ایک دم سے رونے لگی۔ اور اٹھ کے کبڑی سی کھڑی ہوگئی۔ چانن کور سردار کے مردہ ماتھے سے ہاتھ اٹھا کے ایک دم سیدھی کھڑی ہوگئی۔ اور بھاری درشت فیصلہ کن انداز میں سرگوشی میں بولی۔

کسی کی آواز نہ نکلے۔

کوئی نہ روئے۔

خبردار۔

چانن کور نے آیہ کے ہاتھ سے لالٹین لے کے موڑھے پہ رکھ دی۔ آیہ سہم کے قالین پہ گرتی ہوئی بیٹھ گئی۔ اپنی آواز دیتی سسکیوں کے باعث اس نے اپنا دوپٹہ منہ میں ڈھونس لیا۔ اس کی آنکھوں میں لالٹین کی ڈبڈباتی بتی اچھلنے لگی۔ سندر کور پہلے تو دونوں ہاتھوں سے اپنا منہ نوچے پتھر بنی کبڑی سی ہوئی کھڑی رہی پھر ایک دم سے چیختی ہوئی چانن کور سے لپٹ گئی۔ رانی چانن کور بجلی کی طرح اس کی گرفت سے نکلی تو سندر کور اپنا سر پیٹنے لگی۔ رانی چیتے کی طرح اس پہ لپکی اور پورے زور سے اس کی کلائیاں پکڑ

کے، دانت بھینچ کے بولی۔

خبردار۔

آواز نہیں نکالنی۔

سردار زندہ ہے۔

سنا تم نے سردار مرا نہیں۔ زندہ ہے۔

ایسے نہیں وہ مر سکتا لاوارث۔

کمرے میں ایک لمحے کے لیے ایسی خاموشی ہوگئی، جیسے ایک نہیں وہاں چار مردے پڑے ہوں۔ لالٹین کی ڈبڈباتی لو کم ہو کے ٹھہر گئی۔

رانی چانن کور نے آہستگی سے سندر کور کے سکتے میں آئے، بے جان سے ہوئے جسم کو ایک طرف ہٹایا اور اٹھ کے ہولے ہولے چلتی ہوئی سردار کی لاش کے پاس آئی۔ اس کے مردہ جسم سے رضائی اتاری اور ایک کونے میں گچھی مچھی ہوئی ایک چادر کو پھیلا کے سردار کی لاش ڈھانپ دی۔ پھر کھونٹی پہ لٹکتی سردار کی پگڑی اتاری اور اسے سردار کے سرہانے رکھ کے، سردار کے سر کے بکھرے ہوئے بالوں کو باندھ کے اوپر پگڑی چڑھا دی۔ پگڑی کے کپڑے کی ایک کنی سے سردار کی ٹھوڑی اٹھا کے یوں باندھ دی جیسے دانت کے درد سے لوگ اپنا چہرہ باندھ لیتے ہیں۔ پھر سردار کو دیوار کی طرف کروٹ دے کر لٹا دیا کہ پہلی نظر میں دیکھنے سے یہی معلوم ہو کے سویا ہوا ہے۔ بجھی بجھی سی انگیٹھی میں، پاس پڑی تپائی سے آدھا بھرا ہوا گلاس اٹھا کے چھینٹا مارا۔ ٹھس ٹھس کر کے چنگاریاں راکھ کے اندر اچھل کے روئیں اور پھر بجھ گئیں۔ پھر رانی اٹھی اور قالین پہ سردار کی پرانتی پہ ہاتھ رکھ کے اس پہ ماتھا ٹیک کے بیٹھ گئی۔ کتنی دیر وہ اسی طرح خاموشی سے بیٹھی رہی۔ اس کی آنکھوں کے ڈیلے باہر کو ابلے ہوئے مسلسل تھرک رہے تھے۔ لگتا تھا وہ کوئی عجیب سا فیصلہ کرنے والی ہے۔ دونوں دوسری عورتیں سہمی ہوئیں ترچھی نظروں سے اسے دیکھ رہی تھیں۔ پھر ایکا ایکی میں رانی چانن کور نے دونوں عورتوں کو ہاتھ کے اشارے سے اپنے قریب بلایا اور سرگوشی میں کچھ بات

کرنے کے لیے گردنیں آگے کر کے سراپا گوش ہوگئیں۔ رانی چانن کور خواب کی سی پُر اسرار آواز میں بے حد آہستہ آواز میں بولی۔

کل صبح میں بیٹے کو جنم دوں گی۔

سردار کے وارث کو۔

تڑکے صبح، سورج نکلنے سے پہلے اس جاگیر کا وارث پیدا ہوگا۔

کل حویلی میں جشن ہوگا۔

بیر ریاست میں مٹھائیاں بٹیں گی۔

پورے بارہ گاؤں میں خوشیاں منائی جائیں گی۔ ہمارے صحن میں کنجریاں ناچیں گی۔ ایسا دھوم دھڑ کا ہوگا، جو یہاں کسی نے پہلے نہ دیکھا ہوگا۔

سنا تم نے۔

دونوں عورتیں حیرت سے اسے ایسے تک رہی تھیں جیسے وہ اپنے ہوش کھو بیٹھی ہو، پاگل ہو چکی ہو۔

ان کی آنکھوں کے ڈیلے باہر نکل رہے تھے۔ پتلیاں ایسے پھیل گئی تھیں جیسے گھپ اندھیرے میں وہ راہ ڈھونڈ رہی ہوں۔

سنو۔ رانی نے سندر کور کا کندھا ہلایا۔

تم نے جشن کی ساری تیاریاں کرنی ہیں۔

میرے تینوں ویروں کو اطلاع پہنچانی ہے کہ وہ مامے بن گئے ہیں۔ کہنا میرا حکم ہے کہ اس گاؤں سے دس کوس پرے سے ڈھول بجھواتے ہوئے، لڈو بانٹتے وہ ادھر آئیں۔ اپنی اپنی گھوڑیوں پہ بندوقیں گلے میں ڈال کے، کوئی کسر نہ چھوڑیں خوشی منانے کی وہ۔ کہہ دینا میری طرف سے۔

اور تم سنو۔ ماسی۔

وہ آیہ کا ہاتھ پکڑ کے بولی۔

تم ابھی اٹھ جاؤ۔ کہیں سے بھی، کسی کا بھی۔

جیسے بھی ہو، مجھے ایک بچہ لا کے دو۔ نومولود بچہ۔

ابھی جاؤ۔ اٹھ جاؤ۔

ان بارہ گاؤں میں پیدا ہونے والا ہر بچہ تمہارے علم میں ہے۔ ابھی جاؤ۔ صبح کی سفیدی سے پہلے پہلے بچہ میری گود میں ہونا چاہیے۔ سنا تم نے۔

اور یاد رکھو۔ تم دونوں۔

سردار گوبند سنگھ سو رہا ہے۔

حکیم جی نے انہیں نیند کی دوا دی ہے۔

میں خود اسی کمرے میں رہوں گی۔ اکیلی۔

کوئی مجھ سے ملنے نہیں آئے گا۔

کل شام سے پہلے میں خود بچے کو لے کر حویلی کے بالکونی میں کھڑے ہو کے لوگوں کو بچے کا درشن دوں گی۔ شام تک پٹیالے کے کمیٹی دفتر میں بچے کی ولادت درج ہو جائے گی۔ بچے کا نام لکھوانا، دیوندر کمار سنگھ ولد سردار گوبند سنگھ۔ یہ سب ہو جائے تو پھر میں بتاؤں گی لوگوں کو کہ سردار مر گیا۔ پھر اس کی چتا جلے گی۔

اب اٹھو۔

جا ماسی، جلدی کر۔ رات آدھی سے بھی کم رہ گئی ہے۔ سندر کور ماسی کے لیے گاڑی کا بندوبست کرو۔ جاؤ۔ باہر کسی نے ادھر کمرے سے کوئی آواز سنی ہو تو کہنا۔ رانی کو دردِ زہ ہے۔ کراہ رہی ہے۔ ماسی دوا دارو کے لیے جا رہی ہے۔ جاؤ ماسی۔

دایہ سراسیمگی کے عالم میں کانپتی کھڑی رانی کو تک رہی تھی۔

کیا سوچ رہی ہو ماسی؟

انعام اتنا ملے گا کہ کبھی سوچا بھی نہ ہو گا۔ تمہاری آنے والی سات نسلیں سنور جائیں گی۔ سوچتی کھڑی رہی تو کچھ نہیں بچے گا۔ نہ حویلی، نہ جاگیر، نہ تم نہ میں۔ سب کچھ مٹ جائے گا۔ یاد رکھنا، سب ہی کو مٹنا پڑا تو سب سے پہلے تم مٹو گی، سمجھی۔

اب جاؤ۔ سوچنے کا وقت نہیں ہے۔ رانی نے اپنی کلائی سے ہاتھ کی پونی کے

اوپر سے گزار کے ایک جھٹکے سے دو سونے کے کڑے اتارے اور آیہ کے جسم پہ لپٹی بے ہنگم سی بڑی چادر کی جھولی میں پھینک کے اسے چلنے کا اشارہ کیا۔ آیہ نے جلدی سی کڑے دونوں ہاتھوں سے پکڑ کے چادر کے اندر چھپا لیے اور ادب سے سر جھکا دیا۔ پھر قالین کے کونے سے اپنی چپلی اٹھا کے ہاتھ میں لی اور احترام سے کبڑی کبڑی ہوئی چپکے سے چلتی چلتی کمرے سے نکل گئی۔

□

گردباد

اگلی صبح ہونے سے پہلے پہلے آیہ نے تین گاؤں چھوڑ کے، بیر ریاست کی ہی ایک چمارن، غریب عورت کا تیرھواں بچہ لا کے رانی کے حوالے کر دیا۔ بچہ بارہ دن کا تھا، مگر فاقے زدہ غریب گھرانے میں پیدا ہونے کے باعث اس وقت بھی کم دنوں کا نظر آتا تھا۔ کمزور سا، کالا، نیلے نیلے ہونٹوں والا بچہ، جو روتا بھی تو اس کی آواز نقاہت سے نہ نکلتی، خالی خولی منہ کھول کے، وہ بند آنکھوں سے اُوں اُوں کرنے کے انداز میں دودھ مانگتا۔ اس کی چمارن ماں کی چھچھڑوں کی طرح لٹکی چھاتیوں میں دودھ نہیں تھا۔ خرید کے دودھ پلانے کی اس میں سکت نہ تھی۔

وہ تو جب اس کی گود سے بچہ اٹھا کے، دایہ نے نو تولے سونے کا ایک کڑا رکھا تو وہ لیپ کے قریب پڑی میلی سی بدنما لالٹین کی زرد روشنی میں کڑے کو لیجا کے دیکھتی ہوئی خوشی سے کپکپانے لگی۔ اس لمحے اس عورت کو پہلی بار احساس ہوا کہ اس نے کسی خوش نصیب بچے کو جنم دیا تھا۔ وہ بچہ لے جاتی ہوئی دایہ کی طرف لپکی کہ ایک نظر اور اپنا بچہ دیکھ لے۔ مگر دایہ نے اپنی چادر میں بچہ چھپا کے، خبردار کرنے کے انداز میں ہونٹوں پہ انگلی رکھی اور آنکھوں آنکھوں میں چند لمحے پہلے کہی ساری کہانی اور اس سے وابستہ احتیاطیں کہہ دیں۔ چمارن کڑے کو دونوں ہاتھوں میں پکڑے پکڑے، ہاتھ کھینچ کے سینے پہ رکھتی ہوئی خاموشی سے پیچھے ہٹ گئی۔ اور اپنا بچہ، آخری بار دیکھنے کی خواہش

اپنے من سے نکال کے سر بے بسی سے جھکا لیا۔ اور سانس روکے رو کے رونے لگی۔ اس کی میلی میلی بیمار سی آنکھوں سے موٹے موٹے کچھ آنسو ٹپکے اور اس کے ہاتھ میں پکڑا ہوا سنہری کڑا ان سے گیلا ہو گیا۔

بیر ریاست میں جشن شروع ہو گیا۔ جشن ہی کے دنوں میں سردار گوبند سنگھ کی چتا پورے جاہ و حشم سے جلائی گئی۔ سوا مہینے تک سندر کور وہیں ٹھہری رہی۔ ہیڈ مان پور چلنے لگی تو رانی چانن کور نے اسے بھی سنہری کر دیا۔

سونے کی بالیاں، بندے، ہار اور مندریاں، سچے تلے کی کڑھائیوں والے ریشمی سوٹ سے سندر کور کی ٹرنکی بھر گئی۔ نیلے رنگ کی لمبی کار پہ لدی پھندی وہ ہیڈ مان پور ایسے پہنچی جیسے منڈا بیاہ کے آئی ہو۔ رانی کی گاڑی اس کے گھر ہیڈ مان پور پہ چھوڑنے آئی تو اس کی سیٹوں پہ مٹھائیوں اور پھلوں کے ٹوکرے پڑے تھے۔ ڈگی میں بھی ٹرنکیاں ٹھنسی تھیں۔ سندر کور نے اتنی مٹھائیاں خود تھوڑی کھانا تھیں۔ ہیڈ مان پور پہ گنتی کے تو چند گھر تھے۔ نہر کنارے ایک سرے پہ سندر کور کا بنگلہ تھا اور دوسرے سرے پہ ابوالفضل کا کوارٹر تھا۔

ابوالفضل کے گھر بھی مٹھائی پہنچ گئی۔

اتفاق کی بات ہے۔ اُسی دن ابوالفضل بھی اپنی بستی میں لڈو بانٹنے کے لیے، مٹھائی کا ایک ٹوکرہ خرید کے لایا تھا۔ جب سندر کور کا ایک ملازم اپنی ملگجی کھدر کی دھوتی کو چلتے ہوئے سنبھالے بغیر، دونوں ہاتھوں سے بائیں کندھے پہ رکھے لڈوؤں کے تھال کو پکڑے، سنبھل سنبھل کے چلتا ہوا ابوالفضل کے دروازے پہ پہنچا تو اندر صحن میں بچھی چارپائی پہ بستر کی ڈبیوں والی چادر کے اوپر ابوالفضل کے سر پہ باندھنے والے گلابی کنی کے سفید موتیے رنگ والے سلکی چارکونے رومال کے نیچے لڈوؤں کے چار تھال پڑے تھے۔ سندر کور کے ملازم نے دروازے کی دہلیز پہ اپنا بائیاں گھٹنا کھڑا کر کے، کندھے سے اتار کے تھال رکھا اور اس پہ پھیلائے کروشیے سے بنے سفید موتیے کے پھولوں والا رومال سرکا کے، ساتھ ساتھ اڑتی آتیں مکھیاں اڑا کے، چار

لڈوؤں کی ایک ڈھیری اٹھا کے ابوالفضل کو دی تو ابوالفضل نے اسے ہاتھ کے اشارے سے روکا۔ جیسے کہہ رہا ہو، تھوڑی دیر تھال اٹھا کے کندھے پہ نہ رکھنا۔ پھر لپک کے اس سے لیے لڈو ایک طرف رکھے اور اپنے کنی والے رومال کے نیچے سے پانچ لڈو نکال کے اس کے تھال پہ رکھ دیے۔

بولا، اوورسیئر صاحب کو کہنا، رب نے ہمیں بیٹا دیا ہے۔ نوکر باچھیں پھیلا کے مبارک دینے کے انداز میں دونوں گھٹنے جوڑ کے چوتر زمین پہ رکھ کے بیٹھ گیا۔ ابوالفضل اس کے چہرے کی بولی پڑھ کے بولا۔ پتر، تیرا حصہ الگ ہے، پھر جا کے چار لڈو اور اٹھا کے لایا اور اسے تھال پہ رکھنے لگا تو نوکر نے تھال ایک طرف سرکا کے، ابوالفضل کو رکنے کا اشارہ کیا اور پھر بیٹھے بیٹھے اپنی عنابی پیلی لکیروں والی کھڈی کی بنی میلی تہمند کی ایک ڈب کھولی اور چاروں لڈو اس میں رکھ لیے۔ ڈب پیٹ پہ باندھتا باندھتا پھر وہ رکا اور ایک لڈو اٹھا کے وہیں بیٹھا بیٹھا کھانے لگا۔ منہ میں آدھا لڈو ڈالے ڈالے بولا، میاں جی، بڑے اعلیٰ لڈو بنوائے ہیں۔ لدھیانے شہر کے ہیں؟

ہاں، تو انہیں نہ کھول اور لے کھانے کو، ابوالفضل نے چارپائی پہ پڑے رومال کا کونا اٹھا کے دو لڈو اور اسے دے دیے۔ ایک ان میں سے بھی اس نے کھا لیا، دوسرا پھر ڈب کھول کے باندھ کے کمر کے ساتھ بنیان نما ڈھیلے سے سویٹر کے نیچے لٹکنے دیا۔ اٹھنے لگا تو ابوالفضل نے اس سے پوچھا۔

جوان، یہ تو بتایا نہیں تیرے صاحب کو کونسی خوشی رب نے دی ہے؟

صاحب نہیں جی، آپا جی یہ مٹھائیاں لائی ہیں بیر سے۔

اپنی بہن کی حویلی سے؟ ابوالفضل نے پوچھا۔

ہاں جی، ادھر سے۔ ادھر حویلی میں بھی بیٹا پیدا ہوا ہے۔

اچھا۔ واہ، تو میری طرف سے ودھائی دینا۔ ابوالفضل بولا۔

پر جی، نوکر کچھ سوچتے سوچتے کہتے ہوئے رکا، پھر بولا، حویلی میں ادھر، ان کی بہن کے میاں، جاگیردار صاحب فوت ہو گئے ہیں۔

اچھا! پھر رہنے دینا، مبارک نہ دینا۔ کب کی بات ہے' ابوالفضل پوچھنے لگا۔

دنوں کا تو جی پتہ نہیں۔ آپا جی ڈیڑھ مہینے بعد آئی ہیں ادھر سے۔ اپنے صاحب گئے تھے جاگیردار کے مرنے پہ۔ کوئی مہینہ سوا مہینہ پہلے کی بات ہے خورے۔

اچھا، میں بات کروں گا، خود ہی اوورسیئر صاحب سے۔ تو یہ لڈو بھی رہنے دے۔ ابوالفضل نے لپک کے اس کی شیرینی کا رومال ہٹا کے اپنے چاروں لڈو اٹھا لیے، اور بولا، میں خود پہنچا دوں گا۔ اچھا نہیں لگتا۔ میت والے گھر میں لڈو یوں بھجواتے۔ نوکر نے تھالی کا رومال درست کیا اور اسی ہاتھ سے اپنی تہمند کے پلو میں باندھے ہوئے اپنے لڈوؤں پہ اس طرح ہاتھ رکھا، جیسے ڈر رہا ہو، یہ تو واپس نہیں ہو رہے۔ ابوالفضل نے ہاتھ ہلا کے کہا، تو اپنے لڈو رکھ۔ وہ تیرا حصہ ہیں۔ دعا کرنا بچے کے لیے۔ نوکر بچے کو دعائیں دیتا ہوا اٹھ کے چلا گیا۔

ابوالفضل کے ملنے جلنے والے لوگ آنے جانے لگے۔ ابوالفضل اپنے اس چوتھے بیٹے کی ولادت پہ بے حد خوش تھا۔ اسے محسوس ہو رہا تھا جیسے وہ کسی بے حد اہم بچے کا باپ بن گیا ہو۔ اسے اس بچے کی پیدائش سے پہلے بڑے عجیب اور اہم خواب آئے تھے۔ کچھ اسی قسم کے خواب اسے اپنے سب سے بڑے بیٹے فضل کی پیدائش سے پہلے بھی نظر آئے تھے۔ اسے محسوس ہو رہا تھا جیسے اس کا ایک اہم بیٹا نہیں، اب دو روشن نصیب والے بیٹے ہیں۔ ایک خواب میں ابوالفضل نے دیکھا کہ کھلا آسمان وہ تک رہا ہے۔ آسمان ستاروں سے بھرا ہے۔ تارے چمک رہے ہیں۔ اچانک دیکھتے دیکھتے ایک تارا ایک دم سے چمک میں بڑھ جاتا ہے۔ بے حد روشن ہو کے چاند جیسا دکھنے لگتا ہے۔ پھر وہیں آسمان پہ لاٹو کی طرح گھومتا ہے اور گھومتے گھومتے اس کی طرف سرکتا ہے۔ ابوالفضل اسے پکڑنے کو لپکتا ہے تو وہ ہاتھ سے کانچ کی تھالی کی طرح پھسل جاتا ہے اور اس کی آنکھ کھل جاتی ہے۔

ایک دن اس کی بیوی بھاگو نے بھی اسے اپنا خواب سنا دیا۔ بولی میں دیکھتی ہوں، ایک دریا کنارے باغ ہے۔ ہرا بھرا خوشنما پھولوں کے تختوں سے لدا ہوا۔ وہیں

ایک سنگ مرمر کی بنی بارہ دری ہے۔ میں اس میں مہارانی کی طرح بیٹھی ہوں۔ نوکر مور پنکھ جھل رہے ہیں۔ پرندے خوش الحانی سے گیت گا رہے ہیں۔ اتنے میں باغ کا مالی، جس کے چہرے پہ درویشوں جیسی روشنی ہے، مجھے ایک بڑا سا کاسنی گلاب کا پھول لا کے دیتا ہے۔ دو ہاتھ چوڑا پھول ہے۔ اسی طرح کا جیسا فضل کی ولادت سے پہلے خواب میں ملا تھا۔ میں پھول لینے کے لیے ہاتھ آگے نہیں کرتی، جھولی کھول کے پھیلا دیتی ہوں۔ وہ درویش پھول جھولی میں ڈالتا ہے تو مجھے پھول کا بھاری پن محسوس ہوتا ہے۔ جھولی کی کنی ہاتھ سے سرک جاتی ہے۔ میں پھول پکڑنے کو لپکتی ہوں تو آنکھ کھل جاتی ہے۔

پھول زمین پہ تو نہیں لگا تھا؟ ابوالفضل نے خواب سن کے بیوی سے پوچھا تھا۔

پتہ نہیں۔ زمین سے تو اوپر ہی تھا۔ پر ہاتھ سے نکل گیا تھا۔ میں پکڑنے والی تھی کہ ساتھ چارپائی پہ سوئے بدر نے دیوار کے ساتھ کھڑی مچھر دانی کی سوٹی پہ ٹانگ مار دی۔ وہ ہلی تو دیوار پہ چھتی پر رکھی ہوئی پیتل کی پرات چھن کر کے گر پڑی، اسی سے میری آنکھ کھل گئی۔

پھول ٹوٹا تو نہیں تھا۔ اس کی پتیاں تو نہیں گری تھیں؟ ابوالفضل مسلسل سوچے جا رہا تھا۔

نہ جی، ایک پتی بھی اس کی نہیں سرکی تھی۔

اتنا بڑا پھول تھا وہ دونوں ہاتھ کھول کے پھول کا گھیر بتاتی ہے۔ میری جھولی میں آیا تھا۔ ایک ایک پتی اس کی نظر کے سامنے تھی۔ ہو بہو وہی پھول تھا، کاسنی رنگ کا، جیسا فضل کے پیدا ہونے سے پہلے ملا تھا۔ وہ تو میں نے پکڑ لیا تھا ویسا ہی سوہنا اور بڑا پھول تھا۔ اس کا کیا مطلب ہے فضل دین کے میاں جی؟

اچھا خواب ہے۔ لگتا ہے اللہ پھر کسی خوش بخت بچے سے نوازے گا۔ اللہ کرے وہ نصیبوں والا ہو، ہمارے گھر کھیلے پلے۔

لے اور کدھر کھیلے گا وہ؟ بھاگو پوچھنے لگی۔

تجھے بات سمجھ نہیں آتی۔ کملی ہے تو۔ بس اللہ کو یاد کیا کر۔ کہ وہ انعام دے پر امتحان نہ لے۔ ہم تو کمزور لوگ ہیں۔ اس کی دی نعمتیں ہیں ساری۔ اولاد سے بڑی کیا نعمت ہے۔ اسی کی ہیں ساری نعمتیں۔ اسی نے دی ہیں۔ وہی دیتا ہے۔ اس خواب کے چوتھے دن، بیٹا پیدا ہو گیا۔ بیٹا بھی چوتھا تھا۔ ساتویں دن ابوالفضل نے اس کا نام رکھ دیا۔ صدر دین۔

بھاگو نے پوچھا۔

فضل دین کے میاں جی، صدر دین کے کیا معنی ہیں؟

ابوالفضل کہنے لگا، صدر سینے کو کہتے ہیں۔ بس میری دعا ہے، تمنا ہے۔ اس کے سینے میں دین کی خوشبو رہے۔

صدر صحت مند بچہ تھا۔ دو سال کو ہو گیا تو اپنی توتلی زبان میں مزے مزے کی باتیں کرتا گھر بھر میں کھیلتا پھرتا۔ ابوالفضل حقہ تازہ کرتا اسے دھو کے، نیچے میں پانی بھر کے، چلم میں آگ رکھنے آتا تو صدر تمباکو سے بھرا چینی کا مرتبان اٹھا کے لے آتا۔ توتلی زبان میں تمباکو کو ماکو کہتا۔

ماکولو، میاں جی۔

میاں جی، چارپائی پہ لیٹے کبھی پانی مانگتے۔ تو بھاگا بھاگا جاتا۔ گلاس اٹھا کے مٹکے کی چپنی اٹھا کے، اس میں سے بھر کے ٹپکاتا ہوا، بھاگتا آتا۔ مانی، میاں جی۔

کھانا کھانے سارے بچے بیٹھتے تو وہ اپنی پیالی اٹھا کے ماں کا پلو پکڑ کے بیٹھ جاتا۔ آلو دے ماں، آلو۔ وہ ہر سالن کو آلو کہتا۔ شاید اس لیے کہ ان کے گھر میں آلو زیادہ پکتے تھے۔ اسے آلو پسند بھی بہت تھے۔ ابوالفضل کی بیوی روز اس کے لیے آلو ابال لیتی۔ پھر اس کی پیتل کی قلعی کی ہوئی کٹوری میں ابلے ہوئے گرم آلو توڑ توڑ کے ٹھنڈے کرتی۔ بھاپ نکلتی تو صدر اس میں پھونکیں مارتا۔ بھاپ کو کہتا۔ چل گرمی، نکل جا۔ آلو کھانا ہے۔ گرمی جا، آلو آ۔ آلو کھانا ہے۔ مزے مزے کی باتیں کرتا وہ سارے صحن میں بھاگا بھاگا پھرتا۔ بڑے بچے اس سے لاڈ پیار میں جتے رہتے۔ فضل اسے

کندھوں پہ بٹھا کے درختوں سے توڑ توڑ کے پھل کھلانے باہر نکل جاتا۔ فضل سے چھوٹا بدر اس کے لیے جھولی میں بھر کے بیر لے آتا۔ اسے بیر کھانے کا بھی شوق تھا۔ جب بھی وہ بیر کھانے لگتا۔ اس کی ماں بھا گو بھاگتی آتی۔ دیکھو۔ کہیں گٹک نہ کھا لے۔ گلے میں پھنس جاتی ہے۔ نہ دے بیر اسے۔ بدر دین چوری چوری اسے بیر کھلاتا۔ فضل آنکھ بچا کے اسے اٹھا کے باہر لے جاتا۔ تیسرا بیٹا نذر، صدر سے دو سال بڑا تھا۔ وہ مقابلوں میں رہتا۔ جو صدر کھانے کو مانگتا وہی وہ مانگ لیتا۔ صدر کہتا میں میاں جی کو پانی دوں گا۔ نذر لپک کے ہاتھ مار کے اس کے ہاتھ میں پکڑا پانی کا گلاس گرا دیتا۔ صدر منہ کھول کے زور زور سے رونے لگتا۔ بڑے بھائی آ کے نذر کو ڈانٹتے۔ وہ صدر کو اور دق کرنے لگتا۔ ایک دن کھانا پکا کے، بھاگو نے چولہے کے انگاروں اور راکھ میں آلو بھننے کے لیے رکھ دیے۔ صدر چولہے سے جڑ کے بیٹھ گیا۔ ہاتھ میں چمٹا لے کر وہ بیٹھا چولہے کی راکھ میں چنگاریاں ہلاتا جاتا۔ اور آلو دیکھ دیکھ کے خوش ہوتا جاتا۔ ساتھ منہ سے پراشتیاق آوازیں نکالتا۔ آلو گلم۔ آلو کھاؤں گا۔ نذر بھی گھس کے اس کے ساتھ چولہے کے پاس بیٹھ گیا۔ سردیوں کے دن تھے، آگ کے پاس بیٹھنا راحت بخش تھا۔ نذر نے صدر کو چولہے کے اندر چمٹے سے راکھ اور چنگاریوں سے کھیلتے دیکھا تو اس کے ہاتھ سے چمٹا چھین لیا۔ صدر گلہ پھاڑ کے رونے لگا۔ دور پرے کمرے سے ان کی ماں کی آواز آئی۔ نذر نہ رلا، بھائی کو۔

نذر نے بگڑ کے چمٹا راکھ میں زور سے پھینکا۔ گرم راکھ اور اس میں دبی چنگاریاں اڑ کے صدر کے داہنے ہاتھ اور کلائی پہ پڑیں۔ وہ بلک بلک کے رونے لگا۔ بھاگو بھاگتی آئی اور نذر کی پٹائی کرنے لگی۔ ایک چنگاری صدر کے داہنے ہاتھ کی پشت پہ کھال سے چپک گئی۔ اتارتے اتارتے چنے کے دانے جتنا زخم چھوڑ گئی۔

بھاگو ہمیشہ صدر کو اپنی نظروں کے سامنے رکھتی تھی۔ جب کہیں وہ اسے چھوڑ کے جاتی نذر اسے رلا دیتا۔ کبھی اس کے ہاتھ سے کچھ چھین لیتا۔ کبھی اسے دھکا دے کر گرا دیتا۔ کبھی کچھ چبھو دیتا۔ کبھی انگلی مروڑ دیتا۔ جتنا اسے صدر کو تنگ کرنے کی وجہ سے

دانٹ ڈپٹ ہوتی اتنا ہی صدر سے پرخاش برتنے لگا۔ ایک دن بھاگو چولہے پہ توا رکھے روٹی پکا رہی تھی۔ صدر پاس بیٹھا گندھے آٹے کے ایک ٹکڑے کو موڑ توڑ کے اپنی سمجھ بوجھ سے مختلف انواع کی چیزیں بنا رہا تھا۔ کبھی وہ اسے چپٹا سا کر کے آگے مڑی ہوئی چونچ بنا کے کہتا، اماں توتا۔ دیکھ اماں توتا۔ بھاگو گردن گھما کے تکتی، بھئی واہ۔ طوطا بنالیا۔

صدر بولا۔ ابھی اڑے گا۔ اڑا، وہ خوش ہو کے آٹے کا طوطا دائیں ہاتھ میں لے کر بائیں بازو کو پیچھے پر کی طرح پھیلا کے صحن میں اڑتا پھرنے لگتا۔ پھر پلٹ کے وہ آٹے کی ڈلی کو درمیان سے موٹا کر کے دکھانے آ جاتا، کہتا، ماں دیکھ مگی۔ وہ مرغی کو مگی کہتا تھا۔ ماں کہتی اتنی اچھی مرغی بنا دی۔ میرے بچے نے۔ اس کے بچے کدھر ہیں، چوزے مرغی کے۔

بناؤں ماں۔

بنا۔

آٹا دے۔ اول (اور)

لے۔ وہ تھوڑا اور آٹا کنالی سے چٹکی بھر دے دیتی۔ وہ چھوٹے چھوٹے چوزے بنا کے زمین پہ چولہے کی آڑ میں رکھتا جاتا۔ ساتھ ہی اس نے مرغی بنا کے رکھ دی۔ نذر پاس بیٹھا اس کی بنی ہوئی مرغی کو کبھی دبا دیتا۔ کبھی چوزوں کی بوند بوند آٹے کی چٹکیوں کو پکڑ کے آپس میں جوڑ دیتا۔ صدر اؤں اؤں کر کے روتا۔ بھاگو، ہر بار چولہے سے چمٹا نکال کے نذر کو ڈرانے کے لیے گھماتی۔ ہٹ جا۔ نہ تنگ کر بھائی کو، ماروں گی گرم چمٹے سے۔

نذر تھوڑی دیر کے لیے صدر کو تنگ کرنا چھوڑ دیتا۔ پھر سرکتا سرکتا قریب آتا۔ اور پاؤں مار کے اس کی بنائی مرغی کو کچل دیتا۔ ایک دفعہ روٹی پکاتی پکاتی، بھاگو چولہے کے پاس سے اٹھ کے اندر برآمدے کی سیخوں والی کھڑکی کے پاس کمرے میں رکھی لسی کی چاٹی کی چپنی پہ رومال میں لپیٹ کے رکھے ہوئے مکھن کے پیڑے لینے گئی تو نذر نے

چولہے میں رکھی لکڑیوں کی دہکتی آگ میں رکھے چمٹے کو پیچھے سے پکڑ کے شعلوں کے اوپر رکھ کے تاپنا شروع کر دیا۔ چمٹا انگاروں کی طرح لال لال ہونے لگا تو وہ محویت سے اسے دیکھتے ہوئے بیٹھا بیٹھا مرغی کی طرح قدم قدم چل کے چولہے کے اور قریب سرک آیا۔ اس کے پیر ہلانے کے دوران کہیں صدر کی آٹے کی مرغی اس کے داہنے پیر کے پنجے کے نیچے آ گئی۔

اماں، میری مگی۔ صدر نے چیخ ماری۔ نذر نے ایکا ایکی میں سر اٹھا کے خوف سے برآمدے کی طرف سے لپکی آتی ماں کو دیکھا اور پھر دانت بھینچ کے ہاتھ میں پکڑا ہوا انگارہ بنا سرخ دہکتا لوہے کا چمٹا چولہے سے نکالا اور صدر کی بائیں پسلی میں دل سے ذرا نیچے کی جگہ پہ گھسیڑ دیا۔ صدر تلملا کے رویا اور درد کے صدمے سے بے ہوش ہو گیا۔ ماں بھاگی آئی۔ دیکھا تو قمیض جل گئی۔ نیچے کھال ادھڑ گئی۔ تین انچ لمبا اور آدھا انچ گہرا زخم ہو گیا۔ کئی مہینے صدر کا علاج ہوتا رہا۔ نذر کی کئی بار پٹائی ہوئی۔ سب اسے حرصی اور حریص کہہ کے رد کر دیتے۔ نہ بڑے دونوں بھائی اسے منہ لگاتے۔ نہ اس کے والدین اسے چھوٹے بھائی سے کھیلنے دیتے۔ صدر سے والدین کا پیار اور بڑھ گیا۔ نذر کی مخاصمت اندر ہی اندر پلتی رہی۔ چھوٹے بچے زیادہ تر گھر کے اندر ہی بند رہتے تھے۔ گھر کے اندر کا صحن بہتیرا کھلا تھا۔ چھوٹے بچے اسی صحن میں بھاگتے بھاگتے گھنٹہ بھر میں تھک کے بیٹھ جاتے۔

صدر کو گھر میں بند رکھنے کی ایک وجہ اور بھی تھی۔ کسی طرح ابوالفضل کو یہ وہم ہو گیا تھا کہ یہ بچہ بہت قیمتی ہے۔ اس کا خیال رکھنا ہے۔ اسے کچھ نقصان نہ پہنچ جائے۔ باہر اونچی نیچی جگہیں ہیں۔ کہیں گر کے چوٹ نہ لگا لے۔ نہر کا کنارا ہے، ساری بستی ہی نہروں کے درمیان بنی ہے۔ دونوں طرف نہریں ہیں۔ گہری اتنی کہ اونٹ بھی گر جائے تو اس کی گردن نہ دکھے۔ باہر کہیں صدر نکلتا تو ابوالفضل خود اس کی انگلی پکڑ کے ساتھ لے کے چلتا پھرتا۔

ایک دن ابوالفضل نہر کنارے سردیوں کی دھوپ میں بیٹھا چارپائی پہ حقہ پی رہا

تھا۔ پاس ہی دوسری بچھی چارپائی پہ بیٹھا صدر ایک ٹوٹی ہوئی ترشی کلک کی قلم کے اندر مٹی کے چھوٹے چھوٹے لوبیے کے دانوں جیسی کنکریاں رکھ کے، انہیں اپنی دانست میں بندوقیں بنا کے چلا رہا تھا۔ اس کے کنکریاں رکھ کے قلم کو اٹھا کے پھونک مارنے کے عمل سے پتہ نہ چلتا کہ یہ بندوق بنائے بیٹھا ہے۔ وہ تو جب پھونک سے کنکری دور گرتی اور اس کے ہوا سے پھولے ہوئے گالوں سے گول سی ہوتی ہوئی دھما کے جیسی ''ڈم'' کی آواز آتی تو شک پڑتا یہ بندوق چلا رہا تھا۔

بندوق چلتی اس نے دیکھی تھی۔ ابوالفضل کے پاس بارہ بور کی بندوق تھی۔ ایک نالی۔ کبھی کبھی وہ ادھر شکار کرتے ہوئے پرندے گراتا تو صدر بڑے شوق سے تکتا رہتا۔ اکثر وہ اپنے باپ سے تقاضا بھی کرتا۔ میاں جی! ڈوم چلاؤ۔ ڈم۔ وہ بندوق کو ڈوم کہتا تھا۔ اس سے عمر میں کچھ بڑے بچے بھی اس کی اپنی بنائی بولی سن کے خوش ہوا کرتے تھے۔ اکثر جدھر وہ کھیل رہا ہوتا بستی کے کئی بچے آس پاس کھیلتے کودتے رہتے۔ اس دن بھی اور کئی بچے قریب ہی کھیل رہے تھے۔ کچھ بیلداروں کے بچے تھے۔ کچھ ابوالفضل کے۔ اتنے میں نہر کنارے پٹری پہ لکڑی کی کھڑاویں پہنے، ہر قدم پہ انہیں کھڑ کھڑ بجاتا چلتا ایک سنیاسی حلیے کا گنجا بودی والا جھریوں بھرے چہرے کا بوڑھا برہمن آ گیا۔ اس کے لمبے لمبے کانوں کی ڈھکی ہوئی لوؤں میں بڑے بڑے سوراخ تھے۔ ناک موٹا، ٹھوڑی باہر کو نکلی ہوئی اور آنکھیں بڑی بڑی اور اتنی روشن تھیں جیسے اندر بتی جل رہی ہو۔ گلے میں بائیں کندھے سے نکال کے دائیں پسلی پہ لٹکتی دوہری گرہوں والی سوتلی کی جینو پہنی ہوئی تھی۔ اس کی موٹے موٹے بٹنوں والی گرم براؤن بُر والی جیکٹ کے آدھے بٹن ٹوٹے ہوئے تھے۔ ٹوٹے ہوئے بٹنوں کی جگہ بکسوئے لگے تھے۔ جیکٹ کی سینے پہ دو اور دو پیٹ پہ جیبیں تھیں۔ جیبیں چیزیں ٹھونسی ہونے کے باعث ابھری بھری ہوئی نظر آ رہی تھیں۔ نیچے اس نے براہمنوں کے مخصوص انداز میں تہمند باندھی ہوئی تھی جس کے کھلے کنارے سلے ہوئے تھے اور اگلے سرے نیچے سے گھما کے پیچھے کولھوں کے اوپر بندھے تھے۔ ہاتھ میں اس کے سوٹی

تھی اور سوٹی کے کنارے ایک گٹھڑی بندھی تھی۔ گٹھڑی سے نکلی ہوئی چادر کی ایک کنی سے بجھی ہوئی میلے شیشوں والی لالٹین بندھی تھی۔ عمر میں وہ ستر سے اوپر کا دکھتا تھا۔ چہرے پہ داڑھی مونچھ منڈھی تھی۔ مگر چہرے کی جھریاں مسلسل ایک ہی بہاؤ میں رہ رہ کے اس کے چہرے پہ خرد اور دانش کی مہر لگائے نظر آتی تھیں۔ وہ چلتا بچھی ہوئی چارپائیوں کے پاس آیا۔ تو رام رام، سلام، ست سری کال کہتا ہوا گھڑی دو گھڑی آرام کرنے کے لیے رک گیا۔

ابوالفضل کے پاس دو تین بیلدار بھی بیٹھے تھے۔ ان میں ایک ہندو تھا، ایک سکھ تھا، ایک مسلمان۔ ہندو بیلدار، براہمن مسافر کو دیکھ کے پانی کا گلاس بھر کے لے آیا۔ سکھ نے بیٹھنے کو جگہ چھوڑ دی۔ مسلمان اس کے لیے پھل توڑنے نکل گیا۔ براہمن کچھ دیر سفر کی تکان اور نہر کنارے کی پر فضا ہوا کا ذکر کرتا رہا۔ پھر وہ پاس کھیلتے بیٹھے بچوں کو تکنے لگا۔ اچانک وہ صدر کی طرف انگلی کر کے بولا۔

یہ بچہ کس کا ہے؟ وہ دیکھتا اسے جائے اور سوچتا جائے۔

میرا ہے جی۔

ابوالفضل نے حقے کی نیے سے ہونٹ ہٹا کے دھواں چھوڑتے ہوئے کہا۔

براہمن ہڑ بڑا کے ابوالفضل کی طرف پلٹا۔

سر سے پاؤں تک ابوالفضل کو دو چار بار براہمن نے دیکھا۔ اور پھر بڑے کرب سے کہنے لگا۔ کیوں مذاق کرتے ہو شریمان، میں چکرونڈ، گرواں، مسافر ضرور ہوں، پرنتو بنجارہ نہیں ہوں، جوتشی ہوں۔ نجوم، رمل اور ہیت کے علوم کی گرسنگی رکھتا ہوں۔ کیوں مذاق کرتے ہو۔ کہاں تم اٹھوانی کٹھوانی سر پہ اٹھانے والے بے مایہ، نیست کار غریب، قلیل البضاعت مجھ جیسے آدھین بندے، کہاں یہ راج بھوگ راجیہ کا راج تلک، راجکمار، کیوں سوانگ رچاتے ہو، بولو یہ کس کا بیٹا ہے؟ ادھر کیسے آ گیا؟

ابوالفضل براہمن کی باتیں سن کے غصے سے پیچ و تاب کھانے لگا۔ چہرہ لال سرخ ہو گیا۔ حلق خشک ہو گیا۔ آنکھوں سے شرارے نکلنے لگے۔ مٹھیاں بند کرتے

کھولتے، ابوالفضل طیش میں آ کر تیز تیز بولنے لگا۔

سوانگی مکرے خود ہو۔ بیراگی ویراگی بنے پھرتے ہو۔ بات کرنے کی تمیز نہیں۔ سادھو سنیاسی روپ میں نہ ہوتے، ادھیڑ سن نہ ہوتے تو ابھی تمہاری طبیعت درست کر دیتا۔ عجیب بابے ہو۔ میں کہتا ہوں میرا بیٹا ہے۔ مانتے نہیں۔ شرانگیزی کرنے کی بھلا ضرورت کیا ہے۔ بولا نا۔ میرا بیٹا ہے، صدر نام ہے اس کا۔ چوتھا بیٹا ہے۔ تین بڑے ہیں بیٹے میرے اس سے۔ وہ دیکھو۔ ادھر پیپل کے نیچے تھڑے کے پاس، وہ ایک جو کیکر کے ڈنڈے سے کھتی کھود رہا ہے وہ بدر ہے۔ نیلی دھاری دار لونگی والا، جس کی کالی جرسی بغل سے پھٹی ہوئی ہے۔ دیکھا ابھی اس نے بازو اوپر ہلا کے پیپل پہ بیٹھے کبوتر اڑائے تھے۔ وہ جو ادھر شہتوت کی سوٹی لے کر مرغیوں کے پیچھے بھاگے جا رہا ہے۔ لمبے کالے سویٹر والا نیچے نیل دیے سفید کچھا پہنے، ننگے پیر، وہ نذر ہے۔ صدر سے بڑا ہے۔ بدر سے چھوٹا۔ تینوں یہ میرے بیٹے ہیں، چوتھا ان سب سے بڑا ہے، فضل۔ وہ ادھر نہیں ہے اس وقت۔ نہ اس طرح وہ بچوں میں کھیلتا ہے۔ ادھر ہوتا تو کہیں چارپائی پہ کوئی کتاب یا قلم دوات لے کر بیٹھا ہوتا۔ یا ادھر نہر کنارے کنڈی لگا کے مچھلی پکڑ رہا ہوتا۔ ابھی بھی وہ مچھلی پکڑنے ہی گیا ہوگا، کیوں بھئی دتے۔ ابوالفضل نے بیلدار سے پوچھا، جو ایک بڑی سی تانبے کی بغیر قلعی ہوئی تھالی میں براہمن کے لیے پانچ مالٹے رکھ کے لایا، کھڑا ابوالفضل کی باتیں سنتا ہوا، غصے سے براہمن کو گھور رہا تھا۔ پوچھ دُتّے سے۔ عبداللہ نام ہے اس کا۔ میرا بیلدار ہے۔ پوچھے جا رہا ہے' کس کا بیٹا ہے؟ میں کہتا ہوں' میرا ہے' مانتا ہی نہیں۔

بوڑھے براہمن نے ابوالفضل کی ساری باتیں غور سے سنیں۔ ابوالفضل جب بول کے چپ ہو گیا تو تھوڑی دیر تک خاموشی رہی۔ جب براہمن نے دیکھا کہ ابوالفضل نے ابھی کوئی اور بات نہیں کرنی اور حقہ پینا شروع کر دیا ہے تو وہ ہاتھ جوڑ کے بولا، شما کرو مہاراج۔

دل میں کرودھ نہ لاؤ۔

ابوالفضل نے نگاہ اٹھا کے تیکھی نظر سے براہمن کو دیکھا۔ براہمن کے چہرے پہ فیصتی پیدا کرنے کا کوئی تاثر نہ تھا۔ بوڑھے براہمن نے ایکبارگی سر گھما کے چاروں طرف دیکھا پھر کہنے لگا۔ شیریمان بالک۔ دیکھ میں تیرے پتا سمان ہوں۔ مرتاض بن باسی ہوں۔ٹھڑی ہڑی نہیں کرتا۔ اشور کے بھید نہیں جانتا۔ یہ تیرا ہی بیٹا ہے۔ پرنتو میرا جوتش کہتا ہے کہ یہ تیرے میرے جیسے آدھین، عاجز، بے وسیلا فروتن غریب بندے کے بیٹے کا نصیب لے کر نہیں آیا۔ اس کے مقدر میں راج سنگھاسن کی راج گدی ہے۔ راج آ گیا کے لیے یہ پیدا ہوا ہے۔ تو دھیرج رکھ کے میری بات سن لے۔ یہ بھاگوشالی کسی شبھ سمے پیدا ہوا ہے۔ میں تجھے سندیسا یا سنیہا نہیں دیتا، مچلکہ لکھ کے دینے کو راجی ہوں۔ میرا اوچن یاد رکھنا، یہ آگم ودیا ہے۔ کہانت نہیں پیش بینی ہے۔ یہ بیٹا تیرا صاحب املاک ہوگا۔ جاگیروں کا مالک۔ گھوڑے، بگھیاں، موٹر گاڑیاں اس کی ملکیت ہوں گی۔ راج کمار کی پیشانی ہے اس کی۔ راج نیتی کا والی ہونا ہے اسے۔ ہزاروں لوگوں کا سرخیل، بدرقہ برا نہ منانا' بالک میں جوتش کی بات کر رہا ہوں۔ تیرے میرے جیسے سینکڑوں اس کے داس ہوں گے۔

داس کیوں، میں تو اس کا باپ ہوں۔ باپ ہی رہوں گا۔ ابوالفضل بیچ میں بول پڑا۔

تیرے ہی پاس رہا تو، تو بھی راج کرے گا۔

اور کدھر جانا ہے اس نے، کیا باپ کو تہاج دے گا۔ گھر سے نکال دے گا۔

عبداللہ بیلدار اپنے سر پہ لپٹی لونگی کھول کے دوبارہ باندھتے ہوئے بولا۔

اشور کی باتاں اشور جانے۔ مجھے تو جو نظر آیا کہہ دیا۔ میری پرتگیا لکھ لو۔ غلط ہو تو شودر کے موت سے داڑھی مونڈھ دینا۔

تیری کونسی داڑھی ہے۔ جو مونڈھ دیں موت سے۔ عبداللہ اپنے چہرے پہ بڑھی ہوئی کھچڑی الجھی ہوئی مٹھ مٹھ داڑھی کو ناخنوں سے کھرچتا ہوا ہنس کے بولا۔

جوان، شیخی نہیں مارتا، پرنتو نا سوت کے ساتوں پرت اوش دیکھ لیتا ہوں۔ اجل

رسیدہ ناسک ہوں، ناستک ناہی۔ اکو ایشور رب کو راہر و مانتا ہوں۔ میرے حساب میں کبھی بھی بال جتنا فرق نہیں نکلا۔ یہ اجل شدھ پیش بینی ہے۔ تم یاد رکھنا۔ کہا سنا معاف کرنا۔ تمہی اب نائیک ہو، منصف ہو، نیائی کہہ دی۔ اب چلتا ہوں۔ بسواس کرو نہ کرو۔ وقت نیائک ہے۔ اکاش لوچن پہ چڑھ کے تارے توڑ لاتا ہے۔ دودھ کا دودھ پانی کا پانی دکھا دیتا ہے۔ دکھا دے گا۔ ہری اوم' رب راکھا۔ یہ کہہ کے براہمن ہاتھ جوڑتا ہوا اٹھ کے کھڑا ہو گیا۔ اپنی سوٹی کی کنی پہ بندھی لالٹین کے دھندلے تڑے ہوئے شیشے کو باہر سے اپنی پگڑی کے پلو سے پونچھا، اور سوٹی کندھے پہ رکھ کے لالٹین کمر کے پیچھے کنڈے سے بندھی جھولتی ہوئی لے کر نہر کنارے پچھّم کی طرف نکل گیا۔

سات مہینے اوپر تین دن بعد، صدر گم گیا۔

کہرام مچ گیا۔

ڈھائی سال کا بچہ۔ بھاگتا دوڑتا، باتیں کرتا، کدھر کھو گیا۔ زمین کھا گئی یا آسمان نگل گیا۔ نہر میں گر گیا یا کوئی اٹھا کے لے گیا۔ کسی کو کوئی سمجھ نہ آئی۔

نذر کے ساتھ کھیلنے نکلا تھا۔

ہیڈ مان پور کے گھروں کے اور بچے بھی تھے۔ بھاگم دوڑ، پکڑ پکڑائی، دھکم پیل کرتے بچے، ہنستے کھیلتے گھروں سے کوئی سو گز پرے، سنتروں کے باغ کے پاس اک میدان میں کھیل رہے تھے۔ میدان کے ایک سرے پہ اہل کاروں کے کوارٹر تھے۔ دوسری طرف اوورسیئر کا بنگلہ۔ ساتھ ساتھ نہر کی پٹڑی۔ پٹڑی کے ساتھ سو گز چوڑی، بارہ فٹ گہری، پانی سے لبالب بھری نہر سرہند کی پٹیالہ شاخ تھی۔ بچہ کدھر چلا گیا۔ ابوالفضل پاگلوں کی طرح، سر منہ کھولے بھاگا پھرتا ہر ایک سے پوچھتا پھرے۔

صدر کدھر تھا؟

ادھر بیٹھا لاٹو گھومتا دیکھ رہا تھا۔

پھر؟

پھر آندھی آ گئی۔

آندھی تو نہیں تھی۔ بگولا تھا۔

ہاں گردباد تھا۔ مٹی بہت اڑی تھی۔ کچھ نظر نہ آتا تھا۔

کس طرف سے آئی تھی آندھی؟

اپنے کوارٹروں کی اُور سے۔ ادھر کا رخ تھا اوورسیئر کے گھر کی طرف۔

پھر؟

مٹی اتنی اڑی کہ کچھ نظر ہی نہیں آیا۔

تو کدھر تھا نذر۔

میں بھاگ کے گھر آ گیا، جب آندھی آئی۔

صدر کو کیوں نہ ساتھ لایا، بول۔ جواب دے۔

نذر کیا جواب دیتا، چار پانچ سال کا تھا۔ اس سے سوال جواب ہوتے تو رونا شروع کر دیتا۔

بدر کدھر تھا؟

وہ تو ادھر نہیں تھا۔

کہاں گیا تھا۔

پتہ نہیں، بلاؤ کدھر ہے بدر۔

صدر کو ڈھونڈنے گیا ہے باغ میں۔

ہاں باغ میں دیکھو۔

دیکھا ہے۔

نہیں ہے؟

نہ جی۔ اک اک بوٹا دیکھ لیا۔

کدھر چلا گیا میرا بیٹا۔

ہائے میرا بیٹا کون لے گیا؟ ابوالفضل کی بیوی بھاگو ننگے پیر، کھلے بال پاگلوں کی طرح بھاگی پھر رہی تھی۔ گود میں اس کے تین مہینے کا چھوٹا بیٹا سراج تھا۔ میرا صدر

کدھر چلا گیا۔ کوئی ڈھونڈ کے لاوٴ۔ فضل دین کے میاں جی، فضل کو بلاوٴ۔ وہ ڈھونڈ لے گا۔ وہ سیانا ہے۔

فضل ادھر کدھر ہے۔ سکول میں رہتا ہے۔

اطلاع بھجوائی ہے۔ آ جائے گا دو گھنٹوں تک۔

ان گھروں میں جا کے پوچھا ہے؟

چار تو گنتی کے گھر ہیں، سبھی گھروں والے ادھر ہی تو ہیں ہمارے ساتھ۔

میں تو خود پوچھوں گی۔ کوئی اچھی طرح دیکھ لے۔

میرا لال۔ میرا بیٹا۔ وہ تو میرے سارے بیٹوں سے زیادہ سوہنا ہے۔ سوہنے نصیبوں والا اسے کہتے تھے لوگ۔ وہ کیا نام تھا جوتشی براہمن کا۔ جس نے پیش گوئیاں کی تھیں۔

ہاں، ہاں یاد ہیں۔ اس کی پیش بینیاں، نام تھوڑی پتہ ہے اس کا کسی کو۔

کیوں؟

اس نے بتایا ہی نہیں تھا۔

تو پوچھ لیتے۔

ہے کملی۔ تو اس کے نام کے پیچھے پڑی ہے۔

اس کا نام پتہ پوچھا ہوتا تو اسی سے جا کے پوچھ آتی۔

تو تو پاگل ہے۔ وہ راہب سادھو تھا۔ ایک جگہ تھوڑی ٹک کے بیٹھتے ہیں ایسے لوگ۔ خورے کتنی دور نکل گیا ہو گا وہ نجومی۔

کتنی دیر ہو گئی آندھی ختم ہوئے۔

دو گھنٹے ہو گئے چاچی۔

ڈھائی گھنٹے سے زیادہ ہو گیا پتر۔

ہائے میرا لعل۔

کدھر چلا گیا۔

یہ ساتھ نہر ہے، ہائے۔

ہاں۔ نہر بند کرنے کو کہہ دیا ہے۔ پھاٹک گرا دیے ہیں۔ پانی اتر رہا ہے۔ بندے گئے ہیں، دیکھنے۔

ہائے، ابوالفضل کی بیوی کی ٹانگوں سے ایک دم سے جان نکل گئی۔ وہ کھڑی کھڑی بیٹھ گئی۔ سر پہ دوہتڑ مارنے لگی۔ تین مہینے کے سراج کو گھٹنوں پہ لٹا لیا۔ وہ جانگیے میں لیٹا رونے لگا۔ بھاگو اپنے سر پہ مٹی اٹھا اٹھا کے ڈالنے لگی۔ بال اس کے کھل گئے۔ حلیہ چڑیلوں جیسا ہو گیا۔

میں اس کا سینہ چبا لوں گی، میرا بیٹا کس نے اٹھایا ہے۔

وہ نہر کی طرف نہیں جاتا تھا۔

اسے سمجھ بوجھ ہے۔

اسی نہر کنارے پل کے بڑا ہوا ہے۔

نہر میں نہ دیکھو۔ میرا بیٹا نہیں ڈوبا۔

کوئی لے گیا ہے۔ میرے لعل کو۔

اللہ۔ میرے اللہ تو رحم کر دے۔

میرا بچہ دے دے واپس۔

کہہ دے ظالم کو، جو بچہ لے گیا ہے۔

میرا بچہ۔ دے دے واپس میرا بیٹا۔ کوئی لے آئے۔ صبح کا آدھا پراٹھا کھا کے گیا ہے۔ میں کہتی رہی۔ پتر آدھا اور کھا لے۔ شکر کے ساتھ۔ گڑ لے لے نہیں کھایا۔ روز ایک سالم پراٹھا کھاتا تھا۔ ہائے۔ آدھا ہی نصیب ہوا اسے۔ آدھا اسی طرح پڑا ہے چنگیر میں۔ دیکھ وہ نذر نے نہ کھا لیا ہو۔ کدھر ہے تو فسادی، حرصی، ہر وقت صدر سے مقابلہ کرتا رہتا تھا۔ کہیں یہ تو اسے نہر میں نہیں گرا آیا۔ پوچھ اس سے۔

کدھر گیا، اب؟

کرتا ہوں اس کی مرمت۔

ہائے نہ، اسے کچھ نہ کہنا دیکھ، کوئی جا کے نذر کو تو دیکھے۔ بھائی کو ڈھونڈتا کہیں خود نہ گم جائے۔ یہ کونسا سمجھدار ہے، کدھر ہے یہ؟

ہے، ادھر ہی ہے۔

ادھر گھر کے پچھواڑے میں مکئی کے کھیتوں میں ڈھونڈ رہا ہے۔

ہے خبیث، اُدھر کیسے چلا گیا صدر۔ ایک دن بھی مکئی توڑنے نہیں گیا وہ۔ اس کا کوئی ہاتھ جاتا ہے مکئی کے سٹے پہ۔

کیا پتہ۔ تو دعا کر مل جائے، کہیں سے۔

وہ تو ادھر میدان میں کھیل رہا تھا۔ لاٹو سے

لاٹو کس کا تھا؟

عبداللہ کے بیٹے مانے کا۔

ہے لاٹو؟

ہاں لاٹو نے کدھر جانا ہے۔

نہ میں سوچ رہی تھی کہیں لاٹو لے کر نہ کہیں اور جا کے چلانے چلا گیا ہو۔

لاٹو چلانا تھوڑی آتا تھا اسے۔ بس چلتا لاٹو دیکھنے کا شوقین تھا۔

ہائے، یہ ''تھا'' کس نے بولا۔ منہ میں کیڑے پڑیں۔ میرے صدر کو کچھ نہیں ہوتا۔ میرا دل کہتا ہے۔ ماں کا دل جھوٹ نہیں کہتا۔ میرے صدر کو کسی نے اٹھالیا ہے۔

پتہ کرو، کون آیا تھا اِدھر؟

اِدھر کس نے آنا ہے۔

گنتی کے چند گھر ہیں۔

نہ کوئی آیا نہ گیا۔

انھیری کے دوران کوئی سواری ادھر سے گزری؟

نہ جی۔ پیدل بندہ بھی ادھر کوئی نہیں آیا۔

گیٹ والے سے پوچھا؟

پوچھا۔ لو وہ تو کھڑا ہے کرمو۔

کیوں کرمو، بول نا۔

نہ میاں جی۔ گیٹ پہ تالہ لگا تھا۔ چابی یہ میرے ناڑے سے بندھی ہے۔ ہاتھ نہیں لگایا اسے، وہ قمیض ہٹا کے اپنے ریشمی دور نگے ناڑے سے بندھی لمبی لوہے کی چابی دکھاتا ہے۔ سواری کدھر سے آنی تھی ادھر۔ پیدل بندہ آ سکتا ہے، پر پیدل بھی کوئی نہیں آیا گیا۔

کیا بجا تھا، آندھی جب آئی؟

کوئی چار سوا چار کا وقت تھا۔ پیشی کی اذان تو ابھی نہیں ہوئی تھی۔ کیوں مولوی جی۔

پتہ نہیں بھئی۔ آندھی آدھا گھنٹہ تو رہی ہوگی۔

آندھی کے بعد میں نماز پڑھنے گیا تھا۔ مسجد والے تھڑے پہ۔

اذان ہوگئی تھی؟

پتہ نہیں۔ ادھر کونسی آواز آتی ہے اذان کی۔ اندازے سے نماز پڑھ پڑھا لیتا ہوں۔

اب کیا وقت ہوگیا؟

بس سورج وہ سامنے اوورسیئر کی چھت سے اتر گیا ہے۔ تھوڑی دیر میں اندھیرا ہو جانا ہے۔

تین گھنٹے ہوگئے۔ جلدی کرو۔

ادھر باغ سے کوئی آیا۔

ہاں بدر آ گیا۔

کدھر ہے؟

اوورسیئر کے گھر کے پار، باہر جاتی سڑک پہ سائیکل لے کر ڈھونڈنے نکلا ہے اب۔

وہ اوورسیئر بھی آ گیا۔

آؤ سردار جی۔

پتر نہیں ملیا۔ اوورسیئر پوچھنے لگا۔

نہ سردار جی۔

نہر دیکھی۔

دیکھ رہے ہیں۔ پانی تو اتر گیا ہے۔

رب خیر کرے۔ حوصلہ رکھو میاں جی۔ بچے کو کچھ نہیں ہوتا۔ اوورسیئر ابوالفضل کو بازوؤں میں لے کر اس کی کمر تھپتھپانے لگا۔

ہیڈ مان پور کے سارے بندے اکٹھے ہو گئے۔

کوئی ادھر بھاگتا، کوئی اُدھر۔

غروب آفتاب تک قریبی قصبے سے فضل دین بھی آ گیا۔ آتے ہی اس نے میدان دیکھا جدھر صدر بیٹھا تھا جب گردباد آیا۔ پھر ہوا کے رخ کا پوچھنے لگا۔ گرد ادھر سے اڑی ہوگی، ادھر کو گئی ہوگی۔

گیٹ پہ کون تھا۔

دوسری طرف کون تھا۔

وہ کدھر تھا۔ وہ کہاں تھا۔

ہاں صدر کے پاؤں میں جوتا تھا؟

قمیض کونسی پہنی تھی۔

نیکر پہنے ہوئے تھا کہ پاجاما۔

وہ سوال کرتا جائے، جواب سن سن کے سوچتا جائے، اندھیرا ہو گیا۔ وہ لالٹین اٹھائے بگولے کی طرح پورے ہیڈ پہ مارا مارا پوری رات پھرتا رہا۔ صبح آ کے باپ سے بولا، صدر ہیڈ سے باہر نہیں گیا۔

پھر؟

پھر کیا کہوں!

کدھر ہے؟

اللہ ہی جانے۔

نہر میں پانی اتر گیا ہے۔

کیا کہتے ہیں بیلدار۔

ابھی تو لگے ہیں غوطے مارنے میں۔

اگلے ہیڈ پہ تار دی؟

دے دی۔

کوئی جواب آیا؟

کوئی نہیں۔

دو دن میں بیس میل لمبی نہر کا چپہ چپہ چھان مارا گیا۔

کہیں سے کوئی خبر نہ آئی۔

تیسرے دن ابوالفضل نے کہہ دیا۔ بچہ نہر میں نہیں گرا۔

پھر کدھر گیا؟

کسی کو سمجھ نہ آئی۔

بھاگو رو رو کے پاگل ہو گئی۔

□

ہیڈ مان پور

بھاگو سولی پہ لٹکی تھی۔

نہ رسی ٹوٹتی نہ گردن۔

ہر لمحے انتظار۔ شاید کوئی اچھی خبر لائے۔ کوئی آ کے بتا دے۔ صدر مل گیا۔ فلاں جگہ تھا۔ وہ لے گیا تھا۔ اُدھر چلا گیا تھا۔ اندر ہی اندر کسی خوفناک خبر کا ڈر بھی رہتا۔ کوئی یہ نہ آ کے بتا دے کہ نہر سے اس کی لاش مل گئی۔ نہر سے ڈھونڈنے والے جب بھی ملتے تو وہ ان کا سامنا کرنے کی بجائے کہیں چلی جاتی۔

دھیان مگر انہی کی طرف رہتا۔ ایسے لوگوں سے ملی ہوئی، لاعلمی اس کے لیے خوشخبری ہوتی۔ اسے یہ بھی وہم رہتا کہ کوئی آ کے یہ نہ کہہ دے کہ دور جنگل جھاڑیوں سے اس کے خون آلود کپڑے مل گئے۔ جنگلی جانوروں نے اسے کھا لیا۔

اس کا دماغ ابلتی ہوئی پانی کی کیتلی تھا۔

ہر سمے آگ پہ دھرا ہوا۔

مسلسل سوچتا ہوا۔

کوئی پل اسے چین نہ ملتا۔ کہنے کو وہ گھر بار چلا رہی تھی۔ روٹی ہانڈی پکاتی۔ جھاڑو لیپا بھی کرتی۔ چاروں بچوں کو پالتی۔ چھوٹے شیر خوار سراج کو اٹھائے پھرتی۔ مگر اس کا ذہن گم ہوئے صدر پہ لاک ہو گیا تھا۔ کدھر چلا گیا۔ کون لے گیا۔

اس وقت کدھر ہو گا۔

دیکھو صبح ہو گئی۔

پوری رات وہ کدھر رہا۔

رات تو سردی تھی۔

پتہ نہیں اسے گرم بستر ملا، یا نہیں۔ اتنے دن ہو گئے۔ اس نے کھایا کیا ہے۔

وہ تو آدھا پراٹھا چھوڑ گیا۔ پورا ناشتہ بھی نہ اس دن کر سکا تھا۔ وہ تو روتا ہو گا۔ مجھے بلاتا ہو گا۔ اماں اماں کہہ کے بھاگا بھاگا پھرتا ہو گا۔ بیٹا کدھر ہو۔ میں اِدھر ہوں۔ کپڑے اس کے میلے ہو گئے ہوں گے۔ کس نے دھو کر دیے ہوں گے۔ سارے کپڑے تو اس کے اِدھر رہ گئے۔ وہ ٹرنک کھول کے اس کے کپڑے پھیلائے گھٹنوں بیٹھی رہتی۔ روتی رہتی۔ سوچتی رہتی۔ اندر ہی اندر جسم اس کا زخموں سے بھر گیا۔ روح کٹ کٹ کے قیمہ بن گئی۔ جسم سوکھ گیا اس کا۔ آنکھوں کے نیچے کالے حلقے پڑ گئے۔ گال پچک گئے۔ گوری رنگت بجھی ہوئی راکھ جیسی ہو گئی۔ سانس لیتی تو اندر سے ہوکا نکلتا۔ ہائے میرا بیٹا۔

کوئی ایک آدھ دن کا تو بچے سے اس کا ساتھ نہ تھا۔ اس کا بچہ، صدر تو اس کے جسم کا حصہ تھا۔ اسے زچگی کا اپنا دور یاد آتا، جب وہ پیٹ میں کلبلاتا تھا۔ ڈھائی سال پرانے دردِ زہ سے وہ بار بار گزرتی۔ چڑیا کے بوٹ جیسے نحیف نوزائیدہ کو بھاگو نے پال پال کے اتنا بڑا کیا تھا۔ بھاگا بھاگا پھرتا تھا وہ۔ کبھی اِدھر، کبھی اُدھر۔ یہاں بیٹھا یہ کھا رہا تھا اس دن۔ وہاں بیٹھا یہ کہہ رہا تھا۔ اِدھر اس کے جوتے پڑے ہوئے تھے۔ وہاں ٹرنکی میں اس کے کپڑے ہیں۔ وہ اس کی پلیٹ ہے۔ بھاگو کے لیے پورا گھر، گھر کے سارے کمرے، صحن، باورچی خانہ، غسل خانہ، نلکا، گھر کی دیواریں، باہر کے کچے راستے، کھیت، میدان، ہر جگہ صدر کی یادیں اور باتیں بکھری پڑیں تھی۔

کہاں وہ اسے بھول جاتی۔

کہاں وہ اسے یاد نہ کرتی۔

اس کا اپنا وجود اسے ایسے لگتا، جیسے ادھورا ہو گیا ہو۔
کچھ کٹ گیا ہو اس کے جسم سے۔
صدر بھاگو کے گوشت پوست کا حصہ تھا۔ جسے اس نے اپنے وجود سے زیادہ فوقیت دے کے پالا تھا۔ وہ کدھر چلا گیا۔ میدان میں بیٹھا تھا۔ وہ روز گھر کی روٹی ہانڈی کر کے سسکتی جا کے اسی میدان میں جا بیٹھتی۔ سراج کو گود میں لپیٹ کے، وہ بیٹھی روتی رہتی۔
بین کرتی۔
ایسی آہ وازری کرتی کہ سننے والا کانپ جاتا۔
روتی تڑپتی سسکتی، وہ خدا سے فریاد کرتی رہتی۔
میرے اللہ میرا بیٹا واپس بھیج دے۔
کون لے گیا۔
وہ خدا سے پھر تڑپ تڑپ کے بددعائیں مانگتی۔
میرے اللہ میرا حال دیکھ۔
اس ماں کا حال دیکھ۔
جس نے میرا بیٹا اٹھایا ہے اس کا کچھ نہ بچے۔
اس کی جڑ مار دے۔
اس کا تخم ختم کر دے۔
اسے اس طرح نیست و نابود کر کہ پتہ چل جائے تیری دنیا کو کہ تو ہے۔
تو اس ماں کی آواز سنتا ہے۔
بے گناہ جس کا بچہ کوئی اٹھا لے۔
کیا گناہ کیا تھا میں نے میرے اللہ۔
بول اللہ جی۔
میرا بیٹا کون لے گیا؟

مجھے تو نہیں پتہ۔
تجھے تو پتہ ہے۔
تو، تو جانتا ہے۔
پھر کیوں انجان بنا ہے۔
میں تم سے پوچھتی ہوں اور کس سے پوچھوں۔ کس سے کہوں۔
تو معاف نہیں کرنا ان ظالموں کو۔
میرے کلیجے میں جنہوں نے آگ جلائی ہے۔
اس کا پورا کنبہ جلے۔ کوئی نہ بچے اس ظالم کا۔
میں بے بس ہوں۔
تو، تو بے بس نہیں ہے۔
میں تو کچھ نہیں کرسکتی۔ کچھ نہیں کرسکی۔
تجھے تو کوئی روکنے والا نہیں ہے۔

یہ تو کوئی انصاف نہیں ہے تیرا۔ میں کیسے مانوں۔ تو انصاف کرتا ہے۔ میرا کیا قصور تھا میرے مولا۔ مجھے الٹی چھری سے ذبح کر دیا۔ کر دے۔ مجھے اس دکھ کی بجائے موت دے دیتا۔ دے دے۔ اب دے دے۔ ظالموں کی موت میں نے دیکھنی ہے۔ کون لے گیا میرے صدر کو۔ وہ گھنٹوں اسی میدان میں نہر کنارے، سنگتروں کے باغ کے قریب، اندر سنگھ اوورسیئر کے مکان کے پاس بیٹھی روتی رہتی۔ جھولیاں پھیلا پھیلا کے آسمان کے غضب کو پکارتی رہتی۔ اسے اپنی پکار کی اثر پذیری کا انتظار تھا۔

امید انسان کو سولی پہ اٹکاتی ہے۔

من کی دنیا میں راج کرنے والے موسموں کی یہ سب سے تیکھی ہوا ہے۔ زندہ بندے کو یہ ابلتے تیل کی کڑھائی میں تل دیتی ہے۔

ہر سمے انتظار۔
اڈیک۔

نہ زندوں میں بندہ رہتا ہے نہ مردوں میں۔

لگتا ہے زندہ جسم سے کھال کھینچ کے اتاری جا رہی ہے۔

درد ایسا کہ اندر ہی اندر آرا چلتا ہے۔

سب کچھ کٹتا رہتا ہے۔ پتہ نہیں چلتا بلیڈ ہے کدھر۔ ہر شے وجود کی کٹتی رہتی ہے۔لہو اندر ہی اندر روح میں اکٹھا ہوتا جاتا ہے۔ یہ ہے دین امید کی۔ یہ میں اس لیے جانتا ہوں کہ تم نے بھی مجھے اسی سولی پہ لٹکایا ہوا ہے۔ میرے وجود کو اپنے آتش فشاں سے باندھ کے روئی کے گالوں کی طرح اڑایا ہوا ہے۔ میں بھی دہلیز پہ بیٹھا ہوں۔ ہر دستک پہ سوچتا ہوں شاید تم ہو۔ یا تمہاری طرف سے کوئی خبر ہے۔

مجھے پتہ ہے، تمہارا پتہ۔ تم لا پتہ نہیں ہو۔ مگر میں اپنا پتہ بھولے بیٹھا ہوں۔ میرا پتہ تو تیری آنکھ میں ٹھہرا ہوا کوئی خیال ہے۔ جسے تو تسلیم کر لے۔ اپنا سمجھ لے۔ اس کا اقرار کر لے۔ مجھے پتہ ہے ایسا ہو گا۔ ایسا ہے۔ ہو چکا ہے۔ مگر مجھے اس لمحے کا انتظار ہے جس کے نصیب میں یہ خوش کن خبر لکھی ہے۔

تمہیں کہا تھا نا۔

کہ واقعے پہلے وجود میں آتے ہیں۔

مگر ہر واقعے کے لیے مخصوص وقت اور جگہ کا تعین خدا بعد میں کرتا ہے۔ مجھے خدا کے اسی دوسرے فیصلے کی دیدنی کا انتظار ہے۔ یہ امید کی دوسری صورت ہے۔ ہے تو یہ بھی سولی میں لٹکی ہوئی گردن۔ مگر یہاں جو درد ہے، وہ عجیب سی لذت دیتا ہے۔ جی چاہتا ہے یہ درد ہوتا رہے۔ گردن اسی رسی میں جھولتی رہے۔ میں تمہیں سوچتا رہوں۔ سوچتا رہوں۔ مگر...

بھاگو جس امید پہ زندہ تھی۔ وہ روح کو فنا کرنے والی تھی۔

ممتا کی محبت تمام محبتوں کی ماں ہے۔

سوائے خدا کی محبت کے۔

ایسی محبت کی راہ میں کوئی دیوار بن کے آتا ہے تو وہ آتش فشاں کے دہانے کی

طرح آگ اگلتی ہے۔ ممتا کے سینے سے پھر ایسی آگ کا ابلتا ہوا دریا نکلتا ہے جو اپنی زد میں آئی نشیب کی ہر وادی کو چاٹ لیتا ہے۔ جلا کے جسم بھسم کر دیتا ہے۔

امید کی کیفیت یوں نا اُمیدی کے مقابلے میں زیادہ کاٹ رکھتی ہے۔

ناامیدی ہو تو اندر کی ساری آگ ٹھنڈی ہو جاتی ہے۔

جلتے الاؤ پہ برف جم جاتی ہے۔

رستے زخموں پہ کھرنڈ آ جاتا ہے۔

ہولے ہولے ٹھہراؤ اور قیام کی ایسی کیفیت پیدا ہوتی ہے جسے صبر کا نام دیا جاتا ہے۔ مگر یہ بھی سمجھنے کی بات ہے کہ امید سے ناامیدی تک کا سفر سالم جسم کی بوٹی بوٹی بننے تک کا فاصلہ ہے۔

بھاگو اسی راہ پہ چلتی چلتی روح کی گہرائیوں تک لہولہان ہو گئی۔

سات مہینے گزر گئے۔

گود میں اٹھایا ہوا اس کا چھوٹا بچہ سراج، دیوار پکڑ کے کھڑا ہونے کے قابل ہو گیا۔ بھاگو کے دل کو چین نہ آیا۔ اب بھی وہ روزانہ گھر سے اس وقت نکل کے اس میدان میں آ کے سسکنے لگتی، جس سمے گرد باد آیا تھا اور صدر گم ہوا تھا۔

ان سات مہینوں میں ہیڈ مان پور کی زندگی میں کوئی خاص فرق نہ آیا۔

موسم بدل گیا۔

لوگ وہی رہے۔

چند گنتی کے گھر تھے۔ کبھی کبھار ان کے گھروں میں آنے والا کوئی مہمان اس بستی کی ایک جیسی ٹھہری ہوئی زندگی میں تلاطم لے لاتا۔ کسی سرکاری افسر کی ٹپ ٹپ کرتی گرد اڑاتی بگھی یا پوں پوں کرتی کوئی موٹر کار آ جاتی۔ اندر سنگھ اوورسیئر کے مکان کے پاس ڈاک بنگلے میں اجنبی مہمانوں کی رہائش سے وہاں گہما گہمی پیدا ہو جاتی۔ ان سات مہینوں کے دوران وہاں تین چار اہم واقعات بھی ہوئے۔ ان میں ایک تو عبداللہ بیلدار کے گھر دو جڑواں بچوں کی ولادت تھی۔ دونوں پیدا ہونے والے لڑکے

تھے۔ عبداللہ کے گھر پہلے اوپر تلے کی تین لڑکیاں تھیں۔ ایک ساتھ دو لڑکوں کا باپ بن کے عبداللہ جو کبڑا کبڑا سا چلا کرتا تھا۔ اٹھ کے سیدھا چلنے لگا۔ اس کی داڑھی اب میلی اور الجھی ہوئی نہ لگتی۔ پتہ نہیں اس نے روز نہانا شروع کر دیا تھا یا داڑھی کے بال ہی کچھ ایسے سیدھے اور چمکدار ہو گئے تھے کہ مٹی ان پر زیادہ دیر نہ ٹھہرتی۔ اس کی آنکھوں میں زندہ دلی کی چمک بڑھ گئی تھی۔ پہلے وہ ہنسی مذاق کی محفلوں سے جلد ہی بدمزہ سا ہو کے اٹھ جاتا تھا۔ کوئی مخول کرتا تو وہ لڑنے جھگڑنے لگتا تھا۔ مگر اب وہ خود مخولیہ ہو گیا تھا۔ اور راہ چلتوں کو چھیڑ چھاڑ لیتا تھا۔ اور دوسرے لوگ بھی جب جواباً اس سے ہنسی مذاق کرتے تو وہ برا نہ مناتا۔ پہلے اس کے کوارٹر کے پاس تین گھماؤں اس کی سبزی لگانے والی جگہ اکثر بنا ہل پانی دیے بنجر بنجر سی ویران نظر آتی تھی۔ لوگوں کے کہنے سننے کے باوجود وہ اپنی زمین کی طرف توجہ نہ دیتا تھا۔ وہی زمین ہفتوں میں ہری بھری ہو گئی تھی۔ وہ اکثر دوسروں سے اپنے جس کمر درد کی شکایت کیا کرتا تھا وہ اچانک کسی حکیم کی گولیوں اور سانڈے کے مالش والے تیل سے ٹھیک ہو گیا تھا۔ اب وہ زیادہ تر اپنے کندھے پہ کدال اور ہاتھ میں درانتی لیے ہشاش بشاش تیز تیز بھاگنے کے انداز میں چلتا پھرتا نظر آتا تھا۔

اسی دوران کرمو بیلدار کے بیلوں کی جوڑی ٹوٹ گئی تھی۔ بڑے سوہنے بیلوں کی جوڑی تھی۔ ایک سفید تھا دوسرا بھی سفید تھا مگر اس کے سر پہ کالا دھبہ تھا۔ دونوں فربہ، زورآور اور وجیہہ تھے۔ اچانک ایک صبح ڈبو، سر پہ کالے دھبے والا بیل اس کا اپنے طویلے میں بندھا بندھا مر گیا۔ کرمو پرشاد نے اپنے بیل کے مرنے کا غم اپنے کسی قریبی قرابت دار کی موت کی طرح منایا۔ ہفتوں تک اس نے پیٹ بھر کے کھانا نہ کھایا۔ بات چیت کم کر دی۔ ہنسنا چھوڑ دیا۔ دھلے ہوئے اجلے کپڑے پہنے وہ نظر نہ آتا۔ ہنسی خوشی کی محفل میں اول تو جاتا ہی نہ، چلا جاتا تو جلدی اٹھ کے نکل آتا۔ لوگوں کو اتنی دیر تک بیل کی موت کا غم منانے کی اس کی تاویل سمجھ میں نہ آتی۔

اسی ہیڈ مان پور پہ البتہ اندر سنگھ اوورسیئر اور اس کی بیوی سندر کور کے دکھ کو

سارے محسوس کرتے تھے۔ ان سات مہینوں میں اوپر نیچے، اس کے دو بیٹے مر گئے۔ بڑا بیٹا پندرہ سال کا تھا۔ لدھیانے شہر میں انگریزی سکول میں پڑھتا تھا۔ وہیں سکول کے ہوسٹل میں رہتا تھا۔ اتوار منانے، وہ ہفتے کی شام ایک خصوصی تانگے پہ اکیلا پچھلی سیٹ پہ اپنے برابر اپنا کالے رنگ کا چمکتا پالش کیے چمڑے کا بستہ رکھ کے نیلے بلیزر کے کوٹ کے اندر آسمانی قمیض کے کالروں میں قرمزی دھاری والی شوخ نکٹائی پہن کے، گرے پتلون میں اپنی مضبوط ٹانگوں کو ایک دوسرے پہ رکھ کے، کالا چشمہ لگا کے آتا تو ہر بستی سے ننگ دھڑنگ سے بچے کتنی دیر تک اس کے تانگے کے ساتھ ساتھ بھاگتے رہتے۔ کچھ بچے اس کے تانگے کے پائیدان پہ پاؤں جما کے، سیٹ کے برابر لگی لوہے کی ڈنڈی پکڑ کے گھڑی دو گھڑی کے لیے کھڑے ہو کے تانگے کی سیر کا مزہ بھی لے لیتے، مگر اس بچے کی آنکھ میں ناگواری کا ایک شائبہ نہ ابھرتا۔ اس کا نام ہیرا سنگھ تھا۔ لوگ کہتے اندر سنگھ اور سندر کور نے بڑا سوچ سمجھ کے نام رکھا ہے۔ لڑکا شکل وصورت کا بھی سندر تھا۔ پتلا ناک، چوڑی پیشانی اور مسکراتا ہوا مکھڑا۔ اس کے آگے کے اوپر والے دو دانت کچھ باہر کو نکلے ہوئے تھے، جس کی وجہ سے اس کا منہ کھلا کھلا سا رہتا۔ مگر اس کا منہ کھولنے کا انداز کچھ ایسا تھا کہ وہ ہر سمے مسکراتا ہوا نظر آتا۔ شہر کے گرامر سکول میں وہ نویں جماعت میں پڑھتا تھا۔ اس کے بستے کی کتابیں کبھی کبھار ہیڈ مان پور کے لوگوں کی گفتگو کا موضوع ہوتیں۔ بیلدار آپس میں بیٹھ کے گھنٹوں اس کی انگریزی کتابوں کی باتیں کرتے۔ حد ہو گئی بھئی۔ ہیرا سنگھ کی کتابیں تو لندن سے چھپ کے آئی ہیں۔ ملکہ کی رنگین تصویر ہے اس میں۔ تاج پہنے ہوئے۔ گلے میں موتیوں کی مالا ہے۔ ہیرے ایسے چمکتے ہیں تصویر میں، جیسے تصویر نہ ہو اصل ملکہ ہو۔

واہ بھئی۔ انگریز کمال کی کتابیں چھاپتے ہیں۔

کتنے کی ہوگی؟

تجھے کیا لینا دینا۔

تو نے ہیرا سنگھ کو انگریزی بولتے سنا ہے؟
اندر صاحب کو تو آتی نہیں بولنی۔
نہیں بولنی نہیں آتی، سمجھ وہ لیتا ہے۔
بیٹا بولتا ہے اپنے باپ سے؟
نہ بھئی۔ باپ سے کیوں بولے۔
پھر؟
ایک بار بنگلے پہ لاٹ صاحب آ کے ٹھہرے تھے۔

یاد ہے سردیوں کے دن تھے۔ باہر آرام کرسی نکلوا کے بیٹھے تھے صاحب اور میم صاحب۔ اندر سنگھ ان کے پاس کھڑا سیب کاٹ کاٹ کے قاشیں میز پہ رکھی پلیٹ پہ کروشیے کے رومال کے نیچے رکھ رہا تھا۔ کہ اوپر سے ہیرا آ گیا۔ گٹ مٹ شروع ہو گئی، انگریزی۔ لاٹ صاحب اور اس کی میم تو ہیرا سنگھ کی انگریزی سن کے خوشی سے ٹماٹر کی طرح لال ہو گئے۔ ان کی باچھیں کھل گئیں۔ میم صاحب تو ہیرا کو جپھیاں ڈالنے کو جائے۔ صاحب نے ہیرا کو اپنے برابر کرسی پہ بیٹھا لیا۔ تب ہی کی تو بات ہے، اندر سنگھ کو بھی انہوں نے قریب پڑے بنچ پہ بیٹھنے کا اشارہ کیا تھا۔

لو دیکھو۔
بیٹے کی وجہ سے باپ کو عزت مل گئی۔
ہے نا قسمت کی بات۔
بھئی ہیرا ہے ہی ہیرا۔
شکار کرتے دیکھا ہے۔ مجال ہے پرندہ اس کی دونالی کی زد سے نکل جائے۔
اندر کہتا ہے، فوج میں لفٹین بھرتی کروائے گا ہیرا کو۔
ہاں بھئی۔ ہو جانا ہے لفٹین اس نے۔
کیا پتہ کوئی میم ہی بیاہ کے لے آئے۔
سندر کور کو تو میم ہی آ کے سیدھا کرے گی۔

کیسے ہمارے بچوں کو اپنے باغیچے سے ڈانٹ کے نکالتی ہے۔

ہاں بھئی۔ اوور سیئر کی رن ہے۔

نا بھئی۔ یہ بات نہیں صرف۔ اسے بیر کی رانی سے رشتہ داری کا زعم ہے۔

میاں صرف رشتہ داری نہیں، بڑی گاڑھی چھنتی ہے ان دونوں میں۔ دیکھا نہیں ادھر سے نیلی موٹر پہ بیٹھ کے آتی ہے۔

کیا نام ہے اس گاڑی کا۔

بیوک ہے یار۔

کتنے کی ہوگی بیوک؟

تجھے لینی ہے۔

پوچھنے میں کیا حرج ہے۔

پوچھا تھا میں نے ایک بار اس کے ڈرائیور سے۔

پھر کیا بتایا اس نے۔

میں تو کانوں کو ہاتھ لگاتا رہ گیا۔

بول نا۔ کتنے پیسے بولے اس نے۔

بارہ ہزار سات سو روپے کی کہتا تھا۔

توبہ توبہ۔

ہاں بھئی، ہزاروں کی ہی ہونی ہے۔

دیکھی نہیں کیسے چوڑی مزے کی سیٹیں ہیں اس کی لش لش کرتیں۔

کیا ہارن کی آواز ہے اس کی۔ جی کرتا ہے بندہ سنتا رہے۔

لے ایک بار کی بات سناؤں۔ میں نہر کی پٹڑی پر سائیکل پہ آرہا تھا دوراہے سے۔ پیچھے سے بیوک موٹر آ گئی۔ ایسی سبک آواز چلتی ہے کہ پتہ اس وقت لگا جب پیچھے آ کے ڈرائیور نے ہارن بجایا۔ میں بھی تو درمیان میں سائیکل چلا رہا تھا۔ لو بھئی۔ ہارن سن کے ایسا سواد آیا کہ کئی منٹ تک میں نے راستہ ہی نہ دیا۔ جب تیسرا ہارن اس

نے دیا تو میں نے سائیکل ایک طرف کیا۔ فراٹے سے یوں آ گے نکل گئی جیسے پانی کی لہر ہو۔ میں تیز تیز پیڈل مارتا پیچھے پیچھے۔ میری قسمت دیکھو کیسی شاندار۔ آ گے آئے، تو اپنا ہیڈ والا، گیٹ بند۔

موٹا لوہے کا تالہ لگا ہوا اور ہمیشہ کی طرح اپنا کرمو چابی والا غائب۔ پھر کیا تھا، جی۔ بیوک ہارن پہ ہارن بجائے۔ اتنی دیر میں، میں بھی پہنچ گیا پیڈل اندھادھند مارتا، پیچھے۔ قریب پہنچ کے میں نے سائیکل سے اتر کے سلام کہا۔ دیکھا اندر تو ہیرا سنگھ بیٹھا ہے، اپنا۔ میں نے تو جی ہاتھ ملا لیا اس سے۔ اس نے کار میں بیٹھے بیٹھے ہاتھ باہر نکالا۔ میں نے تو کئی منٹ تک ہاتھ ہی نہیں چھوڑا۔ پھر وہ باہر آ گیا کار سے۔ کار کا دروازہ کھلا ہی چھوڑ رکھا۔ باتیں کیں۔

باتیں تو کرتا ہے۔ آخر اپنے ہیڈ کا بچہ ہے۔

اپنے ہاتھوں میں بڑا ہوا ہے۔ میں نے سیدھی دل کی بات کہہ دی۔ کہا، ہیرا پتر، تیری ماسی کی گاڑی میں بیٹھ کے دیکھ لوں ایک گھڑی۔ لے بھئی۔ صدقے جاؤں، ہیرا کے، بولا، بیٹھو چاچا۔

لے بھئی۔ میں وڑ گیا کار میں۔

دروازہ تو کھلا ہی تھا۔

بس بھئی کیا بتاؤں۔ کیسی نرم سیٹ لگی۔

لگتا تھا چمڑے میں پانی بھرا ہے۔

جیسے اپنے چاچے پھجے ٹڈل کی مشک ہے نا۔ بس ویسی نرم تھی سیٹ۔

لو بھئی۔

میں تو ہاتھ پھیر پھر کے سیٹ ہی دیکھتا جاؤں۔ وہ تو آ گے بیٹھا سور جیسی موٹی گردن والا، بیر کا ڈرائیور گھوری ڈال کے مجھے تکنے لگا تو میں موٹر سے نکل آیا۔ ویسے بھی اتنی دیر میں کرموا اپنا آزار بند کھینچتا، چابی پکڑے آ کے تالہ کھولنے لگا تھا۔ میں باہر نکلا تو ہیرا پھر کار میں بیٹھ گیا۔ کار نے ہیرا کو بنگلے کے پاس اتارا، اور گھوم کے مٹی

اڑاتی، یہ جاوہ جا۔

کیا چیز بنائی ہے انگریز بادشاہ نے یہ موٹر بھی۔

میں تو حیران ہوں۔

اپنا ہیرا کئی بار اس موٹر میں بیٹھا ہے پر غرور نام کو نہیں اس بچے میں۔

ماں کو دیکھو وہ تو ناک پہ مکھی نہیں بیٹھنے دیتی۔

اندر سنگھ کی بات اور ہے۔

وہ تو لائی لگ ہے۔

گردن نیچی کر کے جورو کے پیچھے چلتا ہے۔ جو وہ کہے، وہی کرتا ہے۔ اسی کے کہنے سے ہیرا کو لدھیانے سول لائنز میں پڑھنے کے لیے داخل کیا ہے۔ ورنہ اپنے پاس دوراہے میں بھی تو سکول ہے۔ میاں ابوالفضل کے بیٹے بھی تو دوراہے پڑھتے ہیں۔

اوئے دوراہے کے ٹاٹاں والے سکول کو تو سول لائنز کے ٹائی کوٹ اور ڈیسکوں والے سکول سے ملاتا ہے۔

میں ملاتا نہیں، بات کر رہا ہوں۔ آخر پڑھائی تو دونوں سکولوں میں ہے نا۔

پڑھائی کی باتیں چھوڑ' بات یہ ہے کہ کیا باتاں ہیں، سول لائنز کیاں یار۔

چلو اپنا ہیرا اُدھر ہی پڑھتا ہے۔

فیر بھی ہر ایتوار ادھر ملنے آتا ہے سول لائنز سے۔

ہر اتوار آتا تھا وہ۔

مئی کے مہینے کی بات ہے۔ مئی کا شاید دوسرا ہفتہ تھا۔ تانگے پہ چڑھ کے آیا۔ ہفتے کی شام رہا۔ اتوار چڑھ گیا۔ ان کے گھر کے پچھواڑے میں باغ تھا۔ صحن کی ایک طرف سے دیوار گرا کے سندر کور نے وہ باغ اپنے گھر کا باغیچہ بنا لیا تھا۔ تھا وہ بنگلہ نہر کا۔ سب کا تھا۔ دیوار جب سے گرائی اہل کاروں کے بچے ادھر کم جانے لگے۔ جاتے تھے سندر کور ڈانٹ کے بھگا دیتی۔ موٹے موٹے سنگلوں میں چوڑے جبڑوں والے

کالے کتوں کے سنگل ڈھیلے کر دیتی۔ وہ بندھے بندھے اچھل اچھل کے بھونکتے۔ بچے سہم کے پلٹ آتے۔ اسی باغ میں اندر سنگھ کی دیوار کے ساتھ ہی ایک جامن کا درخت تھا۔ گرمیاں آئیں تو جامن پک گئے۔ اندر سنگھ کے تینوں بیٹے جامن اتارنے لگے۔ ہیرا اوپر چڑھ گیا۔ منجھلا بیٹا پنا اور تیسرا ہری نیچے کھڑے رہے۔ ہیرا جامن پہ چڑھا جامن توڑ توڑ کے کھائے، نیچے کھڑے دونوں بھائی شور مچائیں، نیچے پھینک۔ سارے خود نہ کھا۔ پنا بارہ سال کا تھا۔ ہری سات سال کا۔ پنّا سنگھ نے ہری کو کہا اندر سے چادر لا، زمین پہ بچھاتے ہیں۔ وہ چادر لے آیا۔ موتیے رنگ کی دھلی ہوئی بستر سے اتار کے۔ سندر کور بھاگی آئی۔ چادر اٹھا کے لے گئی، ہری کو ڈانٹا۔ جامن کے نشان ڈالنے ہیں اس پہ۔ اتارے گا تیرا پیو۔ بستر کی چادر کیوں اتاری۔ یہ بچھا اپنے پیو کی پرانی دھوتی۔ بچوں نے وہی بچھا دی۔ پرانی دھوتی میل خورے رنگ کی تھی۔ براؤن دھاریوں والی سوتی سے گھسے ہوئے کپڑے کی۔ تانے کے ہلکے سلیٹی رنگ کی وجہ سے ڈبیاں سی اس میں بنی ہوئی نظر آتی تھیں۔ دوپہر کا وقت تھا۔ بگولے اڑ رہے تھے۔ ہوا آتی تو ہلکی سی بچھی تہمند کا کوئی نہ کوئی سرا اڑ کے کھسک جاتا۔ اوپر سے ہیرا سنگھ جامن پھینکتا تو ان میں سے کچھ ہوا سے ہلتی ہوئی بچھی چادر کی بجائے زمین پہ گر کے پچک جاتے اور مٹی سے لتھڑ جاتے۔

کچھ رکھ اس کے کونوں پہ، ہیرا نے اوپر درخت سے چڑھے چڑھے آواز دی۔

پنّا سنگھ ادھر ادھر سے اینٹ روڑے اٹھا کے لے آیا۔ دو کونوں پر وہ رکھ دیے۔ ایک کونے پہ سب سے چھوٹے بھائی ہری کو بٹھا دیا۔ ایک کونا پھر بگولے سے اڑا۔ پنّا سنگھ نے قریب ہی دیوار کے پاس پڑی کسّی کو لا کے ڈنڈے کے بل لمبائی میں رکھ دیا۔ پھل اس کا خنجر کی طرح اوپر اٹھا ہوا تھا۔ بس کسّی رکھنے کے بعد ہیرا سنگھ نے تین جامن ہی توڑ کے پھینکے تھے کہ تڑاخ کی زوردار آواز آئی۔

جس ٹہنی پہ ہیرا سنگھ کھڑا تھا، وہ عین اس کے پیروں کے نیچے سے ٹوٹی اور وہ دھڑام سے ٹہنیوں اور پتوں کے درمیان سے گھسٹتا ہوا گرا۔ ایک کندھا بچھی ہوئی تہمند

پہ بکھرے جامنوں پہ لگنے سے پہلے ہی گردن چادر پہ پڑی کسّی کے چھری جیسے پھل کے آر پار ہوگئی۔ ایک دوبار اس کا جسم وہیں کٹی ہوئی مچھلی کی طرح پھڑکا، اور بے جان ہوگیا۔ ساری چادر خون سے بھرگئی۔ گردن سے خون کے فوارے نکلنے لگے۔ نیچے بیٹھے بچے چیخیں مارنے لگے۔ اندر کمرے سے سندر کور لپک کے آئی اور وہ منظر دیکھ کے بے ہوش ہوگئی۔

کئی ہفتوں تک سارا ہیڈ مان پور سوگوار رہا۔

اس واقعے کے پانچویں ہفتے کی بات ہے جون کی چودہ تاریخ تھی۔

اندر سنگھ اپنے دونوں بیٹوں کو انگلی سے لگا کے نہر کے کنارے آ گیا۔ گرمی کی وجہ سے ہیڈ مان پور کے سارے بچے نہر میں نہا رہے تھے۔ نہر کے کنارے میں آباد ہونے کی وجہ سے وہاں کا ہر بچہ تیراک تھا۔ اندر سنگھ خود بہت بڑا تیراک تھا۔ تھا پتلا سا اکہرے جسم کا۔ مگر پانی میں اترتا تو سانپ کی طرح، سینہ اٹھا کے تیز تیرتا۔ اس کے بچے بھی تیراک تھے۔ ہیرا سنگھ بھی اسی نہر میں تیرا کرتا تھا۔ اندر سنگھ ہیرا کی موت کے بعد آدھا رہ گیا تھا۔ جب سے ہیرا مرا تھا اندر سنگھ نے نہر میں پاؤں نہ رکھا تھا۔ اکثر نہر کے کنارے آتا تو کسی کنارے چادر بچھوا کے بیٹھ جاتا۔ خاموش، چپ، نہ کسی سے بات کرتا۔ نہ کسی کو کچھ کہتا۔ سر سے گنجا تھا۔ صرف کانوں کے اوپر دونوں طرف لمبے لمبے بال تھے۔ اوپر چندیا صاف تھی۔ مگر پگڑی باندھنا وہ کبھی نہ بھولتا تھا۔ ہیرا سنگھ کی موت کے بعد اسے پگڑی باندھنی بھی یاد نہ رہی۔ اور وہ سر پہ ایک رومال سا لپیٹ کے باہر نکل آتا۔ اس لمحے وہ دور سے پہچانا نہ جاتا۔ اس کا ناک خمیدہ تھا، ایک طرف سے دیکھنے سے وہ چیل کی مڑی ہوئی چونچ جیسا نظر آتا تھا۔ سامنے سے دیکھتے ہوئے پتہ نہ چلتا تھا کہ ناک مڑی ہوئی ہے۔ آنکھیں چھوٹی چھوٹی تھیں، رنگ گندمی تھا، قد کا درمیانہ تھا۔ بازوؤں کی مچھلیاں گندھی ہوئیں تھیں، سینہ سیدھا تھا اور پیٹ تھوڑا سا ناف کے عین اوپر سے باہر کو نکلا ہوا تھا۔ مگر ہیرا سنگھ کی موت کے بعد اس کے بازو بے جان سے ہو کر ٹوٹی ہوئی درخت کی ٹہنیوں کی طرح اس کے بدن کے دونوں طرف

لٹکتے نظر آتے تھے۔ بازوؤں کی مچھلیاں اچانک ہی اندر سے نکل گئی تھیں۔ پیٹ کی گگڑی سی البتہ اسی طرح نظر آتی تھی۔ مگر سینہ اندر کی طرف خم کھا گیا تھا۔ اور دور سے آتا ہوا وہ کبڑا کبڑا نظر آتا تھا۔ اندر سنگھ بہت دنوں بعد اپنے دونوں بیٹوں کو لے کر نہر کی طرف آیا تو اس کے بیٹے نہر میں نہانے کی اس سے اجازت مانگنے لگے۔ کئی بچے اور نہا رہے تھے۔ اندر سنگھ نے اپنے بچوں کی قمیصیں پکڑ لیں اور ایک چارپائی نہر کنارے پرانے پیپل کی چھاؤں میں بچھوا کے بیٹھ گیا۔ بیٹھے بیٹھے پھر تکیے پہ سر رکھ کے لیٹ گیا۔ اس کے دو تین نوکر اس کے پاس زمین پہ بیٹھ گئے۔ ایک نیچے بیٹھا بیٹھا، اندر سنگھ کی سیدھی ہوئی ٹانگوں کے پیر دبانے لگا۔ نہر کنارے اندر سنگھ اوورسیئر کو چارپائی پہ لیٹا دیکھ کے راہ چلتے لوگ سلام دعا کرتے، سسری کال، جو بولے سو نہال کہتے۔ تھوڑی دیر بیٹھ کے ادھر ادھر کی باتیں کرتے۔

ایک لکڑی کا بیوپاری دور راہے سے آ گیا۔ اس کی لکڑی پیچھے پہاڑوں سے آتے دریا سے ہوتی سرہند نہر میں تیرتی آتی تھی۔ یہاں پھاٹک کی ٹیک سے لکڑی کے شہتیر رک جاتے۔ شہتیروں پہ مخصوص نمبر ان مٹ سیاہی سے لگے ہوتے تھے۔ اپنے اپنے نمبر اور مہریں پہچان کے لکڑی کے آڑھتیے الگ کر دیتے اور بنگلہ نہر والوں کو سرکاری معاوضے کے علاوہ بھی حسب حال انعام دے کے، اپنی لکڑی لے جاتے۔ وہ ٹھیکیدار اسی لکڑی کے شہتیروں کے سلسلے میں کسی الجھے مسئلے پہ بات کرنے آیا تھا۔ ہوا یوں تھا کہ کئی آڑھتیے بنا سرکاری مہر اور نمبر لگوائے بھی اوپر دریا کے ہیڈ سے نہر سرہند میں لکڑی چوری چھپے پھینکوا دیتے اور ادھر بنگلے پہ کچھ دے دلا کے اپنی لکڑی چھڑوا لیتے۔ ایسے ہی کچھ لکڑی کے بیوپاریوں نے بجائے درختوں کے تنوں اور سیدھے کٹے شہتیروں کے پورے پورے، بن ترشے درختوں کے موچھے بھی نہر میں پھینکنا شروع کر دیے۔ ان کا فائدہ ان میں یوں تھا کہ اس طرح درختوں کی چھوٹی ٹہنیاں بھی ان کو مل جاتیں اور وہ درختوں کو مخصوص سائز اور شکل میں کاٹنے کی مشقت سے بھی بچ جاتے۔ چونکہ اس قسم کی لکڑی وہ لاتے ہی غیر قانونی طور پر تھے۔ اس لیے اس پہ حکومتی

ٹیکس ادا کرنے سے بھی وہ بچے رہتے۔ جو تھوڑا بہت انہیں ادا کرنا پڑتا۔ وہ یہیں صرف بنگلہ نہر کے اہل کاروں کے لیے ہوتا۔ ظاہر ہے سڑک کے ذریعے لکڑی لانے سے پانی میں تیرتی آتی لکڑی کہیں سستی پڑتی۔ پانی میں تیرتی آتی لکڑی کوالٹی میں بھی بہتر تصور کی جاتی تھی۔ کیونکہ پانی میں رہ رہ کے اس کی سیزننگ بہتر ہوئی ہوتی تھی۔

اس دن کی بات ہے دوراہے کا مدّرے سے قد کا، موٹا گول مٹول، چیچک کے داغوں سے بھرے پھولے ہوئے چہرے والا، ادھیڑ عمر گنجا' لالہ کشن گوپال ٹھیکیدار، اوورسیئر کو چارپائی پہ نہر کنارے چھاؤں میں لیٹے دیکھ کے، اسی کے پاس آ کے بیٹھ گیا اور اپنے ان چند شہتیروں کی بابت بات کرنے لگا جو یہاں نہر کے ہیڈ پہ اُسے نہیں ملے تھے۔ اوورسیئر کہے، نہر سے پیچھے کسی نے نکال لیے ہوں گے۔ وہ نہ مانے، کہے ایسا اس کی لکڑی کے ساتھ نہیں ہوسکتا۔ اس کی دلیل تھی کہ اس کی لکڑی بہت بھاری تھی اور تھی بھی شہتیروں کی صورت میں نہیں۔ نکالتا کون انہیں ہیڈ سے پہلے۔ وہ مانتا تھا کہ ایسے واقعات کبھی کبھار ہو جاتے تھے۔ ایسی چوری ہو جاتی تھی۔ مگر ایسا عام نہ تھا۔ کیونکہ سرہند نہر بہت بڑی نہر تھی۔ پانی تیز تھا۔ اور عام دیہاتی لوگ سرکاری معاملات میں ہیرا پھیری کرنے کی ہمت نہیں کرتے تھے۔ اس کے علاوہ نہر کے اندر سے، نہر کے ہیڈ ورکس سے پہلے تیرتی آتی لکڑی کو پکڑنا عام آدمی کے بس کی بات بھی نہ تھی۔ نہر کے ہیڈ پہ، نہر کے آہنی دروازے کی ٹیک سے لکڑی کے شہتیر ٹکرا کے رک جاتے تھے اور انہیں گیٹ کے پاس کسی حد تک رکے رکے سے پانی سے نکالنا آسان بات تھی۔ گیٹ کے پاس پانی صرف گیٹ کے نیچے سے، تھوڑے سے کھلے گیٹ سے ہو کے گزرتا تھا اور گیٹ کی ٹھوکر سے آگے نہر میں بڑی جھاگ اڑاتی شور مچاتی جھال بنتی تھی اور گیٹ کے پیچھے' اس کی ٹیک سے رکی تیرتی آئیں شہتیریاں نکال لی جاتی تھیں۔ اور ریڑھوں پہ رکھ کے لکڑ منڈی میں لے جائی جاتی تھیں۔ ابھی اوورسیئر اندر سنگھ اور موٹا لالہ کشن گوپال بیٹھے باتیں کر رہے تھے کہ نہر میں تیرتے بچوں کا شور سنائی دیا۔ اندر سنگھ کے کان میں بچوں کے چلانے کی آواز آئی۔

پنّا!

پنّا بھائی۔

اوورسیئر ایک دم سے اٹھ کے کھڑا ہو گیا۔ پاس بیٹھا لالہ کشن گوپال اور دوسرے نوکر بھی اٹھ بیٹھے۔ نہر میں نہاتے بچے خوفزدہ ہو کے چیخیں مار رہے تھے۔

ایک بچے نے نہر کے کنارے آ کے پانی سے سر نکالا اور چیخنے لگا۔ پنّا ڈوب گیا۔ پنّا ڈوب گیا۔ اوورسیئر بیٹھا بیٹھا کپکپا کے کھڑا ہو گیا۔ مگر اس کی ٹانگوں سے اس کا وجود نہ سہارا گیا۔ وہ چار پائی پکڑ کے سنبھلا اور پھر نہر کی طرف لپکا۔ اتنی دیر میں نہر سے دو تین بچے اور نکل کے کنارے پہ کھڑے ہو کے تیز تیز بولنے لگے۔

ہوا کیا۔ کدھر ہے پنّا۔ اوورسیئر چیخا۔

وہ نیچے ہے۔ چاچا۔ نکل نہیں رہا۔

کدھر؟

کنارے بیٹھا ہوا، اوورسیئر کا تیسرا بیٹا زور زور سے رونے لگا۔ روتے روتے وہ نہر میں ایک طرف اشارہ کرتا جائے۔ ادھر ہے بھائی' ادھر۔

اوورسیئر نے پلک جھپکنے میں پہنی ہوئی چمڑے کی براؤن گرگابی اتاری اور دھوتی کو تیزی سے ٹانگوں میں لپیٹ کے قمیض اتارے بغیر، بچوں کے اشارے کی سمت نہر میں چھلانگ لگا دی۔ اوورسیئر کے ساتھ ہی تین چار اہل کار بھی نہر میں کود پڑے۔ نہر کے کنارے چیچک زدہ چہرے والا موٹا چھوٹے قد والا لال کشن گوپال اکیلا رہ گیا۔ معاملے کی انتہائی حساس صورت حال دیکھ کے، کشن گوپال کے ہاتھ پاؤں بھی ٹھنڈے ہو گئے اور وہ کھڑا کھڑا وہیں شور مچانے لگا۔ نکالو، کدھر ہے۔ کدھر ہے اوورسیئر کا بیٹا۔ پنّا۔

ایک ساتھ پانچ چھ لوگ نہر میں پنّا کو ڈھونڈنے کے لیے کود چکے تھے۔ سب تھوڑے تھوڑے وقفے بعد نہر کے اندر سے سر نکال کے ادھر اُدھر دوسروں کو دیکھتے۔ اشاروں کنایوں کے علاوہ چیخ چیخ کے ایک دوسرے سے افراتفری میں بات کرتے۔

اور پھر ڈبکی لگا کے پانی کے اندر ہی اندر مچھلیوں کی طرح تیرتے، آنکھیں کھولے۔ پنّا کو تلاش کرتے پھرتے۔ سب جانتے تھے کہ صورت حال انتہائی خوفناک ہے، چند سیکنڈ اور پنّا پانی کی سطح پہ کہیں سے نہ نکلا تو اس کی موت یقینی ہے۔

ایک ایک سیکنڈ برسوں جیسا تھا۔

ایک ایک کر کے کئی منٹ گزر گئے۔

چند ساعت پہلے زندگی سے بھر پور، خوشگوار نظر آنے والی نہر، ایک ڈائن کی طرح خوفناک جبڑوں والی عفریت نظر آنے لگی۔ لمحوں میں نہر کا منظر بدل گیا۔ ہر چہرے پہ موت کی تحریر لکھی نظر آنے لگی۔

اندر سنگھ پاگلوں کی طرح پانی میں غوطے لگاتا رہا۔ کبھی وہ سر پانی سے باہر نکال کے باولوں کی طرح ادھر اُدھر دوسروں کی نظروں سے پوچھے۔

بولے۔

چیخے۔

آیا نظر؟

دیکھا کسی نے؟

کدھر گیا؟

کدھر تھا۔ میرا پنّا۔ میرا بیٹا۔

کوئی بچائے۔

کوئی دیکھے۔

نہر کے بہاؤ میں تیرتے لوگ ایک سرے سے لے کر دوسرے سرے تک، منٹوں میں آدھے میل کے فاصلے میں پھیل گئے۔

آدھا گھنٹہ گزر گیا۔

اندر سنگھ کے بازو ٹوٹ گئے۔

وہ نہر کے کنارے پہ دونوں ہاتھ رکھ کے پھوٹ پھوٹ کے رونے لگا۔

اتنے میں اندر سنگھ سے کوئی بیس قدم کے فاصلے سے نہر کے کنارے میں اگی اونچی اونچی گھاس کے پاس سے کوئی چیز سطح آب کے نیچے سے اوپر ہوئی اور اگلے ہی لمحے پتّا سنگھ کی الٹی ہوئی لاش اچھل کے پانی کی سطح پر آ گئی۔ لوگ بھاگے بھاگے ادھر پہنچے۔ جا کے دیکھا تو پتّا سنگھ کا بائیاں ٹخنہ کنارے کے پاس پڑی ایک منوں بھاری دوشاخی لکڑی میں پھنسا ہوا تھا۔ نکال کے اُسے باہر لایا گیا۔ وہ آدھا گھنٹے پہلے کا مرا ہوا تھا۔

ہیڈ مان پور پھر سوگوار ہو گیا۔

ہیڈ کے لوگ سراسیمگی میں آپس میں کبھی کبھار کانوں کو ہاتھ لگا کے باتیں کرتے، کہ یہ سال بڑا منحوس ہے۔ ابوالفضل کا بیٹا گم گیا۔ سندر کور کے دو بیٹے مر گئے اور کرمو کے ڈبو بیل مرنے سے اس کی بیلوں کی جوڑی ٹوٹ گئی۔ جن جن کو غم ملا تھا، وہ چپ چاپ اپنا اپنا غم منائے جا رہے تھے۔ کرمو خاموش چلتا پھرتا نظر آتا رہتا، سندر کور گھر سے باہر نہ نکلتی، اندر سنگھ نے باہر چھاؤں میں بیٹھنا چھوڑ دیا مگر بھاگو اب بھی گھر میں اپنے دن بھر کے کام کاج کر کے، چھوٹے بیٹے سراج کو لے کر شام کے وقت گھر سے نکل کے اسی میدان میں جا بیٹھتی جہاں گرد باد میں اس کا بیٹا صدر گم ہوا تھا۔ وہاں بیٹھ کے وہ روتی رہتی۔ آنسو اب بھی اس کی آنکھوں سے نکلتے بہتے۔ روتی روتی وہ اپنے سر کی چادر سینے سے آگے کیے دونوں ہاتھوں میں پکڑ کے آسمان کی طرف اٹھاتی اور سر پیٹتی۔ چادر کے نیچے سے اس کے سر کے بال کھل جاتے، وہ بالوں میں کبھی کبھار مٹھی بھر مٹی بھی اٹھا کے ڈال لیتی۔ آہ و زاری کرتی۔ آسمان سے باتیں کرتی۔

ہائے میرا بیٹا کون لے گیا۔

آٹھ مہینے ہو گئے۔

نو مہینے تو وہ میرے پیٹ میں رہا تھا۔

میں کیسے بھول جاؤں میرے اللہ۔

تو بھول گیا۔ تیرا حافظہ کیوں کمزور ہے۔

میں تو ماں ہوں۔

بول میں کیسے بھولوں۔

میرا ہیرے جیسا بیٹا۔ کیا بگاڑا تھا اس معصوم نے کسی کا۔ کون ظالم لے گیا۔

تو تو جانتا ہے۔ ان کی جڑ مار دے۔

ناس کر دے انکا۔

جنہوں نے میرا بیٹا اٹھایا ہے، میرے اللہ ان کا کچھ نہ بچے۔

کچھ نہ رہے۔

تو سن رہا ہے نا۔

''میں سن رہی ہوں بھاگو۔ اب بس کر۔''

بھاگو کی آٹھ مہینوں کی چیخ و پکار کے جواب میں پہلی بار ایک آواز آئی' نسوانی کپکپاتی ہوئی آواز۔ وہ آواز سندر کور کی تھی جو ایک شام اپنے گھر سے نکل کے ننگے پیر بھاگو کے پاس آ کے کھڑی ہوگئی۔ اس کے بال کھلے تھے' چہرے پہ ہوائیاں اڑی ہوئی تھیں۔

''میں کیا کروں، سندر کور۔ مجھے صبر نہیں آتا۔'' بھاگو سندر کور کو پاس کھڑے دیکھ کے چادر سے اپنے آنسو پونچھتے ہوئے بولی۔ میرا دل کہتا ہے میرا بیٹا زندہ ہے۔

''ہاں، بھاگو! تیرا بیٹا زندہ ہے۔'' سندر کور پیتل کی مورتی بنی بنا تاثر دیے اپنے کپکپاتے ہونٹ ہلا کے ایسے مردنی لہجے میں بولی' جیسے قبر کے اندر لیٹی بول رہی ہو۔ جیسے ایکا ایکی میں انسانی ہستی سے بڑا انکشاف کر رہی ہو۔ بھاگو بیٹھی بیٹھی تڑپ کے پاس کھڑی سندر کور کی قمیض کا کونا پکڑ کے کھینچتی ہوئی چیخی، تو جانتی ہے۔ سندر کور، تجھے پتہ ہے؟

ہاں میں جانتی ہوں۔ تیرا بیٹا زندہ ہے۔ اور شہ زادوں کی طرح رہ رہا ہے پر میرے دو بیٹے مر گئے۔ تیسرا ہاتھوں میں آ گیا ہے۔ میرا ایک ہی بیٹا رہ گیا ہے۔

بھاگو! اس کی زندگی بخش دے۔

ہیضہ ہو گیا ہے اسے۔

صبح سے الٹیاں اور دست کرتے کرتے آدھا بھی نہیں بچا۔

چاولوں کی پیچ جیسی دست ہے اس کی۔

پیٹ میں ایک بوند پانی نہیں بچا۔

پھر بھی دست نہیں رک رہے۔ تو ہمیں معاف کر دے۔

اللہ تیرے بیٹے کو شفا دے۔ تیرا میرے بیٹے سے کیا تعلق۔ میرا بیٹا کدھر ہے، تو کیسے جانتی ہے؟

ایک دو لمحے سندر کور بھاگو کے پاس بت بنی کھڑی رہی' پھر تڑاخ تڑاخ اس میں دراڑیں آئیں اور وہ دونوں ہاتھ جوڑ کے مٹی کے بودے بت کی طرح گھٹنوں کے بل گر کے بھاگو کے داہنے گھٹنے پہ سر رکھ کے رونے لگی اور روتے روتے بولی' میں ہی تو وہ کلموہی ہوں بھاگو، جس نے تیرا گھر اجاڑا تھا۔ تیری بددعاؤں نے اب میرا ناس کر دیا ہے۔

تو نے اٹھایا تھا میرا صدر؟ بھاگو اسے اپنے گھٹنے سے دور پٹخ کے ایک دم سے اٹھ کے کھڑی ہو گئی۔

ہاں، بھاگو! میں نے اٹھوایا تھا۔

تین دن اسے اپنے گھر رکھا۔

چوتھے دن صبح سورج نکلنے سے پہلے کالی گھوڑی پہ بٹھا کے دور، لدھیانے سے آگے، جگراؤں سے پہلے، بیر ریاست میں بھجوا دیا۔

بیر بھجوا دیا؟

کیوں؟

میں نے تیرا کیا بگاڑا تھا۔

بھاگو کی آنکھیں ابل رہی تھیں، کان سائیں سائیں کر رہے تھے۔ اس کے جسم

کے بند بند میں گرد باد گھوم رہا تھا۔ کیوں اٹھوایا میرا صدر تو نے۔

میری خالہ زاد ہے ادھر چانن کور۔ اسے اپنی جاگیر کا وارث چاہیے تھا۔

تو نے تو لڈو بھیجے تھے، اس کے بیٹا پیدا ہونے کے اسے پھر کیوں وارث کی ضرورت پڑی۔

وہ بچہ مر گیا تھا۔ کمزور سا، تھوڑے دنوں کا کسی چمارن کا بیٹا تھا، سوا دو سال کا ہوا تو بخار سے مر گیا۔ وہ بچہ بھی اس کا نہیں تھا۔ جاگیر بچانے کی خاطر اس نے آیہ سے منگوایا تھا۔ مر گیا تو آیہ کے ہاتھوں کہیں چوری چھپے پھنکوا دیا اور مجھے بلوانے کا سندیس بھیج دیا۔ میں گئی تو کہنے لگی، آیہ نے ایک بار نمک حلال کر دیا تھا، اب تیری باری ہے۔ جاگیر میں نے شریکوں کے حوالے نہیں کرنی۔ مجھے کہہ کے وہ لاہور اپنی حویلی میں چلی گئی۔ جاتی کہہ گئی تیسرے دن موٹر بھیج دوں گی اپنے گاؤں تیرا بھیجا ہوا بچہ لینے۔ سارا راستہ میں سوچتی آئی کدھر سے بچہ لا کے دوں اس کو۔ اس عمر کا۔ پھر تیرے بیٹے کا خیال آ گیا۔ جب میں رانی چانن کور کے بھیجے ہوئے لڈو لے کر آئی تھی، تو تیرا میاں بھی لڈو بانٹتے پھر رہا تھا۔ اسی عمر کا تھا تیرا صدر بھی۔

ڈھائی دن میں سوچتی رہی۔

پھر آندھی آ گئی۔

بڑا سخت گرد باد تھا۔

اکیلا بیٹھا تھا تیرا صدر، لاٹو لے کر لکڑی کا۔

میں ادھر اپنی دیوار کے پاس کھڑی تھی۔ آندھی دیکھ کے دیوار پہ سوکھنے کو ڈالے بستر کے کھیس اٹھانے آئی تھی۔ کھیس اٹھا کے بازو پہ ڈالے تو تیرا بیٹا ادھر بیٹھا نظر آ گیا۔ دماغ میں الٹی پھرکی چلی اور میں کواڑ کھول کے باہر آ گئی چار قدم کا فاصلہ تھا۔ مٹی کا غبار ایسا تھا کہ کچھ سجھائی نہ دیتا تھا۔ ایک لمحے کو تو تیرا صدر بھی نظر نہ آیا۔ آنکھیں مل کے، ماتھے پہ ہاتھ رکھ کے دیکھا تو وہ ادھر ہی آنکھوں پہ بائیاں بازو رکھے اپنے داہنے ہاتھ میں لاٹو پکڑے بیٹھا تھا۔ بس میں نے آ کر اسے کندھے سے پکڑ کے

اٹھالیا۔ کہا، پتر آندھی آئی ہے۔ چل اٹھ۔ وہ اٹھا تو کھیس میں اسے لپیٹ کے گود میں اٹھالیا۔ لاٹو اس کا کھیس میں لپیٹتے سمے گر گیا۔ وہ رونے لگا، میرا لاٹو۔ میں نے اس کے کان میں کہا، چل تجھے چار لاٹو دوں گی۔ وہ چپ ہو گیا۔ آندھی تیز ہو گئی۔ اپنے گھر میں آتے ہی میں نے کواڑ بند کر دیے اور صدر کو پچھلے کمرے میں لے گئی۔ تین دن اسے ادھر رکھا۔

ہائے میرا صدر، بھوکا پیا سا روتا رہا ہوگا۔ تو ڈائن ہے، میرا بیٹا کھا گئی۔

بھاگو سندر کور کا منہ نوچنے کو لپکی۔

اپنے بچوں سے بڑھ کے اسے کھلایا تھا۔ جتنے میرے تینوں بیٹوں کے کھلونے شہر سے خریدے ہوئے گھر میں پڑے تھے، سارے لا کے اسے دے دیے۔ وہ تو ایک منٹ کو بھی نہیں رویا تھا۔ تیسری رات اندر سنگھ کالی گھوڑی پہ کاٹھی ڈال کے اندر صحن میں لے آیا۔ آدھی رات جب گزر گئی۔ تو سوتے ہوئے تیرے بیٹے کو کھیس میں لپیٹ کے وہ گھوڑی پہ بیٹھ گیا۔ اور پکی سڑک چھوڑ کے کچے راستوں سے ہوتا ہوتا بیر جا پہنچا۔

چوتھے دن واپس آیا تو کہنے لگا، موٹر ادھر کھڑی تھی۔

رانی چانن کور بھی وہیں تھی۔ لاہور پٹیالہ ہاؤس میں اس سے نہ رہا گیا۔ واپس آئی بیٹھی تھی اپنی ریاست بیر میں۔ بچہ اندر سنگھ سے لیا اور موٹر سٹارٹ کر کے لاہور چلی گئی۔ دس مہینے ہو گئے۔ ابھی تک واپس نہیں پلٹی۔ لاہور سے سنا ہے کشمیر چلی گئی۔ اس نے تو تیرے بیٹے کو شہزادہ بنا کے رکھا ہے۔ تیرے بیٹے کو کچھ نہیں ہوا بھاگو، میرے دو بیٹے مر گئے۔

تیسرا جان کنی میں پڑا ہے۔ ساڑھے سات سال کا میرا ہری، ایک دن کے ہیضے سے ادھ موا ہو گیا ہے۔ تو چل کے دیکھ تو سہی۔ تیرا کلیجہ پھٹے گا۔ آنکھوں کے حلقے کالے سیاہ ہو گئے ہیں۔ یہ کلچے جیسے گال پچک گئے ہیں۔ چہرہ ہلدی کی طرح پیلا ہو گیا ہے۔ شیر جیسے میرے پتر سے اٹھ کے بیٹھا نہیں جاتا۔ دو دو منٹ بعد جلاب آتے ہیں۔ لونگی میں لپیٹ کے آئی ہوں۔ دو بار حمام کا پانی خالی ہو گیا ہے اسے دھوتے

دھوتے۔ پیٹ میں پانی کی ایک بوند نہیں ٹھہرتی۔ بھاگو، تیری بد دعاؤں نے میرا ناس مار دیا۔ میں تیری ابھاگی ہوں۔ تیری گنہگار ہوں۔ تو مجھے مار دے۔ میرے ہاتھ پاؤں توڑ دے۔ میرا بچہ، میرا ہری بچا لے۔ دیکھ میں تیرے آگے ہاتھ جوڑتی ہوں۔ ماتھا ٹیکتی ہوں تیرے چرنوں پہ۔ میرا گھر اجڑ گیا۔ اپنا شراپ واپس لے لے۔ میری بیچ کنی نہ کر۔ اندر سنگھ تو دونوں بیٹوں کی موت سے ادھ موا ہو گیا ہے۔ مجھ سے بات نہیں کرتا۔ کہتا ہے سب تیرا کیا دھرا ہے۔ ٹھیک کہتا ہے۔ میں ہی سیہ کار ہوں۔ رانی چانن کور سے ملنے والے انعام کی امید میں اندھی ہو گئی۔

وہ تو مجھے روکتا رہا۔ تیرا بیٹا تین راتیں رہا، وہ کہتا رہا، اب بھی وقت ہے اسے واپس کر دے۔ اس کی ماں زورو کے پاگل ہو گئی ہے۔ وہ تجھے روتے دیکھ آیا تھا۔ دیکھ تو میں بھی آئی تھی۔ یاد نہیں تیرے گلے لگ کے میں تجھے جھوٹے دلاسے بھی دیتی رہی تھی۔ تو اب سوچتی ہو گی، میں کیسی مکار ہوں۔

ہاں میری مکاری نے مجھے برباد کر دیا۔

تو معاف کر دے۔

اپنے رب کو کہہ۔

میرا ایک ہی بچہ رہ گیا ہے۔ اسے رہنے دے۔

تیرا بیٹا تو راجکمار بنا راج کر رہا ہے۔ میرا کچھ نہیں بچا۔ مجھے کیا ملا اس قبیح حرکت کا۔ دو سونے کے کڑے اور چھ، سات سات ماشے کی چوڑیاں۔ تو وہ ساری چوڑیاں رکھ لے، کڑے بھی تجھے دے دوں گی، بس میرا ہری نہ مرنے دے۔ اپنا شراپ واپس لے لے۔

ہائے دیکھ۔

میرے بیٹے کی رونے کی آواز آ رہی ہے۔

اس کی تو آواز نہیں نکلتی۔

پھر اسے جلاب آیا ہو گا۔

صبح سے اندر سنگھ شہر گیا نہیں لوٹا۔

دو بندے پیچھے بھجوا چکی ہوں۔ رب جانے کدھر رہ گیا۔ اسے کیا خبر پیچھے کیا آفت آ گئی۔ اچھا بھلا ہری کھیل کودرہا تھا۔ دروازے سے باہر دوڑتا باپ کے پیچھے گیا تھا۔ کہہ رہا تھا، شہر سے آتا ہوا تین رنگی لاٹو لیتا آئے۔ رب جانے، اندر سنگھ اس کے لیے لاٹو ڈھونڈتے ڈھونڈتے، تین رنگا ابھی تک شہر میں ہی ہے۔ یہ دیکھ، اسی کی آواز ہے۔ مجھے بلا رہا ہے۔ میں اسے دھلا کے آئی۔ سندر کور آئی پتر، آئی پتر کہتی ہوئی اپنے گھر بھاگ گئی۔

بھاگو اٹھ کے، سندر کور کے پیچھے پیچھے آہستہ آہستہ قدم اٹھاتی اس کے گھر کی طرف گئی۔ اس کا چہرہ عجیب طرح سے خاموش تھا۔ آنکھیں حیرانی سے پھٹی پھٹی تھیں۔ ناک پھیل کے آدھے چہرے پہ آیا ہوا تھا۔ ہونٹ مضبوطی سے بند تھے۔ سراج کو اس نے لپیٹ کے اپنے بائیں بازو کے گھیر میں لے کر سینے سے لگایا ہوا تھا۔ سندر کور کے دروازے پہ جا کر وہ رک گئی۔ دہلیز کے پار قدم نہ رکھا۔ وہیں نیم وا دروازے کی چوکھٹ سے دائیاں کندھا ٹیک کے کھڑی ہو گئی۔ کھڑی رہی۔

غسل خانے کے تھڑے سے سندر کور اپنے سات سالہ ہری کو دھلا کے، بانہوں میں اٹھائی تیزی سے نکلی اور اس کی نگاہ دروازے میں کھڑی بھاگو پہ پڑی۔ سندر کور وہیں سے بولی، دیکھ بھاگو، ہری کے ہونٹ نیلے ہو گئے ہیں۔ ہائے، میرا بیٹا، آنکھیں نہیں کھول رہا۔ پتر دیکھ میں تیری ماں ہوں آنکھیں کھول۔ آدھی آدھی آنکھیں کھلی ہیں اس کی۔ ہلدی جیسا رنگ ہو گیا ہے اس کا۔ پنڈا دیکھ کیسے ٹھنڈا ہوا جا رہا ہے اس کا۔ بیٹا اب نہیں دھلاؤں گی تجھے۔ کرتارہ دست میری چنی میں۔ چنی نہ کھول، ٹانگوں کو ہوا لگے گی۔ تجھے ٹھنڈ لگتی ہے۔ چل تجھے کھیس میں لپیٹ کے گرم کرتی ہوں۔

نی بھاگو آ کے دیکھ تو سہی۔ اسے دیکھ کے تیرا سینہ پھٹ جائے گا۔ آ جا لنگھ آ۔ تیرے پیر اندر پڑنے سے شاید میرا گھر بچ جائے۔ سندر کور ہری کو گود میں اپنے دوپٹے میں لپیٹے لپیٹے اندر لے گئی۔ بھاگو دروازے کی چوکھٹ چھوڑ کے واپس مڑ گئی۔ اور

وہیں میدان میں آ کر بیٹھ گئی اور آسمان کو گردن اٹھا کے اسی طرح سکتے کے عالم میں بیٹھی دیکھتی رہی۔ کوئی آدھے گھنٹے بعد سندر کور پھر ننگے پاؤں، کھلے بالوں کے ساتھ چڑیل سی بنی، بھاگتی بھاگتی باہر آئی۔ اور بھاگو کے سامنے دونوں ہاتھ جوڑ کے بیٹھ گئی۔ میرا ہری ہلدی کی طرح پیلا ہو گیا ہے۔ آنکھیں نہیں کھولتا' ہونٹ نیلے ہو گئے اس کے۔ ہاتھ پاؤں مڑنے لگے ہیں۔ گلے سے اس کے آواز نہیں نکلتی۔ رب کے نام سے اسے بچا لے۔

سندر کور ہاتھ جوڑ کے بھاگو کے آگے بیٹھ گئی۔

بھاگو ٹکٹکی باندھ کے خاموشی سے اسے تکتی رہی' کچھ نہ بولی۔ کوئی آدھ منٹ یونہی دیکھتی رہی' پھر بولی۔

تو میرا صدر واپس لا دے، تیرے ہری کو کچھ نہیں ہوتا۔

بھاگو، میں تیرا بیٹا کیسے واپس لا دوں۔ اب اس پہ میرا کوئی زور نہیں چلتا۔ تو یہ سمجھتی کیوں نہیں۔ وہ جاگیر دارنی کی جاگیر کا وارث ہے۔ بارہ پنڈ ہیں اس کی جاگیر۔ گھوڑے پہ بیٹھ کے تو تین دن اس کی زمینوں میں پھرتی رہے تو اس کی زمینوں کی حد نہیں ختم ہوتی۔ اس کے نوکروں کی فوج ہے پوری ایک۔ لدھیانہ، لاہور، سری نگر میں اس کی حویلیاں ہیں۔ بھگیاں، موٹریں، گھوڑے کیا نعمت ہے جو اس کے پاس نہیں ہے۔ چانن کور کے پاس لیکن انسان کا دل نہیں ہے۔ وہ عورت نہیں پتھر کی مورت ہے۔ مجھے تو خود اس کی اب سمجھ آئی ہے۔ مطلب پرست ایسی ہے کہ مطلب نکل جانے کے بعد ایک بار نہیں ملی مجھے۔ میرے دو شیروں جیسے بیٹے مر گئے۔ دو ہمدردی کے بول بولنے نہیں آئی۔ وہ بڑی کٹھور دل کی ہے پر تیرے بیٹے پہ جان دیتی ہے۔ اندر سنگھ دیکھ کے آیا تھا، کہتا تھا۔ ایک کیا سات ماؤں جتنا پیار کرتی ہے دیوندر سنگھ کو۔

دیوندر سنگھ نام ہے تیرے صدر کا اب۔ چار چار بندوقوں اور کرپانوں والے پہرے دار ہیں اس کے ہر نکر پہ۔ اسے اب کوئی واپس نہیں لے سکتا ہے۔ ایسی باتیں نہ سوچ بھاگو۔ وہ راضی خوشی ہے تو بس دھیرج رکھ۔ صبر کر لے۔ تیرے چار بیٹے ہیں

تیرے پاس۔

میں پانچ بیٹوں کی ماں ہوں۔ بھاگو غرائی۔

تجھے رب اور بیٹا بھی دے گا، تو اس کا نام صدر رکھ لینا۔ اب جو چلا گیا وہ کیسے واپس آئے گا۔

میں فضل کے میاں جی کو کہوں گی، پولیس میں رپٹ لکھوائے۔ مقدمہ کرے۔ بھاگو سراج کو گود میں ایک بازو سے اٹھا کے دوسرے میں لٹاتی ہوئی تھپتھپاتے بولی۔ تجھے اندر کرائے' تیری لاٹ صاحبنی سے اپنا بیٹا لائے۔

تو بھولی ہے بھاگو۔

سندر کور بھاگو کے پاس دونوں گھٹنے ٹیک کے زمین پہ بیٹھتے ہوئے بولی۔

ایسا کبھی نہ کرنا۔ وہ بڑے لوگ ہیں ان کے پاس پیسہ ہے، زمینیں ہیں۔ انگریز ان کی موٹروں پہ چڑھے پھرتے ہیں۔ لدھیانے، لاہور اور سری نگر میں ان کی حویلیوں میں شہر بھر کے رؤسیا کے لیے دعوتیں ہوتی ہیں۔ بڑے بڑے پولیس کے مہتمم، عدالتی فیصلے کرنے والے جج ان کی زمینوں پر آ کر شکار کھیلتے ہیں۔ ان سے تم مقدمہ کیسے جیت سکتی ہو، ایسا کبھی نہ کرنا۔ ورنہ وہ تیرے بیٹے کو مار کے کوئی اور بچہ رکھ لیں گے۔ میری طرف سے انہیں الٹی سیدھی گواہی کا خطرہ ہوا تو مجھے بھی مروا دیں گے۔ ان کے لیے یہ چھ چوڑیوں اور دو کڑوں کی بات ہے۔ ہے تو یہ بڑے دل گردے کی بات مگر کیا ہو سکتا ہے تو مجھے معاف کر دے۔ چل مجھے قید کی بد دعا دے دے۔ میری جان لے لے۔ میرا بیٹا بچا لے۔ میں لوبھ میں آ گئی۔ حرص نے میری آنکھوں پہ پٹی باندھ دی۔ میں تیری ابھاگن ہوں، میرا گھر اجڑ گیا۔ میرا کچھ نہیں بچا۔ ایک ہری ہے، اسے بچا لے۔ تیرا دیوندر راضی خوشی ہے، صاحب املاک ہے۔ راج گدی کا والی ہے۔ راجکمار ہے۔ اس کی زندگی کی خاطر اپنے بیٹے کی خاطر یہ باتاں جو میں نے کی ہیں کسی اور سے نہ کرنا۔ رانی چانن کور کو میں جانتی ہوں۔ جو میرے دو بیٹوں کے مرنے پہ میرے پاس نہیں آئی۔ وہ کسی کو بھی مروا سکتی ہے۔ اتنا میں بھی

اسے نہیں جانتی تھی۔ اب سمجھ آئی ہے اس کی۔ اسی لیے تجھے کہہ رہی ہوں تو میرے جیسی ہے۔ ہم اور لوگ ہیں، وہ اور لوگ ہیں۔

تو لوہے اور سونے کا فرق سمجھ بھاگو۔

میں تیرا غم جان گئی ہوں۔ تو مجھ اپرادھن کی سزا معاف کر دے۔ دو بیٹوں کی ارتھی اٹھتے دیکھ لی ہے میں نے۔ اب تیسرے کو کچھ ہو گیا تو میں نہ بچوں گی۔ مجھے جان سے مار دے۔ میرے ہری کو زندگی دے دے۔

ساڑھے سات سال کا ہے۔ کل تک خیر صلاّ سے نو دس سال کا دکھتا تھا۔ ابھی چل کے دیکھ آدھا بھی نہیں رہا۔ رب جانے اندر سنگھ کدھر رہ گیا۔ سارے نوکر چاکر اس کے پیچھے میں نے ڈھونڈنے بھیج دیے۔ پاجامے ہری کے دھو دھو کے سارے تار پہ سوکھنے ڈال دیے۔ اپنے دوپٹے میں لپیٹ کے لٹایا ہے۔ چمچے سے بوند بوند پانی نمک گھول کے اس کے حلق میں ٹپکا رہی ہوں۔ کسے کہوں اب کہ حکیم کو بلا کے لائے۔ دو بیلدار بھیجے حکیم کو بلوانے، ابھی تک ایک بھی نہیں مڑا۔ وہ دیکھ تانگہ ایک آ رہا ہے اس طرف، مٹی تو اڑی ہے ادھر۔ شاید اندر سنگھ ہو یا وید جی ہوں۔

ہائے میں لیموں توڑنے آئی تھی باغ سے۔

پھر تیرے پاس بیٹھ گئی۔

کہتے ہیں لیموں نچوڑ کے قطرہ قطرہ دیں تو دست رک جاتے ہیں۔

رب کرے ہیضہ نہ ہو۔ یہ تو وبائی مرض ہے۔

رب جانے کدھر سے چمٹ گیا میرے ہری کو۔ دیکھ میں تیری خطا کار ہوں۔ تیرا ایک بیٹا اٹھایا میرے دو مر گئے۔ میرے ہیرے موتیوں جیسے بیٹے مر گئے۔

میں اجڑ گئی بھاگو۔

سندر کور زار و قطار رونے لگی۔

آنسو ہاتھوں سے چہرے پہ ملتی ہوئی وہ اٹھی اور لیموں توڑنے باغ میں چلی گئی۔ تانگہ ٹپ ٹپ کرتا ہوا اسی طرف آ گیا۔ بھاگو اٹھ کے اپنے گھر آ گئی۔ رات کو

ابوالفضل نے عشاء کی نماز پڑھنے کے بعد، لیٹی ہوئی بھاگو کو کندھے سے پکڑ کے ہلایا اور بڑی دکھی آواز میں خبر دی کہ اندر سنگھ کا ہری مر گیا۔ بیچاروں کا گھر اجڑ گیا۔ تینوں بیٹے اوپر تلے مر گئے۔ ان کا کچھ بھی نہیں بچا۔ لگتا ہے کسی کی نظر لگ گئی، کوئی بددعا انہیں کھا گئی۔

ہاں۔ میری بددعا لگی ہے انہیں۔

تیری بددعا؟ تو نے کیوں بددعا دی انہیں۔

میں نے اپنے بیٹے کو اٹھانے والے کو بددعائیں دی تھیں۔

تو ان کا اس سے کیا تعلق؟

میں بتاتی ہوں۔ بھاگو نے بیٹھ کے ساری کہانی ابوالفضل کو سنا دی۔ ابوالفضل خاموشی سے بیٹھا سنتا رہا۔ آدھی رات یونہی دونوں کے بیٹھے بیٹھے گزر گئی۔ ابوالفضل کہے، میں مقدمہ کروں گا، اپنا بچہ لے لوں گا۔ بھاگو ہاتھ جوڑے، نہ۔ وہ مار دیں گے اسے۔ وہ تگڑے ہیں۔ راجے ہیں۔ ان کا کچھ نہیں بگڑنا۔ ہمارا اور نقصان نہ ہو جائے۔ چلو، میرا صدر زندہ تو ہے۔

اسے یاد تو ہوگا اپنا گھر، فضل کے میاں جی؟

ہاں یاد کیوں نہیں ہوگا۔ میرے حقے کی چلم میں تمبا کو بھرنے کے لیے ماکو ماکو مانگتا پھرا کرتا تھا تم سے۔ وہ بیٹھ کے صبح تک صدر کی باتیں کرتے رہے۔ اگلے دن ابوالفضل نے دوراہے جا کر اپنے کچھ دوستوں سے اس مسئلے پہ بات کی کہ پولیس میں پرچہ کراؤں یا خود جاؤں بیر کی رانی کے پاس۔ وہ سب کہنے لگے۔ دونوں کام نہیں کرنے۔ بچہ تیرا زندہ ہے، اسے زندہ رہنے دے۔ بڑا ہونے دے اسے۔ پھر اسے جا کر بتائیں گے، وہ تیرا خون ہے۔ تیرا بیٹا ہے۔ واپس آ جائے گا۔ دوراہے میں مسلمان سیدوں کے کئی گھر تھے، ان کی رشتے داریاں بیر گاؤں میں بھی تھیں۔ ابوالفضل نے انہیں بتایا، کہ ادھر جاؤ تو علیحدگی میں میرے بیٹے سے ملنا۔ کہنا تیری بائیں چھٹی پسلی کے پاس سینے پہ دو انگلی جتنا لمبا زخم ہے۔ دائیں کلائی پہ ہاتھ سے تین

انگلی اوپر مڑ کے دانے جتنا جلنے کا نشان ہے۔ پھر اسے ہمارے گھر کی ساری باتیں یاد دلانا۔ کہنا تیرا باپ تجھے یاد نہیں آتا جس کے پیچھے پیچھے توما کو ما کو بولتا پھرا کرتا تھا۔ کہنا تیرے بڑے بھائی بھی ہیں۔ ان کی باتیں یاد دلانا۔ اس کی ماں کا ذکر کرنا۔ کہنا وہ رو رو کے پاگل ہوگئی ہے۔ ساری باتیں کہہ دینا کیسے لاٹو کھیلتے کھیلتے آندھی کے وقت سندر کور نے اسے اٹھالیا تھا۔ اسے یہ باتیں یاد کراتے رہنا۔ تاکہ جب بڑا ہو تو یہ سب اس کے ذہن سے محو نہ ہو جائے۔

ابوالفضل کے دوستوں کو کوئی ڈیڑھ سال بعد دیوندر سنگھ سے تخلیے میں ملاقات کا موقع ملا۔ وہاں کے امام مسجد نے بھی دیوندر سنگھ سے یہ ساری باتیں کیں۔ دیوندر سنگھ نے امام مسجد کے سامنے اپنی قمیض سینے سے اٹھا کے نذر دین کا لگایا ہوا گرم چمٹے کے زخم کا نشان بھی دیکھ لیا۔ مگر پھر اس کے نوکر چاکر آ گئے۔ ڈرائیور نے موٹر سٹارٹ کر دی اور صدر اس میں بیٹھ کے چلا گیا۔ رانی چانن کور نے صدر کو بیر میں گم رکھا۔ زیادہ عرصہ وہ اسے لاہور میں اپنی حویلی میں رکھتی۔ یا پھر کشمیر لے جاتی گرمیوں میں۔ ہر وقت نوکر چاکر اس کا پہرہ دیتے۔

وہ دیوندر سنگھ سے کسی کو ملنے نہ دیتی، کڑی نگرانی کرتی۔ ایک بار اپنی موٹر پہ بیٹھی صدر کے ساتھ وہ ہیڈ مان پور کی نہر کی پٹری پہ آ گئی۔ آگے دروازہ بند تھا۔ ڈرائیور نے پوں پوں کر کے ہارن بجایا۔

فضل دین سے چھوٹا بدر دین ادھر کہیں کھیل رہا تھا۔ بیر کی رانی کی موٹر وہ پہچانتا تھا۔ بھاگا بھاگا موٹر کی طرف آیا۔ دیکھا کہ رانی اندر بیٹھی ہے۔ ڈرائیور بند گیٹ کے پاس کھڑا چابی والے کو آوازیں دے رہا ہے اور راجکمار موٹر سے اتر کے کھڑا اس جگہ کو غور سے دیکھ رہا ہے۔ ایک طرف نہر ہے۔ دوسری طرف میدان۔ میدان کے ساتھ ساتھ آگے قطار میں بنے کوارٹر۔ بدر دین اس وقت بارہ سال کا ہو گیا تھا۔ اور صدر کی عمر آٹھ سال کی تھی۔ بدر دین بھاگا بھاگا صدر کے پاس گیا۔ اس سے ہاتھ ملایا۔ دیوندر سنگھ نے بڑے شائستہ انداز میں بدر دین سے پوچھا۔

آپ ادھر رہتے ہیں؟

ہاں، تم بھی ادھر رہے تھے۔

ادھر؟

ہاں۔

ادھر کہاں؟

ہمارے ساتھ۔

آپ کون ہیں؟

آپ کے بڑے بھائی۔

بھائی۔

اس بنگلے پہ ہمارا گھر ہے۔ ماں تجھے یاد کر کر کے روتی ہے۔

مجھے؟

دونوں موٹر سے ذرا ہٹ کے کھڑے باتیں کر رہے تھے۔ رانی چانن کور گاڑی کی کھلی کھڑکی میں کہنی رکھے نہر کے پار دیکھ رہی تھی۔ اچانک اس کی نظر ان دونوں پہ پڑی۔ وہ چیخی۔ دیوندر کمار۔

جی بے بے جی۔

اندر آئیے۔

دیوندر گاڑی کا دروازہ کھول کے رانی کے برابر پچھلی سیٹ پہ بیٹھ گیا۔

بدر باہر کھڑا اسے دیکھتا رہا۔ بدر کے عجیب طرح پر اشتیاق نظروں سے دیوندر کو دیکھتے ہوئے دیکھ کے رانی کے ماتھے پہ بل پڑا اور اس نے قریب کھڑے موٹر کو تکتے ایک بیلدار کو بلا کے بدر کی طرف اشارہ کر کے پوچھا' یہ لڑکا کون ہے۔

وہ کہنے لگا ابوالفضل کا بیٹا ہے جی۔ اسی بنگلے کا ہے۔

بھائی ہے میرا۔ پاس بیٹھا دیوندر آہستگی سے بولا۔

خبردار۔ رانی چانن کور کے سر سے پاؤں تک بجلی کڑکی۔

یہاں کوئی تیرا بھائی نہیں ہے۔ تو راجکمار ہے۔

تاجے سنگھ۔ رانی نے گیٹ پہ کھڑے ڈرائیور کو آواز دی۔

وہ بھاگا آیا۔

رانی بولی گاڑی ریورس کرو۔

گاڑی فراٹے مارتی ہوئی پیچھے بھاگی۔ ہیڈ مان پور کے تین چار ننگے پیر، میلے میلے کپڑوں میں ملبوس بچے گاڑی کے ساتھ ساتھ کچھ دور تک بھاگے۔ ان میں بدر بھی تھا۔ دیوندر ابھی تک ٹکٹکی لگائے بدر کو دیکھے جا رہا تھا۔ رانی نے دیوندر کا چہرہ پکڑ کے اپنی طرف موڑا اور اسے اپنے بازوؤں میں لیتی ہوئی سرگوشی کے انداز میں بولی۔

کمار جی، تم راجکمار ہو۔

تمہاری راجیہ میں ایسے ہزاروں ننگے بھوکے ہیں جو تمہیں بھائی بن کے ملنا چاہیں گے۔

مگر تم نے راج کرنا ہے۔

حکم چلانا ہے۔

سیوا کرانی ہے ان سے۔

ان کے منہ نہیں لگنا۔

سمجھ گئے۔

اس دن کے بعد لوگ کہتے ہیں، رانی چانن کور اس راستے سے پھر نہیں گزری۔ نہر کی پٹڑی سے لاہور کی طرف شارٹ کٹ راستہ تھا۔ مگر رانی نے وہ راستہ چھوڑ دیا۔ سندر کور اور اندر سنگھ اپنے تیسرے بیٹے کی موت کے اگلے مہینے ہی کہیں تبدیل ہو کے چلے گئے۔ پھر ان کی کوئی خبر ہیڈ مان پور نہیں پہنچی۔ رانی چانن کور کے بارے بھی پتہ چلا کہ وہ اپنے راجکمار کو لے کر ہوائی جہاز پہ بیٹھ کے لندن چلی گئی۔

برسوں وہ کس کو نظر ہی نہ آئی۔

تم یہاں ہوتے ہوئے بھی گم گئی۔

گم گئی۔

کدھر ہو؟

ادھر سامنے بیٹھ کے بات کرو۔

کہو۔

بولو نا۔

آنکھیں نچا کے بھنویں اٹھا کے مسکراتی ہوئی کیا اشارے کر رہی ہو۔

میں کہوں؟

اچھا، پھر روکنا نا، ٹوکنا بھی نہیں۔

تو سنو (کوئی اور سنتا ہے ہماری کہانی تو سنتا رہے)

□

لاڈو

لاڈو کے نام سے تم کیوں زیرِلب مسکرانے لگی ہو۔

یہ کوئی میری لاڈو نہیں تھی۔ بابا محکم دین کی لاڈلی تھی۔

تھی یہ گوپال سنگھ جوشی کی بیٹی۔ اکلوتی بیٹی۔ گیارہ سال گوپال سنگھ جوشی کے اولاد ہی نہ ہوئی۔ وہ مارا مارا حکیموں، ویدوں، ڈاکٹروں کے پاس چکر لگاتا رہا۔ کچھ نہ بنا۔ مذہبی آدمی تھا۔ ویسے بھی جب دکھ اتر کے من میں ٹم ٹم جلنے لگے تو بندہ دھرم کی اوڑھنی اوڑھ کے سُکھ کی کھوج لگاتا ہے۔ وہ تو تھا ہی جوشی، یعنی برہمن سے سکھ بنا ہوا۔ اس نے دھرم سالوں، گوردواروں سے منتیں مانگنی شروع کیں تو مسلمانوں کے مقدس مقامات تک جا ماتھا رگڑا۔ انہی دنوں وہ اپنے شہر جگراؤں کے مضاف میں بنے قبرستان کے پاس سے گزر رہا تھا کہ اس کی نظر قبرستان کے اندر ایک گڑھا کھود کے بیٹھے ہوئے بابا محکم دین پہ پڑ گئی۔

شام سمے کا وقت تھا۔

بابا قبر جیسے گڑھے میں اپنی بوری سیدھی کر کے، مٹی کی دیوار میں بنے طاق میں رکھے مٹی کے دیے کو ایک بوسیدہ سیلن زدہ ماچس کو رگڑ رگڑ کے جلانے کی کوشش میں لگا تھا۔ گوپال سنگھ جوشی چلتے چلتے اپنی راہ چھوڑ کے بابا کی طرف چلا آیا۔ ابھی وہ بابا کے

گڑھے کنارے پہنچا ہی تھا کہ بابا کی تیلی جل گئی، اور اس نے اپنا دیا روشن کر لیا۔ گڑھے میں سرسوں کے تیل کے دیے کی پیلی روشنی کا پوچا ہو گیا۔ اتنے میں گڑھے کے کنارے کھڑے گوپال سنگھ جوشی نے ہاتھ جوڑ کے بابا کو پرنام کیا۔ اور گھٹنوں کے بل بابا کے گڑھے کنارے بیٹھ گیا۔ بابا نے نگاہ اوپر کی تو گوپال سنگھ جوشی گیلی ماچس کی تیلی کی طرح رگڑ کھا کے لرزا اور پھر دیے کی لو کی طرح پھڑ پھڑاتا ہوا، آنکھوں میں آنسو بھر کے رو پڑا۔

پتر خیر ہے؟ کیوں دکھی ہو گیا؟ بابا نے ہڑ بڑا کے پوچھا۔

گیارہ سال ہو گئے، بابا، رب کو میں نظر ہی نہیں آیا۔

گوپال سنگھ جوشی بولا۔

توالزام دینے آیا ہے، میرے رب کو! بابا اسے سن کے سوچتے سوچتے بولا۔

نہ بابا، الزام کیا، بنتی کرنے آیا ہوں، گیارہ سال سے اس نے میری نہیں سنی، اس لیے تمہارے منہ سے اسے اپنی فریاد سنانے آیا ہوں، تم تو صرف اسی سے باتیں کرتے ہو۔ سارے شہر سے منہ موڑ کے اس ویرانے میں گڑھا کھودے اس کے گوڈے سے لگے بیٹھے ہو۔ تمہی اس سے پوچھ لو، کیوں گیارہ برس سے میرے گھر اولاد نہیں ہوئی۔ کیا بے اولاد ہی مروں گا۔ یہ کہہ کے گوپال سنگھ جوشی، جوش میں آ کے خاموش ہو گیا اور ہوں ہوں کرنے رونے لگا۔

بابا اس کی باتیں سن کے ہنسنے لگا۔

بابا کو ہنستے دیکھ کے جوشی نے رونا بند کر دیا۔ اس کی آنکھوں میں جلتے دیے کی لو ناچی۔ اور وہ پر امید نگہ سے بابا کو دیکھ کے بولا۔

میرے نصیب میں کوئی پتر پتری ہے۔ بابا؟

بابا، اس کا سوال سن کے پھر ہنس پڑا۔

ہنستے ہنستے بولا، اوئے اس کے لکھے نصیب میں کدھر سے پڑھ کے بولوں، میں تو

چٹا ان پڑھ ہوں، ایک صرف اسی کا نام پڑھا ہے۔ تو مجھے کدھر پڑھنے ڈال رہا ہے۔

بابا آپ پڑھ سکتے ہیں۔ ہاں،

گوپال سنگھ جوشی ایک ایک بول پہ زور دے کر، آہستہ آہستہ کہنے لگا۔ میں ساتھ والی بستی کا رہنے والا ہوں، پچھلے ستراں سالوں سے آپ کو دیکھ رہا ہوں۔ آپ جیتے جی مر کے اپنے رب کو جی رہے ہیں۔ پھر کیسے ہو سکتا ہے۔ آپ اس کا لکھا نہ پڑھیں۔ کیسے مان لوں کہ وہ آپ کا کہا نہ سنے۔

بابا گوپال سنگھ جوشی کی باتیں خاموشی سے سنتا رہا۔ ساری بات سن کے بابا کے پورے وجود میں سر سے پاؤں تک ارتعاش سا ہونے لگا۔ جیسے اس کے اندر کوئی بھونچال آیا ہو۔ بابا کا رنگ دیے کی پیلی روشنی سے بھی زیادہ پیلا ہو گیا۔ جسم ڈھیلا ہو گیا۔ اس نے اپنے گڑھے کی کچی دیوار سے ٹیک لگائی اور جھکی ہوئی نظروں سے گوپال سنگھ جوشی کو دیکھے بغیر آہستگی سے بولا۔

جا، میرا اللہ تجھے بیٹی دے گا۔

پر ایک وعدہ کر۔ بابا نے یہ کہہ کے چہرہ اوپر کیا اور خاموشی سے جوشی کو تکنے لگا۔

گوپال سنگھ جوشی کا چہرہ خوشی سے دمک گیا وہ ہڑبڑا کے تیزی سے بولا۔

جی، بابا،

میں ہر وعدہ کروں گا، آپ حکم کریں۔

نہ، پتر کوئی حکم نہیں، ایسے ہی خیال آ گیا۔ تیری لاڈو جب آئے، پتہ نہیں تو اس کا کیا نام رکھے، میں تو لاڈو ہی کہوں گا۔ لاڈ بھی کروں گا اس سے۔ پتہ نہیں تو کرنے دے نہ دے۔ آخر تو اس آنے والی کا پیو ہے۔ بابا یہ کہہ کے پھر چپ ہو گیا۔

بابا، وہ آپ کی بچی ہو گی۔ آپ کہیں کیا کہنا چاہتے ہیں۔

بس کہہ دیا، پتر۔ جو کہنا تھا،

بیٹی وہ تیری ہو گی، لاڈو وہ میری۔

ٹھیک ہے باباجی۔

بس، تو کبھی کبھار، اسے ملانے ادھر لے آیا کرنا۔ جب وہ چلنے پھرنے لگے تو۔ پتہ نہیں تب تک میرے پیروں میں کھڑا ہونے کی شکتی رہے، نہ رہے۔ ستر، اکہتر برس تو ہو گئے ہیں ان پیروں کو اس میلے وجود کو اٹھائے ہوئے۔ خیر امید ہے بعد میں بھی یہیں ہوں گا۔ قبر تو مل ہی گئی ہے۔ تم بستی والوں کو بس اتنا کرنا ہے، جب مر گیا تو اوپر سے یہ قبر بند کر دینی ہے۔ اللہ کرے اپنی لاڈو کو آنکھیں بند ہونے سے پہلے دیکھ لوں۔ بول لائے گا نہ بیٹی کو میرے پاس۔

ہاں بابا۔ آپ کی بیٹی وہ پہلے ہوگی، میری بعد میں۔

وعدہ کرتا ہے۔

وعدہ کرلیا، باباجی۔

لو، نوسوا نو مہینوں بعد گوپال سنگھ جوشی کے گھر لاڈو پیدا ہوگئی۔

گوپال سنگھ جوشی تھال میں مٹھایاں رکھ کے بھاگا بھاگا قبرستان میں آیا۔ اور بابا کے آگے تھال رکھ کے بولا، باباجی، آپ کی لاڈو آ گئی۔

بسم اللہ۔ بابا، اچھل کے خوشی سے اپنے گڑھے سے باہر آیا اور گوپال سنگھ جوشی کو اپنے سینے سے لگا کے تھپتھپا کے مبارک باد دینے لگا۔ اور پھر وہیں بیٹھے بیٹھے اس نے گوپال سنگھ جوشی کی بستی کی طرف منہ کر کے، آہستگی سے پوری اذان کہی۔

اذان کہہ کے بولا، اس کے نام کی بڑائی بیان کی ہے جس نے کرم کیا ہے۔ اسے کیا مشکل ہے وہ میرے ادھر بیٹھے کہے ہوئے، اپنی بڑائی کے یہ بول، ہماری لاڈو کے کان تک پہنچا دے۔

آپ چلیں نا ہمارے گھر۔ اپنی لاڈو کو بھی دیکھ لیں۔ بڑی کومل سندر ہے۔

بابا ہنسنے لگا۔ ہنستے ہنستے بولا، جب تیری لاڈو خود بلانے آئے گی، اپنے منہ سے کہے گی تو چلوں گا، انشاءاللہ۔ اگر جیتا رہا تو۔ پھر اس کے ہاتھ کی پکی ہوئی روٹی کھاؤں

گا۔ کھلاؤ گے نا، پتر جوشی؟

بابا جی، گوپال سنگھ جوشی نے محبت کے جوش سے بابا کو گلے لگالیا اور اس کے ہاتھ چومتے ہوئے بولا۔ آپ کی دعاؤں سے تو میرا گھر آباد ہوا ہے۔ وہ آپ کا گھر ہے۔ اتنی دور کی بات نہ کریں۔

لے، دوری کیا ہوتی ہے، وقت، وقت سے دور نہیں ہوتا۔ کہنے کو دو لمحوں بیچ چاہے صدیاں ہوں، جب دو لمحوں کا میل ہوتا ہے تو ایک ساعت کے بعد دوسرا لمحہ ہوتا ہے۔ اس کی سمجھ اس وقت آتی ہے، جب وہ دوسرا لمحہ آ جائے۔

وہ دوسرا لمحہ آ گیا۔

لاڈو سولہ سترہ سال کی ہوگئی، اپنے باپ گوپال سنگھ جوشی کے ہمراہ بابا کو بھوجن کی دعوت دینے آ گئی اور بابا نے ہامی بھر لی۔ کہا بس اتنا کہ جمعرات کو آؤں گا۔

لاڈو سے بابا کا پیار بچپن سے تھا۔ جب سے اس نے پاؤں پاؤں چلنا شروع کیا۔ وہ بابا کے پاس آ جا رہی تھی۔ گھنٹوں وہ بابا کے پاس بیٹھی کھیلتی رہتی۔ خدا کا کمال ہے کہ اس نے محبت صرف بابا کے دل میں ہی نہیں ڈالی تھی، لاڈو کو بھی بابا کی محبت سے لاد دیا تھا۔ جیسے دادا پوتی ہوتے ہیں، ایسے ان دونوں میں ایک دوسرے کے لیے پیار تھا۔ بابا کی عادت تھی، اٹھنے لگتا تو کہتا بسم اللہ بیٹھنے لگتا تو کہتا بسم اللہ۔ پانی کا گھونٹ پینے کٹورے کو ہاتھ لگاتا تو کہتا بسم اللہ۔ کٹورا منہ کو لگاتا تو کہتا بسم اللہ۔ یہی عادت بابا کے قرب سے لاڈو نے سیکھ لی۔ باپ اس کا پہلے ہی بابا کا مرید تھا۔ ماں بھی احسان مند تھی۔ گھر میں اعتراض کون کرتا۔

بابا نے بھوجن کھانے کی ہامی بھر لی۔ جوشی اور لاڈو خوشی سے نہال ہو گئے۔ باپ بیٹی خوشی خوشی لوٹ گئے۔ ان سے اتنی غلطی ہوئی کہ یہ نہ پوچھا کس جمعرات کو۔ ہر جمعرات کو وہ بابا کے انتظار میں کھانا پکا کے بیٹھ جاتے۔ بابا نہ پہنچتا تو وہ کھانا دھرم سالہ میں رکے کسی مسافر کو جا کھلاتے۔ ایک جمعرات بابا ان کے گھر کی طرف چل پڑا۔

بابا بہت کم قبرستان سے نکلتا تھا۔

عمر بھی چھیاسی سال ہوگئی تھی اس کی، سر اور داڑھی اس کی کفن کی طرح سفید تھی۔ سر کے بال لمبے تھے۔ داڑھی سینے تک تھی۔ قبرستان کے ساتھ ہی کنگاں ریڑھی تھی۔ کنگاں ریڑھی جانوروں کے قبرستان کو کہتے تھے۔ ہندو، مسلمانوں سے ضد اور نفرت میں، ان کے قبرستان کے ساتھ اپنے جانوروں کا قبرستان بنا لیتے تھے۔ مقصد مسلمانوں کی تحقیر کرنا تھا۔ خاص طور پہ وہ اپنے پالتو جانور، جیسے بلی، کتا اور گائے ہوگئی، انہیں مرنے کے بعد وہاں لا دفناتے تھے۔ بابا محکم دین کنگاں ریڑھی سے گزر رہا تھا تو اسے خیال آیا۔ پہلی بار وہ اپنی لاڈو کے گھر جا رہا ہے کوئی تحفہ، سوغات تو اس کے لیے لی نہیں۔ ایک لمحے اس نے کھڑے ہو کے سوچا۔ پھر کچھ دیر جانوروں کے اس بدبودار قبرستان میں کھڑا سوچتا رہا۔ کیا لے کر جاؤں۔ اس کے پاس تھا ہی کچھ نہیں، ایک آدھ لمبا سا چغہ تھا جو ہر وقت پہنے رکھتا۔ کسی کو پتہ ہی نہ چلتا، وہ کب اسے دھوتا ہے، کب بدلتا ہے۔ پھٹ جاتا تو کہیں سے اسے اسی طرح کا ایک چغہ اور مل جاتا۔ قبرستان کے اندر اس نے اپنے لیے قبر بنائی ہوئی تھی۔ اسی میں رہتا تھا۔ گھر کا اسے کیا مسئلہ ہونا تھا۔ وہاں ایک گدڑی سی تھی۔ وہ اوڑھ لیتا۔ شاید ایک بوریا بھی بچھانے کے لیے تھا۔ اس کا کل اثاثہ ایک مٹی کا دیا اور ایک آدھ مٹی کا کٹورا تھا۔ رات پڑتی تو دیا جلا لیتا پینے کے لیے وہ کٹورے میں پانی بھر کے رکھ دیتا۔ خود بھی پیتا اور پنچھی بھی ادھر آ کے چونچیں گیلی کر لیتے۔ کھانے پکانے کا کوئی باقاعدہ سلسلہ نہیں تھا۔ کہنے کو اس کی قبر کے باہر کناروں کے پاس لوگوں کو کبھی کبھار آگ جلانے کے آثار مل جاتے تھے۔ عام گمان یہی کیا جاتا تھا کہ کوئی عقیدت مند دن میں ایک آدھ بار بابا کو پکا پکایا لا کے دے جاتا تھا۔ لیکن وہ بابا، اتنا کم گو، کم آمیز اور روکھا جلالی تھا کہ لوگ عموماً اس کے پاس آنے سے ڈرتے تھے۔ نہ وہ اپنے پاس مجمع لگنے دیتا تھا۔ کہتا تھا،

تمہاری دنیا سے بھاگ کے آیا ہوں، تم یہاں بھی آ گئے۔

جاؤ

ابھی تمہارا ادھر آنے کا وقت نہیں ہوا۔

سنا ہے، ایک آدھ بندے نے ضد کر لی، خدا جانے وہ شرارت کے موڈ میں تھا، عقیدت میں آ بیٹھا تھا یا بابا کو آزمانا چاہتا تھا۔ کہنے لگا۔ نہیں جاؤں گا۔

بابا نے آخر، اپنا آخری جملہ کہہ دیا، کہ ابھی تمہارا وقت نہیں آیا۔

وہ ہنس کے بولا۔

چلو، آخری وقت کا انتظار کر لیتا ہوں۔

کہنے والے کہتے ہیں، کہ جب اس نے یہ بات کہی تو اس کے ساتھ آئے دو تین ساتھی سنگی گھبرا گئے اور جھنجوڑ کے بولے، ایسی بات نہ کہہ،

اٹھ چل۔

وہ ٹس سے مس نہ ہوا۔

بابا غور سے اسے دیکھتا رہا۔ پھر خاموشی سے بابا نے آنکھیں بند کر لیں اور آنکھیں میچے میچے بابا کا سر اثبات میں ہلنے لگا۔ ٹھوڑی اس کے سینے سے لگنے لگی۔ کہتے ہیں کوئی پونے سات منٹ ہوئے ہوں گے کہ ساتھ والی قبر کے اوپر اُگی جھاڑی میں سے ایک پھنیر سانپ نکلا اور آناً فاناً اس آدمی کو ڈنگ مار کے پلٹ گیا۔ وہ بندہ ادھر ہی گر گیا۔ اس کے ساتھی چیخیں مارتے ہوئے بھاگ گئے۔

اس دن کے بعد تو، لوگ بابا کی کھلی قبر کے پاس اپنے مردے بُھی دفن کرنے سے ہچکچاتے۔ دور ہی سے سہم کے سلام کرتے اور اپنی راہ لیتے۔

پوری بستی میں صرف لاڈو ایسی ہستی تھی جو جب چاہے بابا کے پاس چلی آتی۔ تین چار سال کی عمر سے وہ ادھر آنا شروع ہوئی تھی۔ وہیں بابا کے پاس کھیلتے بھاگتے وہ سولہ سترا سال کی ہوگئی۔ اس بستی کے لوگوں کو بابا سے کوئی دعا کروانی ہوتی تو وہ لاڈو کی منت کرتے۔ لاڈو بابا سے آ کے جو کہتی، بابا ویسے ہی کرتے۔ کسی کے لیے دعا کرنے

کا لاڈو کہتی، تو بابا دعا کر دیتے۔ اللہ کرم کر دیتا اور لاڈو دعا کروانے والے کے چڑھاوے وصول کر لیتی۔ کبھی چڑھاوے میں مٹھائی ملتی، کبھی شیرینی۔ وہ لا کے بابا کے سامنے رکھتی تو بابا بسم اللہ پڑھ کے لڈو اٹھا کے لاڈو کے منہ میں رکھ دیتا۔

کہتا، بیٹی تو کھا۔

تجھے کھلانے کے لیے میرا رب، میری دعائیں مان لیتا ہے۔ ورنہ اسے پتہ ہے میں تو شیرینی کھاتا ہی نہیں۔

کافی بڑی بستی تھی وہ، بستی کیا پورا شہر تھا۔ جگراؤں نام تھا اس کا۔ لدھیانے کی تحصیل تھی وہ۔ مگر بابا محکم دین اس شام پہلی بار کسی کے گھر کھانا کھانے جا رہا تھا۔ اور اب سرِ راہ کنگاں ریڑھی میں کھڑا سوچ رہا تھا، اپنی لاڈو کے لیے کوئی سوغات تو لی نہیں؟

اسی اثناء میں بابا کی نظر وہاں زمین پہ بکھری جانوروں کی ہڈیوں پر پڑی۔ ان میں سے ایک لمبی سی مردہ گائے کی پوری ٹانگ کی ہڈی تھی۔ کولہے سے لے کر کھر تک۔ بابا نے بسم اللہ پڑھ کے وہ ہڈی اٹھا کے جھاڑی اور کندھے سے لگا لی اور پوچھتا پچھاتا گوپال سنگھ جوشی کے گھر پہنچ گیا۔ ان کے گھر میں ہولی کا سماں ہو گیا۔ خوشی سے لاڈو کے پیر زمین پہ نہ ٹکیں۔ لاڈو کی ماں اور باپ بھی بابا کے واری نیاری ہوتے جائیں۔

اسی اثناء میں گوپال سنگھ جوشی کی بیگم کی نظر بابا کے ساتھ لائے ہوئے بڑے سے ہڈ پہ پڑی۔ وہ ناک پہ دوپٹہ رکھ کے ادب سے بولی،

بابا جی، یہ کیا ہے؟

"پتر یہ میرا سوٹا ہے۔" بابا نے وہ ہڈ دیوار کے ساتھ کھڑا کر دیا۔

گوپال سنگھ جوشی نے بھی یہ بات سن لی اور حیرت سے بابا کے سوٹے کو دیکھا اور چپ رہا۔

لاڈو نے اپنے ہاتھ سے کئی کھانے پکائے، اور لالا کے بابا کے سامنے چن

دیے۔ بابا دیکھ دیکھ کے مسکرائے جائے۔ کھائے کچھ نا۔

بابا جی۔ اب بسم اللہ کرو۔ لاڈو آ کر بابا کے پاس بیٹھ گئی۔ اچھا بھئی۔

بسم اللہ کہہ کے بابا نے دو چار نوالے لیے اور الحمدللہ کہہ کے دستر خوان سے اٹھ گیا۔

بابا جی، آپ نے تو کچھ کھایا ہی نہیں۔ گوپال سنگھ جوشی عاجزی سے بولا۔

بس پتر۔ زیادہ کھانے کی عادت نہیں۔

کیوں بابا جی!

پتر! مرنے کے بعد کدھر منہ چلانا ہے۔ اس لیے چنگا ہے پہلے ہی منہ کی عادت ٹھیک رہے۔ ہے نا۔ یہ کہہ کے بابا مسکرانے لگا۔ پتلا دبلا بابا کا جسم تھا۔ دیکھ کے ہی پتہ چل جاتا تھا کہ بابا نے اپنے جسم کو ایسے پالا ہے جیسے صحرا میں اللہ پودوں کو پالتا ہے۔

مجال ہے جو صحرا کے پودوں کے لمبے چوڑے سبز پتے ہوں۔ صحرا پالنے والا وہاں کے پتوں کے کانٹے بنا دیتا ہے۔ بابا محکم دین نے بھی خود کو کانٹا بنایا ہوا تھا۔ ایک بوند پانی سے وہ مدتوں اپنی جڑوں کو ہرا بھرا رکھتا مگر اپنے تن پہ ہریالی نہ آنے دیتا۔

بابا جی، یہ تو اپنے رب کی نعمتیں ہیں۔ آپ تو کفران نعمت کو اچھا نہیں کہتے، پھر کھاتے کیوں نہیں۔ گوپال سنگھ جوشی نے ڈرتے ڈرتے پوچھ لیا۔

پتر! اسی کا شکر ہے، جس نے آج اتنے کھانے کھلا دیے جو سال بھر نہیں دیکھے۔ پر پتر ڈر بہت لگتا ہے۔ ان کی عادت نہ پڑ جائے۔ سواد نہ ان کا لگ جائے۔ پھر مرنے سے پہلے مرنے میں سواد کدھر آنا ہے۔

پر بابا جی، مرنے سے پہلے بندہ کیوں مرے؟

اس بار گوپال سنگھ جوشی کی بیوی نے سوال کر دیا۔

بابا نے ایک دو لمحے اس کے سوال کو سن کے سوچا۔ گوپال سنگھ جوشی بابا کو سوچتے دیکھ کے اپنی بیوی کے سوال پہ بے چین ہو گیا۔ اور سوچنے لگا کہ اس کی بیوی نے یہ

سوال کیوں پوچھ لیا۔ رب جانے اب کیا جواب ہو۔ لاڈو پاس بیٹھی ہوئی بابا کو شوق سے مسکراتے ہوئے تکتی رہی۔

آخر بابا نے، سوچتے سوچتے سر اٹھایا۔

اور آہستگی سے بولا، پتر، میرا گرو تو کہتا تھا، مرنے سے پہلے مر جانے میں فائدہ ہے۔ بندے کا اپنا فائدہ۔ وہ فائدہ یہ ہے کہ بندہ مرنے کے بعد پھر نہیں مرتا۔ لیکن مجھ جیسے تن آسان سے یہ کدھر ہوتا ہے۔ یہ بھاری پتھر ہے۔ ہر ایک سے تھوڑی اٹھتا ہے۔ ہم تو دن میں کئی کئی بار مرنے والے لوگ ہیں۔ ہر لمحے خواہشوں کی زندگی جیتے ہیں۔ ہم سے کب ایسے مرنے سے پہلے مرا جاتا ہے۔ کہ تن کے لیے اپنا من مار کے اسے زندہ رکھیں۔ اور پالتے جائیں جسم کے اس شہتیر کو، جس کا بعد میں بالن بھی نہیں بنتا۔ تم لوگ تو الٹا اس سمے اس پہ بالن بال بال کے پھونک دیتے ہو۔ میں نے تو اپنے ہی گرو کی کہی ہوئی بات کہہ دی۔ اپنی بات تھوڑی کہی تھی۔ کیوں لاڈو۔

جی، بابا جی،

لاڈو ساری بات سمجھے بغیر ہی محبت بھری عقیدت سے سر ہلا کے بابا کو دیکھ کے مسکراتی ہے۔

بابا، لاڈو کا مسکراتا چہرہ دیکھ کے خوش ہوتا ہے اور کہتا ہے۔

اب دیکھ نا۔ میں تو لاڈو کی خوشیوں کے لیے جیتا ہوں۔ مجھ سے مرتے سمے بھی لاڈو کو چھوڑ کے مرا نہیں جانا۔

یہ کہہ کے بابا نے پیار سے لاڈو کے کندھے پکڑ لیے، لاڈو بھی محبت کے جذبے سے بے تاب ہو کے بابا محکم دین کی کمر سے چمٹ گئی۔ بات آئی گئی ہو گئی۔ بابا اٹھ کے جانے لگا تو گوپال سنگھ جوشی بولا۔

بابا جی، وہ آپ کا سوٹا رہ گیا۔

یہ کہہ کے وہ باہر کی دہلیز سے بابا کا لایا ہوا گائے کا ہڈ اٹھانے اندر لپکا۔

بابا دہلیز سے باہر قدم نکال چکا تھا۔ بولا۔

رہنے دو۔ پھر سہی۔ یہ کہہ کے بابا چلا گیا۔

گوپال سنگھ جوشی اور اس کی بیوی بیٹھ کے سوچنے لگے۔ بابا کی لائی ہوئی مردہ گائے کی اس بے ہیت ہڈی کا کیا کریں۔

بیوی نے مشورہ دیا۔

بابا کی چیز ہے۔ سنبھال کے رکھنی پڑے گی۔

گوپال سنگھ جوشی نے کہا، اچھا، کسی پرانے کپڑے میں لپیٹ کے چھت پہ پڑے کسی خالی پرانے صندوق میں رکھ دو۔ انہیں یہ بھی خطرہ تھا کہ ان کے گھر میں آئے گئے کسی اور ہندو سکھ نے گاؤ ماتا کی وہ ہڈی دیکھ لی تو کیا کہیں گے۔ پھر پرانی ہڈی سے بدبو اور گندگی کا بھی ایک احساس ہوتا ہے، وہ الگ تھا۔ مگر ان سب پہ بابا سے پالی ہوئی سچی عقیدت بھاری تھی۔ سو انہوں نے اسے سنبھال کے کپڑے میں لپیٹ کے ایک پرانے خالی صندوق میں رکھ دیا۔ انہی دنوں وہ گھر میں بیٹی کے بیاہ کے لیے جہیز میں دینے کے لیے بھی سامان اکٹھا کر رہے تھے۔ ایک دو جگہ بیٹی کی شادی کی بات چل رہی تھی۔ گوپال سنگھ جوشی فیصلہ کرنے سے پہلے بابا محکم دین سے مشورہ کرنا چاہتا تھا کہ کہاں بات پکی کروں۔

ایک دن اس نے آ کے بابا سے بات چھیڑ دی۔

کہنے لگا، بابا جی، آپ کی لاڈو کا بیاہ کرنا ہے۔

اچھا، اتنی بڑی ہو گئی وہ۔

ہاں بابا جی۔

ہمیں تو پتہ ہی نہیں چلا، کل کی بات لگتی ہے جب ہم ادھر دیا جلانے کے لیے سیلی سی ایک دیا سلائی کو بیٹھے رگڑ رہے تھے۔ لے اب سمجھ آئی۔ ایک دیے کی لو جتنی ہی زندگی ملتی ہے بندے کو۔ اللہ لاڈو کے نصیب روشن رکھے۔ کر دے بیاہ اس کا۔ تو اس کا

باپ ہے۔

جی، بابا جی، یہی بات کہنے آیا تھا۔

دو تین رشتے آئے ہیں۔

سمجھ نہیں آتا کدھر ہاں کروں۔

جدھر دل مانے، ادھر کہہ دے۔

دل تو چاہتا تھا، کوئی اپنی جات کا جوشی ہوتا۔

تو براہمن کا براہمن ہی رہا۔ سکھ نہ بنا۔

نہ بابا جی، آپ بھیتر کی آنکھ رکھتے ہیں تو سچ کہہ دیا۔

اچھا کیا۔ سچ کہنے سے من میں میل نہیں چڑھتا، کہنے کو چاہے وہ کتنی میلی بات ہو۔ لیکن پتر، جات کا جوشی نہ ملا تو کیا اپنے گرونانک بابا کی ذات کے بیدی ڈھونڈے گا یا پچھلے چھ گرووؤں کے کنبے کے سوڈی تلاش کرتا پھرے گیا، کیا اور انتظار کرے گا۔

نہ جی، لاڈو کی ماں تو کہتی ہے اب دیر نہ کر۔

پھر دیر کا ہے کی پتر۔

بابا جی۔ ایک براروڑا خاندان سے ہے، ہیں وہ لدھیانے کے۔ اروڑا کا پتہ ہے نا وہ ویش ہیں پیچھے سے۔

تو ابھی پیچھے سے آگے نہیں آیا، جوشی۔

ہاں بابا جی، پیچھے کا بھی پیچھے والوں کو خیال تو رہتا ہے۔

تو پیچھے والا کیوں بنتا ہے، آگے والا بن۔

آگے والا کیسے، جوشی مسکرا کے آہستگی سے پوچھتا ہے۔

تو آگے کی سوچ، آگے کو دیکھ۔

بس بابا جی، آپ جتنی نگہ تو نہیں ہے ہم نے ادھر کا ہی سوچنا ہے۔

اچھا، سوچ، سوچ مگر اسے سوچنا نہ کہہ، اب بول۔

دوسرا رشتہ قریبی جاگیر بیر کے گاؤں چاہ ملہوترا سے ہے۔ رنجیت سنگھ ملہوترا نام ہے لڑکے کا۔ لڑکا بڑا شوجیل جواں ہے۔ دیکھیں تو آنکھوں کو سواد آتا ہے۔

تو جوشی بن کے اپنے براہمن پنے کو نہیں بھولا۔ ملہوتروں کو بھی اپنا کشتواری پن یاد ہونا ہے۔ دیکھ لے تیری بیٹی کو وہ تاراج کیا شہر نہ سمجھ لیں۔

کہہ دینا انہیں، وہ میری بھی بیٹی ہے۔ اس کی آنکھ میں آنسو آیا تو ان کا پورا شہر مونڈا کر دوں گا۔ ریاست بیر کی ساری بیریاں ننگیاں کر دوں گا۔ کنڈے رہ جائیں گے ادھر۔ بیر ایک نہیں چھوڑوں گا۔ بابا جلال میں آ گیا۔

نہ باباجی، بڑے بھلے لوگ ہیں۔ بیر کی رانی چانن کور تو اپنی راجیہ کا بڑا خیال رکھتی ہے۔ ایک اس کا بیٹا ہے دیوندر کمار۔ وہ برسوں سے ولایت میں پڑھتا ہے۔ ادھر ہی رہتا ہے۔ اس نیک رانی نے تو ساری جاگیر کے لوگوں کی خوشیوں کو اپنا سمجھا ہوا ہے۔ چاہ چلہوترا والے تو رانی کی آشیرباد کے بغیر سانس نہیں لیتے۔

تو راضی ہے تو کر، بسم اللہ۔

لو جی، لاڈو کا بیاہ طے ہو گیا۔

گوپال سنگھ جوشی بیٹی کے جہیز بنانے میں جت گیا۔ وہ شہر کا چھوٹا سا سنار تھا۔ ٹانکے کنی سے رتی رتی سونا اکٹھا کر کے بیٹی کے لیے چوڑیوں، گلوبند، ٹکہ اور مندریوں کے لیے جتن کر رہا تھا۔ گھر میں کپڑے برتن اور فرنیچر کی چیزیں لائے جا رہی تھیں۔ ایک دن گوپال سنگھ جوشی کی بیگم بابا سے ملنے اپنے میاں اور بیٹی کے ساتھ آئی تو اسے بابا کی گھر میں رکھی ہوئی گائے کی ہڈی یاد آ گئی۔ بولی، باباجی، آپ کا سوٹا ادھر ہی پڑا ہے۔ ہمارے گھر۔ اسے دے جائیں۔

بابا سن کے بولا۔

نہ پتر، رہنے دے۔

وہ تمہیں دیا۔ اپنی لاڈو کو دیا۔

اس دن گوپال سنگھ جوشی اور اس کی بیگم واپس پلٹے تو انہوں نے سوچا، چلو، ایک صندوق میں جگہ بنی۔ جب رات گہری ہوئی تو گوپال سنگھ جوشی کی بیوی اپنے میاں سے بولی، لاڈو کے باپو، چل۔ اس بابا کے سوٹے کو تو کہیں چلتا کر۔ گھر میں پروہنے آنے ہیں، کوئی دیکھ لے تو کیا کہے گا۔

گاؤ ماتا کے ہڈ صندوق میں رکھتے ہیں۔

چل

جوشی کی بیگم نے صندوق کھولا۔ گوپال سنگھ جوشی نے لیک کے کپڑے میں لپٹا ہوا گائے کا وہ بڑا سا ہڈ اٹھانے کے لیے بازو لمبے کیے، تو وہ اٹھایا نہ جائے۔ اس نے جلدی سے کپڑا کھینچ کے اتارا، تو گائے ہڈ کو دیکھ کے اس کے سانسیں اوپر کی اوپر رہ گئیں۔ اس نے آہستگی سے چیخ کے اپنی بیگم کو آواز دی۔

لاڈو کی ماں، ذرا لالٹین ادھر لانا، دیکھ بابا کا سوٹا کیا بن گیا ہے۔

لاڈو کی ماں، بابا کے لائے ہوئے اس ہڈ سے پہلے ہی دل ہی دل میں کچھ غیر معمولی چیز بن جانے کا وہم پالے بیٹھی تھی مگر اس لمحے اس کے میاں گوپال سنگھ جوشی کی آواز میں ایک حیرت انگیز قسم کی خوشی اچھل رہی تھی۔ وہ سمجھ گئی کوئی بہت ہی بڑی خوشی کی خبر ہے وہ لپک کے لالٹین کنڈے سے پکڑے صندوق کے اوپر آئی۔

لالٹین کی لو ادھر کی اور غور سے صندوق کے اندر تکنے لگی۔ دونوں میاں بیوی کے منہ کھلے کے کھلے رہ گئے۔ سر چکرانے لگے۔ آنکھیں پیٹی کے اندر دیکھتے دیکھتے پتھرا گئیں۔ ان کے روبرو ان کے صندوق میں گائے کی وہ پوری ٹانگ کی ہڈی سارے کی ساری خالص سونے کی بنی ہوئی پڑی تھی۔ گوپال سنگھ جوشی خود پیشے کا سنار تھا۔ اسے سونے کے خالص پن کی سند لینے کے لیے کسی اور کے پاس تھوڑی جانا تھا۔

وہ تو حیرت سے بت بن گیا۔

یہ کیا ہو گیا۔

ایک ہی رات میں وہ راجہ بن گیا۔

وہ رات ان دونوں میاں بیوی پہ بڑی بھاری تھی۔ گھر میں اتنا سونا۔

کوئی چور نہ آ جائے۔

پوری رات ان کی آنکھ نہ لگی۔

صبح ہوئی تو گوپال سنگھ جوشی بھاگا بھاگا، قبرستان میں بابا محکم دین کے پاس گیا۔ دیکھا بابا اپنے گڑھے کے پاس بیٹھا گنے کو چھیل چھیل کے اس کی پوریاں بنا کے، پاس بیٹھے تین چار لوگوں میں بانٹے جا رہا ہے۔ خود نہیں چوس رہا، دوسروں کو گنا چوسنے کو دے رہا تھا۔ حالانکہ عمر بابا کی چھیاسی ستاسی سال کی تھی۔ مگر منہ میں پورے دانت تھے۔ گنا پونا تھا۔ وہ مزے سے چھیل دیتا۔ اور اس کی پوری توڑ کے کسی کو تھما دیتا۔

گوپال سنگھ جوشی پرنام کر کے دوزانو ہو کے بیٹھ گیا۔ اور بابا نے اسے گنے کی پوری توڑ کے تھما دی اور بولا، وہ پرانا سوٹا تو تمہیں دے دیا۔ اب یہ سوٹا آج ملا تھا۔ اسی لیے پوری پوری کر کے سب کو کھلا رہا ہوں۔ سنا اس سوٹے کی پوریاں کیں؟

بابا وہ آپ کا سوٹا، پتہ ہے آپ کو؟

سوڈی سے پوری بات، دوسرے لوگوں کے سامنے کہی نہ جائے۔ وہ کہتے کہتے رک گیا۔

پتر، حوصلہ رکھ، سوٹے والے کو سوٹے کے کھرے پن کا پتہ ہوتا ہے۔ بابا اطمینان سے معنی خیز محبت بھری نظروں سے جوشی کو دیکھ کے بولا۔ اب وہ سوٹا تیرا ہے۔

بابا جی، میں، وہ، وہ اتنا زیادہ۔ آپ کا ایسا احسان!

میں کیا کروں! گوپال سنگھ جوشی ہکلائے جائے۔

بابا مسکرائے، پتر، کرنا کیا ہے۔ دیکھ جو میں اپنے سوٹے کا کر رہا ہوں۔ وہی تو کر۔ پوری پوری کر کے، لوگوں میں بانٹ دے۔ میری لاڈو کے نام سے۔ اس کے نصیب سے نہ ڈر۔ اس کے جہیز میں میرا دل اور اس کے دل میں بسی ہوئی بسم اللہ کافی

ہے۔تو بھروسا رکھ۔

بابا جی، گوپال سنگھ جوشی ہاتھ جوڑ جوڑ کے بابا کے پیروں میں گھستا جائے۔ پاس بیٹھے لوگوں کو بابا اور جوشی کی اشارے کنائے کی باتوں کی سمجھ نہ آئے۔ وہ اٹھ کے چلے گئے تو بابا نے جوشی کے کندھوں پہ ہاتھ رکھ کے کہا، تو جدی پشتی سنار ہے نا۔

جی بابا جی۔

خالص سونے میں کھوٹ نہ ملی ہو اس کی تصدیق کر سکتا ہے۔ بابا بولا۔

گوپال سنگھ جوشی ہاتھ جوڑ کے لیٹ گیا۔

بابا کے پیروں کو پکڑ کے بولا، میں تصدیق کرتا ہوں۔ خالص سونا ہے وہ۔ سارے کا سارا۔ پتہ نہیں کتنے سیر وزن ہو گا اس کا۔ میں غریب سا بندہ ہوں۔ اتنا دھن کیسے اپنے گھر چھپا کے رکھوں۔ میرے کون سے پانچ سات بیٹے ہیں۔ ایک بیٹی ہے۔ آپ کی لاڈو۔ بیٹا تو کوئی ہے نہیں۔ اسی کے لیے ہے بابا جی۔ پر سوچتا ہوں، وہ اتنا سونا کیا کرے گی۔ کہاں خرچے گی۔ میں تو اس کی دو چار ٹوموں، چوڑیوں کے لیے پریشان تھا، یہاں تو آپ نے اسے سونے میں تول دیا۔

لے، اسے تولنے والا ادھر کون ہے، وہ میری لاڈو ہے، بابا محکم دین کی لاڈو۔ اتنا دو دمڑی کا سونا تو اس کے سر سے روز وار کے پھینک دوں۔ قبرستان میں رہتا ہوں۔ یہاں قدم قدم پہ سونا پڑا ہے۔ تو بول اور چاہیے۔

بابا جلال میں آ گیا۔

نہ بابا جی۔ میں تو اسے پا کے اپنے ہوش وحواس کھوئے بیٹھا ہوں۔ جوشی ہاتھ جوڑ کے بولا۔

ہے کملا۔ اس میں ہوش وحواس کا کیا مسئلہ۔ دیکھا نہیں مجھے۔ اس سوٹے کا میں نے کیا کیا۔ بابا نے ہاتھ میں پکڑے گنے کی آخری پوری کو ہاتھ میں ہلا کے کہا۔ تو بھی اسے پوری پوری کر کے لاڈو کے سر سے وار دے۔ یہ کونسا مسئلہ ہے۔ پتہ نہیں کتنے

گھروں میں لاڈو جیسی لڑکیاں اس کی ایک ایک پوری کے نہ ملنے سے بیاہ کے انتظار میں بیٹھی رہتی ہیں۔ چل جا۔ زیادہ سوچا نہ کر۔

جس دن جنج آئے لاڈو کی، مجھے سندیس بھیج دینا۔

چل اٹھ تیاری کر بیاہ کر،

بسم اللہ کر۔

گوپال سنگھ جوشی کے اندر بھی برہمن تھا۔ دھرم کا بندہ تھا۔ بابا محکم دین کے ساتھ اس کا پیار جب اتنا محکم ہوگیا تو اس نے پیٹی میں گائے کے ہڈ کا بنا سارا سونا، پوری پوری کر کے، لاڈو کے سر سے وار وار کے لوگوں میں بانٹ دیا۔ لاڈو کی آنکھیں خوشی اور فخر سے سنہری ہوگئیں۔ سارے علاقے میں شور مچ گیا۔

گوپال سنگھ جوشی نے لوگوں سے کچھ نہ چھپایا۔ ساری کہانی شہر بھر میں نشر ہوگئی۔ لوگوں نے قبرستان میں جاکے بابا محکم دین کے پاس جمگھٹا لگالیا۔

بابا لوگوں سے ڈر کے اپنی قبر کے اندر چھپ گیا۔

لاڈو کے بیاہ کا دن آ گیا۔

لاڈو کے سسرال ملہوترا خاندان میں بھی گوپال سنگھ جوشی کے سونا بانٹنے کی کہانی پہنچ چکی تھی۔ اتنے بڑے سیٹھ کے پاس بارات لاتے ہوئے ملہوتروں نے بھی خوب رنگ چڑھائے۔ ایسے ایسے ناز نخرے اٹھائے جوان کے خاندان میں کبھی پہلے نہ اٹھائے گئے تھے۔ کئی دن تک جنج گوپال سنگھ جوشی نے روکے رکھی۔ صبح سے شام تک وہاں کھانے پینے کے دور چلتے۔ دور دور سے راگی آ آ وہاں راگ گاتے۔ آخر گرنتھ صاحب کے گرد اگرد لاڈو اور رنجیت سنگھ ملہوترا نے چار چکر لگائے اور سونے کی تاروں سے بنی ہوئی ڈولی میں بیٹھ کے لاڈو اپنے سسرال سدھار گئی۔

بابا محکم دین لاڈو کے ڈولی میں بٹھائے جانے سے پہلے وہاں سے چلا آیا تھا۔ لاڈو جب ڈولی میں بیٹھنے لگی، تو اس نے چاروں طرف بابا بابا آوازیں دی۔ پھر روتے

ہوئے بسم اللہ کہہ کے ڈولی میں بیٹھ گئی اور چلی گئی۔ بابا کے قبرستان کے پاس سے جب ڈولی گزری تو لاڈو کو پتہ تھا بابا بھی اپنی قبر میں بیٹھا ہوا لاڈو لاڈو پکارتے ہوئے رو رہا ہوگا اور تھا بھی ایسے ہی۔

بابا نے اپنی قبر سے نکلنا کم کر دیا۔ ادھر لاڈو کے سسرال والوں نے جب لاڈو کے لائے ہوئے زیور دیکھے تو انہیں دھچکا لگا۔ کہنے کو وہ کم نہیں تھے۔ انہوں نے جتنی خبریں گوپال سنگھ جوشی کی دریا دلی، اور منوں سونے کے خزانے کی سن رکھی تھیں، اس سے انہیں وہ کچھ کم لگے۔ انہیں خواہش ہونے لگی کہ یہ زیور اور ہوتے۔ لاڈو ان سب چیزوں سے بے نیاز اپنی نئی زندگی میں کھو گئی۔ اٹھتے بیٹھتے اسے اپنے ماں باپ سے کہیں زیادہ بابا محکم دین کی یاد آتی اور وہ چپکے چپکے رو لیتی۔ اس کی ہر کام کرنے سے پہلے بسم اللہ کہنے کی عادت کیسے جا سکتی تھی۔ پانی کا گلاس پکڑتی تو کہتی بسم اللہ۔ پینے لگتی تو کہتی بسم اللہ، نوالہ روٹی کا توڑتی تو منہ سے نکلتا بسم اللہ۔ چلنے لگتی تو کہتی بسم اللہ۔ ہر کام سے پہلے بسم اللہ۔ کہتی وہ زیر لب ہی تھی۔ خاموشی سے۔ لیکن ہونٹ ہلتے تو نظر آتے۔ کبھی کبھار ہونٹوں سے آواز بھی نکل جاتی۔ سسرال والے تو اسے بابا کو یاد کر کر روتے ہوئے دیکھ دیکھ پریشان ہوتے تھے۔ اس کے منہ سے بسم اللہ، بسم اللہ سن کے وہ سیخ پا ہو گئے۔ ملہوتروں کی بہو اور مسلمان۔ ہر بات پہ بسم اللہ، بسم اللہ۔

پہلے تو کچھ دن انہوں نے اس پہ اوٹ پٹانگ قسم کے فسادی سوالات کیے۔ اسے مارا پیٹا بھی۔ پھر ایک دن رات کو ان کی عورتوں نے اسے پکڑ کے گھر سے نکال دیا۔ جگراؤں سے سے تین میل دور تھا، چاہ ملہوترا، جہاں سے روتی دھوتی اکیلی، آدھی رات کے وقت وہ اپنے شہر جگراؤں آئی۔ وہ اپنے گھر نہیں گئی۔ سیدھی قبرستان میں آ کے آوازیں دینے لگی۔

بابا جی، بابا جی۔

اس کی چیخیں نکل رہی تھیں۔

بابا جی، بابا جی،

لاڈو کی دوسری آواز پہ ہی، قبر کے اندر بیٹھا ہوا بابا، آیا بیٹی۔ آ گیا میں۔ کہتا ہوا، نکل کے اس کی طرف بھاگا۔

لاڈو کو اس حال میں دیکھ کے بابا غم سے نڈھال ہو گیا۔ سر سے پاؤں تک اس کے بدن کی بوٹی بوٹی غصے سے تھرکنے لگی۔

تو کچھ نہ بول بیٹی۔ میں سب سمجھ گیا۔ رو نہیں۔ آ میرے ساتھ۔

اب رونے کی ان کی باری ہے۔ صرف وہ نہیں، ان کا پورا پنڈ روئے گا۔ تیرے سسرال والوں کا ایک گھر پاگل ہوا تھا اب پورا گاؤں پاگل ہو گا۔ تو فکر نہ کر۔ چل، تیرا باپو اور تیری ماں ہیں، میں ہوں۔

بابا، لاڈو کو لے کر اس کے والدین کے گھر گوپال سنگھ جوشی کے پاس لے آیا۔ دونوں میاں بیوی آدھی رات کو اپنی بیٹی کو اس حال میں دیکھ کر رونے لگے۔ بابا، پھر جلال میں آ گیا۔ اور کہنے لگا، کہا نا، ایک رات صبر کرو۔ صبح دیکھنا۔ ان کا پورا پنڈ ادھر مونڈا ہوا، تمہارے سامنے منتیں کرے گا۔ پھر جو مرضی فیصلہ کرنا۔

میں نے پہلے ہی تمہیں کہہ دیا تھا کہ میری بیٹی لاڈو سے ان ملہوتروں نے تاراج کیے شہر جیسا سلوک کیا تو ان کی پوری بستی قیامت تک تاراج رکھوں گا۔ کل تماشہ دیکھنا۔ یہ کہہ کے بابا اپنے قبرستان آ گیا۔

ادھر صبح ہونے سے پہلے ہی، لاڈو کے سسرال کا پورا گاؤں پاگل ہو گیا۔ لوگ دیواروں سے ٹکریں مارنے لگے۔ سر چھل گئے۔ لہولہو ہر گھر ہو گیا۔ ایک دو سیانے اس گاؤں میں ہوش مند تھے، انہوں نے رات کو اس گاؤں کے ایک گھر سے روتی ہوئی عورت کو دھکے دیے جاتے دیکھا تھا۔ انہی گلیوں میں اس عورت کی مدد کے لیے، بابا جی، بابا جی، کہتے ہوئے پکار بھی سنی تھی۔

انہوں نے دریافت کیا۔

وہ لڑکی کون تھی۔ وہ بابا کون ہے جسے وہ پکار رہی تھی۔

پتا چلا، یہ تو وہی بابا ہے، جس کی لائی ہوئی گائے کی ہڈی سونے کی بن جاتی ہے۔ وہ سارے گاؤں والوں کو اکٹھا کر کے، ننگے سر، ننگے پیر، ہاتھ باندھ کے صبح ہونے سے پہلے بابا کے قبرستان پہنچ گئے۔

بابا جی۔ معاف کر دو۔

ہم اپنی بہو کو لینے آئے ہیں۔

نکالا کیوں تھا؟

غلطی ہو گئی، وہ منہ ہی منہ میں کچھ پڑھتی رہتی تھی۔

اب تم منہ کھول کے وہ پڑھو۔

وہ سارے پڑھنے لگے، بسم اللہ، بسم اللہ۔

پاگل سروں میں قطرہ قطرہ کر کے عقل سرایت کرنے لگی۔ ساتھ والے گاؤں کا اتنا بڑا پاگلوں کا ہجوم اور لوگوں کی چیخ پکار، معافی، معافی کی دھائی سے جگراؤں والے بھی جاگ گئے۔ آیا ہوا ہجوم ماتھا رگڑتا، ہاتھ جوڑتا گوپال سنگھ جوشی کے گھر بھی پہنچ گیا۔

بیٹی، اپنے بابا سے معافی دلا دو۔

ہمیں معاف کر دو۔

تم جو مرضی پڑھنا۔

ہم بھی پڑھیں گے۔ اٹھ ہماری بیٹی بسم اللہ کر۔

بسم اللہ، لاڈو نے پہلی بار با آواز بلند کہا۔

اس کا باپو گوپال سنگھ جوشی بھی ساتھ تھا۔

چلو بابا جی سے منت کرو۔ ہمیں بچا لو۔ ہمارے سارے جوان آدمی اور بوڑھی عورتیں پاگل ہو گئی ہیں۔

گوپال سنگھ جوشی اس کی بیوی اور لاڈو، اس روتے پیٹتے ہجوم کے ساتھ بابا کے پاس قبرستان میں گئے۔ دیکھا، بابا اپنی قبر کے اندر ہے۔

گوپال نے آواز دی۔ بابا جی، یہ اپنی غلطی مان گئے ہیں، انہیں معاف کردیں۔

بابا نے جواب نہ دیا۔

اس کی بیوی نے پکارا۔ بابا جی

بابا پھر نہ بولا۔

لاڈو نے بے تاب ہوکے آواز دی۔

بابا جی!

بابا نے قبر سے باہر سر نکالا۔

ہاں پتر۔ میری لاڈو۔

بابا، انہیں سزا مل گئی ہے۔ یہ اپنی غلطی مان گئے ہیں، انہیں معاف کردیں۔

پتر، معاف میں انہیں کردیتا ہوں۔ پر سزا تو انہیں ہر سال اسی دن، اسی رات قیامت تک ملتی رہے گی۔ جب انہوں نے تمہیں تکلیف دی تھی۔

ہر سال انہیں معافی مانگنے، ادھر تیرے گاؤں آنا پڑے گا۔

ان کو، ان کے بچوں کو۔ اس کے بعد ان کے بچوں کے بچوں کو۔ نسل در نسل، انہیں ان کے پاگل پنے کی سزا، پاگل پنے سے ہی ملے گی۔ ہر بار یہ معافی مانگنے آئیں گے۔ یہ تیرے بابا کا فیصلہ ہے بیٹا۔

اور اب جا۔

اب مجھے آواز نہ دینا۔

میں نہیں چاہتا کہ میری قبر بند ہونے کے بعد بھی، لوگ میرا تماشہ دیکھیں، کہ تو آواز دے دے۔ اور میں اپنی قبر سے نکل آؤں۔

اسی دن بابا مر گیا۔ اس کی قبر بند ہوگئی۔

اورلاڈو نے اس قبرستان کے پاس آ کے پھر کبھی آواز نہیں دی۔

بابا جی، بابا جی۔

لاڈو کے سسرال والے ہر سال، آج تک بابا کے عرس پہ، ڈھول بجاتے ہوئے، اپنی پگڑیاں سروں سے اتار کے، ننگے سر، بال کھولے ہاتھ جوڑے بابا کی قبر کے پاس آتے ہیں۔ معافی مانگتے ہیں۔ آٹا، چینی، تمبوساتھ لاتے ہیں۔ ہر سال وہاں اس دن میلہ لگتا ہے۔

برسوں پرانی بات ہے، جب بابا محکم دین کا وصال ہوا تھا۔ آج تک یہ رسم جاری ہے۔ اگر کسی سال اس گاؤں کا کوئی جوان آدمی یا بوڑھی عورت بابا محکم دین کے پاس اس حال میں نہ جائے تو اس پہ پاگل پنے کا دورہ پڑتا ہے۔ وہ دیوار سے ٹکریں مارتی ہے اور لوگ اسے پکڑ کے بابا کے مزار پہ لاتے ہیں۔ جہاں وہ سر کھول کے ننگے پاؤں ہاتھ جوڑ کے رقص کرتی ہے تو اسے عقل ملتی ہے۔ پوری ریاست بیر کے سب لوگوں نے یہ دستور بنالیا۔ بس وہاں کی رانی چانن کور نے بال نہیں کھولے۔ بابا کی درگاہ پہ حاضری نہیں دی۔ بیٹھے بٹھائے اپنی حویلی میں اس پہ پاگل پنے کا دورہ پڑ گیا۔ حویلی میں وہ اکیلی تھی۔ جسے اس نے بچپن میں ہیڈ مان پور سے اٹھا کی اپنا بیٹا بنالیا تھا۔ دیوندر کمار جو دنیا کی نگاہ میں اس کا اکلوتا بیٹا تھا۔ اس کی ساری جاگیروں کا اکیلا وارث تھا۔ وہ سات سمندر پار ولایت کی لنکنز ان میں بار ایٹ لاء پڑھ رہا تھا۔ اسے ٹیلی گرام ملے، خط ملے، مگر وہ قانون کی موٹی موٹی کتابوں سے چمٹا ہوا تھا۔ اسے بال کھول کے دیواروں سے خود بخود ٹکریں مار کے اپنے اندر کے گناہوں سے مکت ہونے کی سمجھ نہ آئی۔ لندن کے رائل کالج آف میڈیسن اور سائیکاٹری میں اس نے ایک دو بار جا کے کچھ پروفیسروں سے رانی چانن کور کی کیفیت بیان کی۔ کسی کو سمجھ نہ آئی۔ جو دوا انہوں نے تجویز کی وہ اسے ڈبے میں سنہری فیتے کے ساتھ باندھ کے امپریل انڈین سروس کے جہازوں کے ذریعے بھیجتا رہا۔ مگر اس کی دواؤں سے رانی چانن کور

نہ بچی۔ آخر ایک دن وہ خود بھی چلا آیا۔ رانی چانن کور اس دن اپنی حویلی کے باہر کھلے میدان میں لکڑیوں کا ڈھیر لگائے اپنی چتا جلا کے بیٹھی ہوئی آگ تاپ رہی تھی۔ گرمیوں کے دن تھے، کبھی وہ بال کھولے چڑیلوں کی طرح جلتی آگ کی لکڑیاں اٹھا کے بے تحاشہ بھاگتی ہوئی آگ کے انبار کے گرد بھاگنے لگتی۔ پھر بھاگتے بھاگتے کوئی جلتی ہوئی لکڑی اٹھا کے آگ کے اوپر پڑی خالی چتا کی مسہری پہ ڈال دیتی۔ اور منہ کھول کھول کے شور مچاتی۔

دیکھ، سردار گوبند سنگھ کی چتا جل گئی۔

وہ کتنے دنوں سے مرا پڑا تھا۔

اب جل گیا۔

مکت ہو گیا۔

دیوندر کمار سنگھ ولایت سے کوٹ ٹائی پہن کے آیا تھا۔ رانی چانن کور کو اس حال میں دیکھ کے لرز گیا ایک بار وہ لپک کے اپنی ماں کو پکڑنے کے لیے آگے آیا تو، رانی چانن کور نے ہاتھ میں پکڑی جلتی ہوئی چتا کی لکڑی کو ہاتھ میں مشعل کی طرح پکڑ کے خاموشی سے کچھ دیر اس کا سراپا دیکھا۔ سر سے پاؤں تک وہ برسوں بعد آئے دیوندر کمار کو عجیب سے انداز میں دیکھتی رہی۔ جیسے وہ کوئی اجنبی ہو، جسے وہ پہچان رہی ہو۔ دیوندر کمار سنگھ نے لپک کے رانی چانن کور سے جلتی آگ کی لکڑی پکڑنا چاہی تو رانی ایک دم سے دو قدم پیچھے ہٹی اور ایک انگلی اوپر اٹھا کے اسے نفی میں ہلاتے ہوئے، اپنی گول گول چڑیلوں جیسی آنکھیں گھما کے بولی۔

نہ۔ نہ، سردار گوبند سنگھ میرا پتی تھا۔ تم سردار گوبند سنگھ کی چتا کو آگ نہیں لگا سکتے۔ یہ تمہارا ادیکار نہیں ہے۔ تم اس بیر کی بیریوں کے بیر نہیں ہو، کسی دور کے پیڑ کے سیب ہو۔ میں نے تمہیں ٹہنی سے توڑا تھا، توڑایا تھا۔ اسی لیے خود ٹوٹ گئی۔ ہٹو، مجھے پراسچت کرنے دو۔ مرنے دو۔ جلنے دو۔ رانی یہ کہہ کے آگ کے جلتے ڈھیر کی طرف

بھا گی۔ دیوندر کمار سنگھ کے علاوہ بستی کے بہت سے لوگ رانی کو پکڑنے کو آئے مگر رانی نے جلتی ہوئی آگ بھری لکڑی سے سب کو پیچھے دھکیل دیا۔ تھوڑی دیر تک دیوندر کمار سنگھ کو کھڑی دیکھ کے روتی رہی۔ اس کے آنسو آنکھوں سے گر گر کے ہاتھ میں پکڑی جلتی لکڑی کے شعلوں پہ چھن چھن کر کے گرتے رہے۔ پھر وہ اک دم سے دیوندکمار سنگھ سے نگاہیں ہٹا کے دیوانہ وار دوڑتی آگ کے شعلوں میں کود گئی۔ اپنے جسم پہ وہ پہلے ہی دیسی گھی مل کے آئی تھی۔ آگ میں گرتے ہی اس کا سارا جسم چڑ چڑ کر کے جلنے لگا۔ پتہ نہیں اس کی چیخیں نکلیں یا نہیں، آگ کے گرد کھڑے ہجوم میں ہر شخص چیخیں مار کے رونے لگا۔

دیوندر کمار پاگلوں کی طرح آگ کے شعلوں کے گرد بھاگتا، آگ پہ پانی اور مٹی ڈالنے کی کوشش کرتا رہا۔ کھینچ کھانچ کے رانی چانن کور کو دیوندر کمار نے نکال لیا۔ وہ غشی کے عالم میں تھی۔ سر سے پاؤں تک جلی اور جھلسی ہوئی۔ کئی برس تک وہ جلے جھلسے ہوئے جسم کے ساتھ فاترالعقل بنی جیتی رہی۔ اس کا جینا ایسے تھا جیسے بیری کا کوئی کانٹوں بھرا پودا جیتا ہے، بغیر کسی بیر کے۔ کسی کی عقل میں اصل بات نہ آئی۔ سب اس واقعے کو لاڈو کے بابا محکم دین کے سراپ کا نتیجہ سمجھتے رہے۔ کسی کو یہ سمجھ ہی نہ آئی کہ اس بددعا کے لیے کس نے مدتوں دعائیں کی تھیں۔ خود ابوالفضل کی بیوی بھاگو کو یقین نہیں تھا کہ رانی چانن کور کے نصیب کا چانن اک دن ایسے ریزہ ریزہ ہو جائے گا کہ اس کے حصے میں روشنی کی ایک بوند بھی نہیں بچنی۔ نہ چانن کور کو پتہ تھا کہ چند کور سے وہ کتنی مختلف ہے۔

تمہیں سمجھ آئی کہ نہیں۔

تم بات بات پہ میرے ہلتے ہونٹوں کو دیکھ دیکھ فتوے دیتی ہو۔

چلو مانا کہ پچھلے جنم میں تمہارے اجداد بھی کشتری تھے۔ تو اتنا تو یقین کرلو کہ یہ مسکین جسے تم بے جان دیوار سمجھے بیٹھی ہو۔ جس کے اندر تمہیں کوئی دروازہ نظر نہیں

آ تا۔ وہ کسی کی لاڈو نہ سہی لاڈلا تو ہوسکتا ہے۔ اس لیے بہتر ہے کہ دروازے والی دیوار سے ٹکر مارنے سے پہلے بال کھول کے بسم اللہ کہہ دینا۔

کھولو بال۔

کرو بسم اللہ۔

□

بلاوا

ابوالفضل بوڑھا ہو گیا تھا۔ جسم کمزور ہو گیا۔ دم کشی کی بیماری تھی ساتھ بخار چڑھا ہوا تھا۔ چارپائی بچھا کے ہیڈ مان پور اپنے گھر لیٹا ہوا تھا کہ سراج بھاگتا آیا، بولا میاں جی، چاند چڑھ گیا ہے رمضان کا۔ مبارک ہو۔

اچھا، چاند نظر آ گیا؟ ابوالفضل چارپائی پہ لیٹا لیٹا اٹھ بیٹھا،

بولا۔ پتر یہ میری زندگی کا آخری مہینہ ہے۔

منجھلا بیٹا سن کے گھبرا گیا۔ نویں جماعت میں پڑھتا تھا۔ نام اس کا سراج تھا۔ وہ جب سے پیدا ہوا تھا۔ باپ سے ایک دن بھی دور نہ ہوا تھا۔ اسے باپ سے بہت انس تھا۔ ممکن ہے وجہ یہ ہو کہ اس کا باپ بھی اسے بہت توجہ دیتا تھا۔ سیانے کہتے ہیں کہ پہلے ایک دو بچوں کو پیار کرنا باپ کو نہیں آتا۔ اس کا پیار آخری بچوں کے نصیب میں زیادہ آتا ہے۔ کیا پتہ ماں کی نسبت باپ کا اپنی اولاد کے لیے دل دیر سے کھلتا ہو۔ جب وہ کمزور ہونے لگے۔ کچھ بھی ہو سراج اپنے باپ سے بہت انس رکھتا تھا۔ ایک اس کا چھوٹا بھائی بھی تھا۔ وہ ابھی بچہ تھا۔ اسے نہ اپنی سمجھ تھی اس وقت تک نہ باپ کی۔ اس وقت وہ دونوں بھائی ہیڈ مان پور پہ اپنے باپ کے پاس تھے۔ ماں گاؤں گئی ہوئی تھی۔ بڑے تینوں بھائی لدھیانہ شہر میں نوکریاں کرتے تھے۔ دو پولیس میں تھے۔

دونوں حوالدار۔ سب سے بڑا ٹریفک سارجنٹ۔ دوسرا ایک تھانے میں محرر۔ تیسرا ایک ہوزری میں سوئیٹر بنانے کا کام سیکھتا تھا۔ باپ بیمار ہوگیا۔ بخار چڑھ گیا۔ سراج پریشان ہوگیا۔ اپنے باپ کے ہاتھ پاؤں دبائے اور منتیں کرے میاں جی روزے قضاء کرلیں۔ وہ ابوالفضل کو میاں جی کہتا تھا۔ سبھی میاں جی کہتے تھے۔ میاں جی کہیں

نہ پتر۔ قضاء تو ادھار ہوتا ہے۔ چکانا پڑتا ہے۔ ادھار چکانے کا سمے گزر گیا۔ یہ آخری رمضان ہے میری زندگی کا، کیسے چھوڑوں روزے۔

ایسے کیوں کہتے ہیں آپ۔ سراج روہانسا ہوگیا۔

مہمان ہوں بیٹا میں۔ اب جانا ہے۔ ابوالفضل بولا۔

سراج رونے لگ گیا۔

روتے نہیں ہیں۔ باپ تو سب کے جاتے ہیں۔

میں نے بھی تو جانا ہے۔

سراج کا دل کٹنے لگا۔

ایک دن اس نے سائیکل اٹھایا اور لدھیانہ شہر گیا۔ شہر میں بڑے بھائی فضل کے پاس گیا۔ وہ ٹریفک سارجنٹ تھا۔ باپ کی بیماری کی روداد سنی تو شہر کی ٹریفک ہلا دی۔ ایک بندے کو بھیجا بدر کو لے آئے۔ دوسرے کو پیغام دیا جاکے تیسرے کو ہوزری سے لے آ۔ کوئی ان کی ماں کو گاؤں سے بلانے چلا گیا۔ خود حکیموں ڈاکٹروں کے پاس بھاگا پھرا۔ دوائیں اکٹھی کرلیں۔ حکیم بٹھا لیے۔ سب اکٹھے ہوگئے۔ ہیڈ مان پور پہنچ گئے۔ بڑا بیٹا فضل بولا، میاں جی، میرے ساتھ لدھیانے چلیں۔ ہم علاج کریں گے۔

میاں جی انکاری ہوگئے۔ نہ پتر۔ اِدھر روزے رکھوں گا۔

ادھر رکھ لیجیے گا۔ علاج کے ساتھ ساتھ۔

ہر چیز کی جگہ ہے۔ جو جہاں ہونی ہے وہیں ہوتی ہے پتر۔ جتنے روزے رہ گئے ہیں ان کی سحری افطاری یہیں کی ہے۔ بس ایک روزہ گاؤں جا کے کھولنا ہے۔ پھر اگلا ادھر ہی رکھ لینا ہے۔ وہ یہاں نہیں کھلنا۔ یہ میرا آخری رمضان ہے۔ مجھے نہ ہلاؤ اپنی جگہ سے۔

ایسی باتیں نہ کریں میاں جی۔ فضل اپنے باپ سے لپٹ گیا۔

باپ نے بڑے بیٹے کو لپٹا لیا۔ اور اسکی گردن چوم کے بولا تو میرا شیر پتر ہے۔ بڑا بیٹا ہے میرا۔ تو نے نہیں گھبرانا۔ تیرے سر پہ اپنی پگ رکھ کے میں نے جانا ہے۔ باپ سدا تھوڑی رہتے ہیں۔ سب کو جانا ہے۔ سب کا بلاوا آتا ہے۔ میرا بلاوا برکت والے مہینے میں ہے۔ خوش نصیبی ہے پتر۔ رمضان نصیب ہو گیا ہے۔ فضل اور زور سے لپٹ گیا۔ دوسرے بچے بھی قریب آ کے باپ سے چمٹ گئے۔ پھر خود ہی ابوالفضل سنبھل کے بیٹھ گیا۔ ایسے ہی تم گھبرا جاتے ہو۔ بخار ہے۔ خیر ہے۔ پہلے بھی تو چڑھ جاتا تھا۔ گھبرایا نہیں کرو۔

وہ بے نیاز ہے۔

جو اسکی مرضی۔

چلو اٹھو۔

اپنے اپنے کام کاج پہ جاؤ۔

کتنی کتنی چھٹی آئے ہو۔ تُو نے کتنے دن کی چھٹی لی۔ تُو کیا کہہ کے آیا ہے۔ وہ بیٹھ کے سب سے خوش گپیاں کرنے لگے۔ فضل نے ابوالفضل کی جیب میں سو روپے ڈال دیے۔

یہ کیا کر رہے ہو پتر، میں نے کیا کرنے ہیں اتنے پیسے۔

خیر ہے میاں جی۔ کام آئیں گے۔

میرے کام تو ہو گئے پتر۔

ناجی۔علاج ہونا ہے۔

پتر میں نے ڈاکٹری علاج نہیں کروانا۔ وہ دوا میں شراب ملاتے ہیں۔ میاں جی غصیلے فیصلہ کن انداز میں بولے۔

میں حکیم صاحب کو لے آتا ہوں۔ فضل لدھیانے سے حکیم غلام مصطفٰے کو ہیڈ مان پور لے گیا۔ اس نے ابوالفضل کو دیکھا۔ معائنہ کیا۔ بولا بخار ہے۔ اللہ خیر کرے گا۔ ایک کشتہ مروارید، کچھ یہ کالی کالی پڑیاں، ساتھ سیب کا مربہ۔ وہ دوا دے کے چلا گیا۔ علاج شروع ہو گیا۔ رمضان کا ایک ہفتہ گزر گیا۔

ابوالفضل سراج سے بولا، پتر بڑی عید کے لیے جو بکرا لے کے رکھا ہوا ہے، قربانی کے لیے، وہ ذبح کراؤ۔ جیب سے تین روپے نکالے۔ اس کی گندم لے آؤ۔ دو من گندم آ گئی تین روپے کی۔ کہنے لگے ساری پسوا دو۔ ساری پس گئی۔ بکرا ذبح ہو گیا۔ سارا پکوا لیا۔ دو من آٹے کی روٹیاں تنور پہ لگوالیں۔ لوگوں کو اکٹھا کر کے کھانا کھلا دیا۔ خیرات کر دی۔ سراج بولا،

میاں جی یہ بکرا تو قربانی کے لیے رکھا ہوا تھا۔

میاں جی بولے پتر اس قربانی پہ تم لوگ خود بکرا لینا،

میں نے کون سا ہونا ہے۔

سراج کا دل پھر اندر سے کٹنے لگا۔

تیسرے چوتھے دن سب بیٹے آ کر مل جاتے، تیسرے ہفتے فضل دین لدھیانے سے کار لے کر آ گیا۔ ساتھ حکیم غلام مصطفٰے۔

میاں جی چلیں۔ لدھیانے ہسپتال میں۔ حکیم جی بھی کہہ رہے ہیں۔

نہ میں نے نہیں جانا۔

ابوالفضل نے صاف انکار کر دیا۔ کار مڑ گئی۔

فضل پھر ڈیوٹی پہ چلا گیا۔ چوتھا ہفتہ آ گیا رمضان کا، وہ بھی ختم ہونے

لگا۔ جمعرات کا دن تھا۔ اگلے دن آخری جمعہ تھا۔ اس سے اگلے دن عید ہونا تھی۔ صبح کا وقت تھا۔ صحن میں چارپائی بچھی تھی۔ ابوالفضل چارپائی پہ بیٹھا تھا۔ چہرے پہ نقاہت تھی۔ جسم کمزور ہو گیا تھا۔ پیٹ پچک گیا۔ چہرے اور ہاتھوں پہ ایک دم سے وریدیں ابھر آئی تھیں۔ ہڈیاں نکل آئیں۔ سردیوں کے دن تھے۔ دو سوئیٹر پہنے ہوئے تھے ابوالفضل نے۔ اوپر کندھوں پہ کھیس لپیٹا ہوا تھا۔ نیچے ڈبی دار لونگی باندھی تھی۔ بیٹھے بیٹھے اس کے چہرے پہ کھڑے ہونے کی خواہش ابھری۔ اس کی ابھری ہوئی نسوں میں خون نے زور مارا۔ چہرے کے سکڑے ہوئے پٹھے ہلے۔ وہ زور سے سانس لے کر کمر پہ دونوں ہاتھ رکھ کے ہولے ہولے سیدھا کھڑا ہوا تو ایک چکر آ گیا۔ سراج پکڑنے کو لپکا۔ دونوں ہاتھوں سے پکڑ کے پھر بٹھا دیا۔

آپ لیٹ جائیں۔

کسی نے بھاگ کے تکیہ سیدھا کیا۔

ابوالفضل لیٹنے کے لیے گردن تکیے کی طرف لاتے ہوئے بولا،

پتر، آج کون سا دن ہے۔

جمعرات ہے جی۔ میاں جی۔

کل آخری جمعہ ہے؟

ابوالفضل نے تکیے پہ گردن گھماتے ہوئے ایک دم سے چونک کے سر اٹھا لیا۔

ہاں جی، جمعۃ الوداع۔

پرسوں عید۔

اچھا۔

ابوالفضل نے یوں حیرانی سے آنکھیں کھول کے کہا جیسے خواب دیکھتے دیکھتے ابھی آنکھ کھلی ہو۔

اچھا۔

وہ آہستگی سے عجیب حیران کن سراسیمگی میں بولا۔ پھر ایک دم جیسے اسے بہت سی باتیں اکٹھی یاد آ گئی ہوں۔ جیسے اسے اپنی گزاری ہوئی پوری حیاتی ایک گزارے پہر کی طرح ذہن سے گزرتی محسوس ہوئی۔ وہ دونوں ہاتھ چارپائی پہ ٹیک کے سنبھل کے سیدھا بیٹھ گیا۔

نذر کدھر ہے؟

ادھر آ۔ بھاگ کے جا، تار گھر۔

فضل کو اسی وقت تار دے دے۔

ابھی آ جائے کار لے کر۔ دس بجے تک پہنچ جائے۔

گاؤں جانا ہے مجھے اسی وقت۔

آج ہی

ہر صورت میں۔

بھاگ کے جا۔

نذر بھاگ گیا۔ بنگلہ نہر کے اندر ہی تار گھر تھا۔ وہاں سے پیغام شہر میں نہر کے دفتر پہنچا۔ اُس دفتر کا چپڑاسی بھاگم بھاگ پیغام پولیس لائن میں جا کر فضل کو دے آیا۔ دس بجے کار پہنچ گئی۔ ایک سکھ ڈرائیور تھا۔ سب پہلے سے تیار بیٹھے تھے۔ ڈرائیور کے ساتھ فضل بیٹھ گیا۔ پچھلی سیٹ پہ بدر اور اس کی ماں بھاگو ابوالفضل کو لیکر بیٹھ گئی۔ ایک سوئیٹر اور پہنا دیا۔ تہمد کی جگہ شلوار پہن لی۔ سر پہ اُون کا خاکی ٹوپہ اوڑھا دیا۔ کھیس میں لپیٹ کے اوپر کمبل دے دیا۔ سردیوں کا مہینہ تھا۔ یہ اکیس دسمبر ۱۹۳۹ء کی بات ہے۔ سراج رونا شروع ہو گیا۔ میں بھی ساتھ جاؤنگا۔

آ جا۔ جگہ ہے تیری۔

آ۔

ابوالفضل نے اپنے دونوں پیر سمیٹے اور اسے اپنے قدموں میں بٹھا لیا۔ گاڑی

کے باہر بنگلہ نہر کے سارے لوگ اکٹھے ہو گئے۔ ابوالفضل نے ہر ایک سے ہاتھ ملایا۔ تار بابو محکم دین۔ بارہ کے بارہ بیلدار، دلاّ، روشن، شادہ، بگو، عطا محمد، جینا، اللہ بخش، بارو سب موجود تھے۔ ان کے بچے بیویاں سب جمع تھے۔ عجیب سا سماں ہو گیا تھا وہ سارے لوگ جذباتی ہو رہے تھے۔ ابوالفضل نے جیب میں ہاتھ ڈال کے جیب میں پڑے سارے پیسے نکال لیے اور اشارے سے دلے بیلدار کو قریب بلا کے پیسے اسے تھما دیے۔ اور کہا۔ یہ سب تم آپس میں تقسیم کر لینا۔ بچوں کے لیے ہیں۔ سب سے ہاتھ ملایا۔ عورتوں کے سروں پہ ہاتھ پھیرا۔ بچوں کے گال سہلائے۔

اچھا بھئی اب پھر ملیں گے، حشر کے میدان میں۔

لوگ رونا شروع ہو گئے۔ بچے بھی رو پڑے۔

فضل کی آنکھیں ڈبڈبانے لگیں۔

ابوالفضل پھر مسکرا کے بولا۔ اللہ بے نیاز ہے۔ تندرستی مل گئی تو آ جاؤں گا۔ اس کے کہنے کا انداز کہہ رہا تھا۔ جیسے اللہ کی بے نیازی پہ تو کوئی شک نہیں مگر تندرستی ملنے کی امید کوئی نہیں ہے۔ بس دل رکھنے کے لیے کہہ رہا۔ لوگ سن کے پھر تڑپ گئے۔ کئی بولے رب آپ کو ہماری زندگی بھی دے دے۔

گھبراؤ نہیں پتر۔ جانے والے کہیں نہیں جاتے۔ ابوالفضل کہنے لگا۔ چار دن کی بات ہے۔ سبھی آگے پیچھے ہیں۔

ملیں گے۔ ہاں۔

ملاقات کا دن پھر آئے گا۔ اچھا اللہ بیلی۔

کار چل پڑی۔

بنگلہ نہر کے اندر باغ میں راستہ کچھ یوں تھا کہ باہر نکلنے کے لیے گاڑی کو اندر ہی ایک چکر دے کر بڑی سڑک تک لانا پڑتا۔ بنگلے کے لوگ پھر گھوم کے گاڑی کے پاس آ گئے۔ ابوالفضل نے پھر گاڑی رکوا کے فرداً فرداً سب سے ہاتھ ملایا۔ لمبی چوڑی سی

شیورلیٹ گاڑی تھی۔ بغیر چھت کی۔ تھی چھت کینوس کی، مگر پیچھے اکٹھی کر کے باندھی ہوئی تھی۔ لوگ لپک لپک کے ابوالفضل سے ہاتھ ملاتے رہے۔ گاڑی پھر چل پڑی۔ نہر کنارے سڑک کے دونوں طرف درختوں کی قطاریں تھیں۔ اوپر آسمان پہ دھوپ تھی۔ ہوا میں خنکی تھی۔ ابوالفضل دیر تک گردن موڑے پیچھے ہٹتے جاتے درختوں کی قطار کو دیکھا رہا۔ اسکا ہاتھ ہولے ہولے سے ہل رہا تھا۔ اور اس کے چہرہ پہ اس کی گزری ہوئی ساری زندگی کی یادیں دھوپ اور سائے کی لرزتی ہوئی پرچھائیوں کی صورت بنتی مٹتی جارہی تھی۔

روپڑ ہیڈ سے آرہی ہے یہ نہر۔

وہیں سے اس نہر سے یارانہ شروع ہوا تھا۔ اوورسیئر کی گھوڑی کی دعا سے یہ نوکری ملی تھی بھاگو۔

تمہیں سنائی ہے نا کہانی۔ ابوالفضل اپنی بیوی سے مخاطب ہوا۔

ہاں جی۔

بھاگو نے تیزی سے سر اثبات میں ہلایا۔ شاید اسے خدشہ ہوا کہ ابوالفضل پھر ساری تفصیل نہ سنانے بیٹھ جائے۔ اور وہ جن سوچوں میں گم ہے، انہیں گم نہ کر دے۔ آخر وہ بول پڑی۔

آپ ایسے کیوں باتیں کر رہے ہیں؟

کیسی باتیں کر رہا ہوں؟

جیسے گھبرائے ہوئے ہیں، بخار سے۔

خیر صلا ہے۔ پہلے بھی کئی بار بخار چڑھا ہے آپ کو، اتر جاتا تھا۔

یہی تو ڈرنے والی بات ہے کہ جب نہیں اترنا تو اتر نہ جائے۔

ایسی باتاں نہ کریں دل دکھی کرنے والی،

نہ۔ دل دکھی کرنے والی کونسی بات ہے اس میں۔

بندے کو جدھر پہنچنا ہو، وقت پہ پہنچے۔

یہ باتیں کرتے کرتے اس کی گاڑی لدھیانے پہنچ گئی۔ چوک گھنٹہ گھر سے پہلے جی ٹی روڈ پہ فضل نے گاڑی کے سکھ ڈرائیور کے قریب ہو کے اس کے کان میں کچھ کہا۔ گاڑی چوک گھنٹہ گھر پہنچ کے دائیں طرف مڑ گئی۔ آگے چوڑا بازار آ گیا۔ گاڑی جا کے ڈاکٹر فقیر چند کے کلینک پہ کھڑی ہو گئی۔ فضل بجلی کی طرح گاڑی سے نکل کے کلینک کی طرف لپک کے گیا۔ ابوالفضل گاڑی میں بیٹھا بیٹھا بدر کی طرف مڑ کے غصے سے بولا،

ادھر کدھر آ گئے ہو، گاؤں جانا ہے۔

بدر بولا، بھائی ڈاکٹر کا پتہ کرنے گیا ہے۔

کوئی ضرورت نہیں اب ڈاکٹر کی۔

چلو گھر چلو۔

تھوڑی دیر بعد کلینک کے دروازے سے فضل یوں ٹوٹا ہوا گرے کندھوں اور تھکے قدموں سے نکلا کہ اسے دیکھ کے ہی اس کے بھائیوں نے اندازہ لگا لیا کہ اسے ڈاکٹر نہیں ملا۔ ڈاکٹر موجود نہیں تھا۔ وہاں سے پھر واپس مڑے وہ۔ جی ٹی روڈ پہ آ گئے تو بدر اپنے باپ سے لجاجت سے بولا، میاں جی چھاؤنی میں بچے ہیں میرے۔ ان سے ملتے چلیں۔

ہاں ہاں چلو۔ ملا دو۔

گاڑی پھر بائیں طرف مڑ گئی۔ چھاؤنی کا علاقہ آ گیا۔ کئی سڑکیں، گلیاں گزر کے ایک گھر کے آگے کار رک گئی۔ فضل نے اتر کے دروازہ کھٹکھٹایا۔ اندر سے بدر کی بیگم نکلی۔ اسکی بچیاں بھی آ گئیں گھر کے باہر۔ ابوالفضل کے آگے انہوں نے سر جھکا دیے۔ ابوالفضل نے سب کے سر پہ ہاتھ پھیرے۔ اور ڈرائیور سے بولا چلو بھئی۔

بدر کی بیوی کار کا دروازہ کھول کے کھڑی ہوگئی۔ بولی ماما جی آج ادھر رہ جائیں،
کل چلے جانا گاؤں۔ شام کو ڈاکٹر بھی دیکھ لے گا آ کے۔ وہ بولتے بولتے اپنی ساس
کی طرف سفارش کے لیے دیکھنے لگی۔ مائی بھاگو ڈرتے ڈرتے بولی،
ہاں جی، آج ہم ادھر ہی رہ جاتے ہیں۔ صبح چلے جائیں گے۔
ابوالفضل ایک دم غصے میں آ گیا۔ اور اپنی بیوی سے بولا۔
او پگلی تو نے ساری زندگی میرے ساتھ گزار دی، تجھے میری سمجھ نہیں آئی۔
تو نے مجھے مرے کو یہاں سے لے جانا ہے۔
ادھر گاؤں میں میرا کسی سے وعدہ ہے۔
میرا دوست میری راہ تک رہا ہے۔
چل فضل دین جلدی کر۔
اچھا جی۔
پھر خود ہی ڈرائیور سے بولے۔
چلو سردار جی۔ اب راہ میں کہیں نہیں رکنا۔ کسی کو میرا انتظار ہے۔
کار جی ٹی روڈ پہ پھلور کی طرف منہ کر کے بھاگنے لگی۔
سراج اپنے میاں جی کے قدموں میں بیٹھا بیٹھا پیر دبا رہا تھا۔
ایک دم سے اس کا ماتھا ٹھنکا۔
چار سال پرانا ماؤمیووال کا ایک منظر اس کے سامنے آ گیا۔
وہ اس وقت پانچویں جماعت میں پڑھتا تھا۔
میاں جی کی آنکھیں دکھنے آئیں تھیں ان دنوں۔ وہ تین مہینے کی چھٹی لے کر
گاؤں آئے ہوئے تھے۔ اس وقت گاؤں کے باہر ایک بڑے سے بن کے درخت
نیچے سائیں بگو شاہ کے ڈیرے پہ بیٹھے تھے۔ دونوں بچپن کے دوست بیٹھے کھانا
کھا رہے تھے۔ اور باتیں کر رہے تھے۔ ان دونوں کی دوستی اس پورے علاقے میں

مشہور تھی۔ ابوالفضل کے لیے ماؤ میووال میں سائیں بگوشاہ کے ڈیرے اور والدین کی قبروں کے علاوہ کچھ نہ تھا۔ جب بھی گاؤں آتا تو یہی دو جگہیں اس کی من پسند ہوتیں۔ اور سائیں بگوشاہ کے لیے تو گاؤں بھی کوئی معنی نہ رکھتا تھا۔ نہ اس کا گھر تھا نہ بیوی نہ بچے۔ گاؤں کے باہر ایک بن کے درخت کے نیچے ڈیرہ تھا۔ ڈیرے میں بن کے درخت کھڑے تھے۔ ان کی چھاؤں میں ایک کھوئی تھی۔ کئی دیہات میں اس کے عقیدت مند تھے۔ ایک دو مرید تو سارا وقت اس کے ڈیرے پہ موجود رہتے۔ سراج ڈیرے میں ایک طرف بیٹھا چپکے چپکے ان کی باتیں سن رہا تھا۔

باتیں بے حد حیرت انگیز تھیں۔

اس وقت وہ باتیں سراج کو انوکھی تو لگ رہی تھیں۔ مگر اسے سمجھ نہ آئی تھی۔ چار پانچ سال بعد، اس دن گاؤں جاتے ہوئے، ابوالفضل کے پیروں میں بیٹھے بیٹھے اچانک یاد آ گئیں۔ بلاوے کا مفہوم اس کے ذہن میں زلزلے بھرنے لگا۔ وہ بیٹھا بیٹھا کانپنے لگا۔

باتیں وہ عام سی تھیں۔

دونوں دوست زمین پہ چٹائی بچھا کر بن کے نیچے سائے میں گرم گرم دال اور تنور کی روٹیاں کھا رہے تھے۔ گرمیوں کے دن تھے۔ دوپہر کا وقت تھا۔ ساتھ حقہ رکھا ہوا تھا۔ ابوالفضل بولا،

وہ مجھے ڈیوٹی نہیں کرنے دیتے۔

ڈاکٹر اور اوورسیئر دونوں دشمن ہیں۔ ڈاکٹر ڈاکٹری کا نتیجہ نہیں دیتا۔ اور سیئر کہتا ہے تیری آنکھیں خراب ہیں۔ ڈاکٹری کروا کے آ۔ دونوں ملے ہوئے ہیں۔ اللہ جانے وہ رشوت چاہتے ہیں یا خدا واسطے کا بیر ہے۔ میں نے رشوت تو دینی کوئی نہیں۔ پر نوکری کرنی ہے۔ بچے پڑھانے ہیں۔

سائیں بگوشاہ بولا، بائی بہتیری نوکری کرلی۔ اب تو میرے پاس رہ گاؤں میں۔

آخری وقت ہے۔ رب جانے کب بلاوا آجائے۔ دونوں یار ادھر ڈیرے پہ بیٹھیں گے۔ رہنے دے نوکری اب۔ بہتیری ہوگئی۔

ابوالفضل نے روٹی کھاتے کھاتے توڑا ہوا نوالہ ہاتھ میں روک لیا۔ اور بولا نہیں بائی۔ دونوں ایک دوسرے کو احترام اور پیار سے بائی کہتے تھے۔ عمر میں سائیں بگوشاہ پانچ چھ سال بڑا تھا۔ لمبا چوڑا آدمی تھا وہ۔ گورا رنگ تھا دودھ میں دھوئی ہوئی ریشم جیسی سفید داڑھی تھی۔ سر کے بال کندھوں تک تھے۔ وہ بھی ساٹن کے تھان کی طرح۔ اس کے چہرے پہ روشنی جمی ہوئی لگتی۔ آنکھیں بڑی بڑی اور کالی سیاہ۔ بھوئیں سفید۔ سفید ہی اس کے کپڑے ہوتے تھے۔ ایک چوڑی لمبی تہمد اوپر سفید کریزوں والا کرتا۔ ہاتھ میں ایک موٹا سا بھاری لمبا ڈنڈا۔ ابوالفضل بھی قد میں لمبا تھا مگر اکہرے بدن کا۔ داڑھی اس کی پوری سفید نہیں تھی۔ بیچ بیچ میں کالے بال تھے۔ سر اور داڑھی پہ ابوالفضل مہندی لگاتا تھا۔ لال داڑھی اور لال سر کے بالوں سے اس کے چہرے پہ عجیب سا دلکش وقار ہوتا تھا۔ سر کے بال لمبے تھے پیچھے سے سیدھے کٹے ہوئے۔ گردن آدھی نظر آتی تھی۔ کھدر کی قمیض اور ڈبی دار تہمد اکثر پہنتا تھا۔ مگر نوکری پہ جب ہوتا تو شلوار پہنتا۔ اس دن بھی وہ شلوار پہن کے آیا بیٹھا تھا۔ روٹی کھاتے کھاتے اپنا نوالا روک کے بولا۔

نہیں بائی میں نے نوکری کرنی ہے۔

جب تک بچے پڑھا نہ لوں نوکری نہیں چھوڑ سکتا۔

اِدھر ان کے اسکول دور ہیں۔ کیسے روز چل کے یہ پھلور آجاسکیں گے۔ نومیل بنتے میں آنا جانا، نہ بائی مجھے نوکری کرنی ہے۔

اچھا بھئی

سائیں بگوشاہ نے ایسے آہ کھینچ کے کہا جیسے اپنی ضد چھوڑ دی ہو۔ پھر اپنی ایک ایک بات پہ زور دے کر فیصلہ کن انداز میں پوچھنے لگا۔

ضرور نوکری کرنی ہے پھر؟

ہاں بائی۔ ابوالفضل نے کہا۔

اچھا۔ پھر مجھ سے ایک وعدہ کر۔ سائیں بگوشاہ بولا۔

بول بائی۔ ابوالفضل روٹی چھوڑ کے بیٹھ گیا۔

مجھ سے وعدہ کر کہ جب تیرا آخری وقت آئے گا۔ تو، تُو ادھر، یہاں میرے پاس پہنچے گا۔ بول۔ سائیں بگوشاہ نے چٹائی پہ ہاتھ مار کے کہا۔

ایک لمحے کے لیے ابوالفضل نے آنکھیں میچ کے جیسے کسی سے کچھ پوچھا اور پھر آنکھیں کھول کے مسکرا کے بولا پہنچ جاؤں گا۔ انشاء اللہ۔ پہنچوں گا ایک رات پہلے۔ ابوالفضل چٹائی پہ ہاتھ پھیرتے ہوئے بولا۔ پر تو بھی مجھ سے وعدہ کر ایک۔ مجھے قول دے کہ جب میں آ جاؤں اپنے آخری وقت تو، تُو مجھے خواجہ روشن ولی درگاہ میں سائیں پھتوشاہ کے قریب دفنانا، جدھر میری ماں کی قبر ہے۔ بول۔ وعدہ کر۔

ایک رات پہلے پہنچ جاؤں گا۔ میرا وعدہ رہا۔

ابوالفضل نے شہادت کی انگلی سیدھی کی۔ بات پوری کرنے کے بعد بھی کچھ لمحے انگلی اس کی اسی طرح سیدھی کھڑی رہی۔ وہ اپنی بات کہہ کے سائیں بگوشاہ کا چہرہ تکنے لگا۔ ایک رات پہلے، ٹھیک ہے؟ میں نے قول دیا۔

پھر دونوں نے گردن موڑ کر گاؤں کے دوسری طرف دور ویران میدان کے پار خواجہ روشن ولی کی درگاہ کے دھوپ میں چمکتے کلس کو دیکھا۔ کچھ دیر دونوں دوست سر اٹھائے یونہی دور تکتے رہے۔ پھر سائیں بگوشاہ نے اپنے داہنے ہاتھ سے ابوالفضل کے بائیں کندھے کو جھنجوڑتے ہوئے اپنی طرف متوجہ کیا۔ اور بولا

لیکن اگر میرا بلاوا پہلے آ گیا تو؟

ابوالفضل لرز کے سائیں کا چہرہ دیکھنے لگا۔ بولا کچھ نہیں ۔

سائیں نے روٹی کا ایک نوالہ توڑا دال میں بھگویا اور منہ میں رکھنے سے پہلے منہ

کے سامنے روک کے بولا۔ میرا بلاوا اگر پہلے آ گیا تو میں تمہیں ادھر اطلاع دے دوں گا۔ نوالہ منہ میں رکھا۔ کچھ ساعتیں خاموشی سے نوالہ چباتا رہا۔ ابوالفضل گردن جھکا کے بیٹھ گیا۔ سائیں نے دونوں ہاتھوں سے ابوالفضل کی دائیں بانہہ پکڑی اور اسے زور سے دباتے ہوئے بولا۔ ایک رات اور ایک دن پہلے بتادوں گا۔ پورے چوبیس گھنٹے پہلے خبر تمہیں پہنچ جائے گی۔ ٹھیک ہے؟ اب تو بھی مجھے قول دے۔

کیا؟

وعدہ کر مجھ سے کہ تو مجھے اسی بن کے نیچے دفنائے گا۔

دونوں دوستوں نے سر اٹھا کے اسی پیڑ کو دیکھا۔ جس کے نیچے دونوں بیٹھے ہوئے تھے۔ پرانا گھنا درخت تھا وہ۔ شاخیں ہی شاخیں تھیں۔ ایک دوسرے میں الجھی ہوئیں۔ مجال نہیں دھوپ کی ایک بوند بھی اس کے اندر سے ٹپک پڑے۔ پتلے لمبے لمبے سے پتے ہی پتے۔ اندر پرندوں کے ان گنت گھونسلے، سب پرندے خاموش سانس روکے ہوئے۔ پھر سائیں نے چٹائی پہ رکھی روٹی کی چنگیر کو ایک طرف کھسکا کے چٹائی کا کونا ایک طرف سے اٹھایا۔ اور نیچے گھاس والی مٹی پہ ہاتھ پھیر کے بولا، ادھر ہی اسی کے نیچے مجھے اتارنا۔ سن لیا۔ اور سن۔ اگر تمہیں پہلے جانا پڑ گیا تو اپنے بڑے بیٹے فضل کو کہہ کے جانا۔ سمجھا کے جانا۔ یہی جگہ ہے میری۔

بھولے گا تو نہیں بائی۔ بول۔ وعدہ کر۔

یہ مٹی ہے میری مٹی کی

سمجھ گئے نا۔

سمجھ گیا۔

ابوالفضل نے چٹائی کا کونا ہولے سے بڑے ادب سے پکڑا جیسے کسی مقدس صحیفے کے جزدان کا کپڑا ہو۔ اسے سیدھا کیا۔ اور سائیں بگو شاہ کے کندھے پہ ہاتھ مار کے بولا۔

بائی تو نے بڑا ہتھ مارا ہے۔ فقیری کے چِلّے میں تیری بڑی دور تک رسائی ہو گئی ہے۔ اللہ نے بڑی طاقت دی ہے تجھے۔ ابوالفضل یہ کہہ کے گردن ستائش میں ہلانے لگا۔ جیسے دل ہی دل میں ماشاءاللہ کہہ رہا ہو۔

سائیں کہنے لگا، تو سرکار دو عالم کا عاشق ہے۔

تو کونسا کم ہے مجھ سے۔

تو تو مشکل راہ پہ چلا ہے۔

نوکری کی۔ بچے پالے۔

ہم تو چھڑے چھانگ ہیں۔

ساری عمر ہم سے مرغی کے بچے نہیں پلے۔

ساری عمر ہم نے شادی نہیں کی گھر نہیں بسایا۔

نہ کوئی آگے نہ کوئی پیچھے۔

بس تیری یاری ہے اور اک وہ یار ہے۔

تو نے تو کئی یارانے نبھائے ہیں۔

وہ آنکھوں ہی آنکھوں میں چمک بھر کے مسکرایا۔ (جیسے اسے ابوالفضل کے کئی یارانے یاد آ گئے ہوں) گھر چلایا۔ نوکریاں کیں۔ بچے پالے۔ انہیں رزق حلال سے کھلایا، پڑھایا۔ جان ماری اور ادھر بھی اپنی تار سیدھی رکھی۔ عشق کا رنگ نہیں اترنے دیا۔ اپنا وظیفہ نہیں چھوڑا۔ اسی کے اندر اپنا آپ رچالیا۔ بسا لیا۔ تو کونسا مجھ سے کم ہے۔ تُو تو آگے ہے۔

نہ بائی۔

ابوالفضل نے شرما کے دونوں ہاتھ جوڑنے کے انداز میں اپنے چہرے کے سامنے کیے۔ اور بولا، ہم کمزور ماڑے بندے ہیں۔ اس کی رضا پہ راضی ہیں۔ ضرورتیں ہیں اپنی۔ پر اسے بتاتے شرم آتی ہے۔

آپ ڈنڈے والے ہو۔

تگڑے لوگ ہو۔ زور سے منوا لیتے ہو۔

دونوں ہنسنے لگے۔

روٹی ختم ہوگئی۔

دور گاؤں کی ایک نکر سے ظہر کی اذان کی مدھم مدھم آواز آنے لگی۔ پرندے بن کے اندر پھڑ پھڑانے لگے۔ کہیں سے ڈھول پیٹنے کی آواز دھیرے دھیرے بڑھنے لگی۔ سائیں بگو شاہ اپنے گھٹنوں پہ ہاتھ رکھ کر اٹھنے لگا۔ اٹھتے اٹھتے پھر بیٹھ گیا۔ اپنا لٹھ بن کے تنے سے ہٹا کے ہاتھ میں لیا۔ اور بولا اب تو جا۔ میں اب سرکار کے دربار کھڑا ہوتا ہوں۔ تیرا پیغام پہنچ جائے گا۔ تو جا کے نوکری کر۔ نوکری تیری پکی ہے۔ بھولنا نہیں جو وعدے کیے۔

ادھر آنا۔ ایک رات پہلے۔

سائیں نے شہادت کی انگلی کھڑی کی۔

ایک رات پہلے

اگر جانا ہوا۔ تیرا پہلے،

میری پہلے باری آ گئی تو آ کے اس بن کے نیچے مجھے دفنانا۔

انشاءاللہ۔

دونوں یار اٹھ گئے۔

گاؤں سے اگلے دن ابوالفضل چلا گیا۔

پہلے ڈاکٹر کے پاس گیا میڈیکل رپورٹ لینے۔

اس نے اَن فٹ کر دیا۔

اوورسیئر کے پاس گیا۔ اس نے برخاست کرنے کی سفارش لکھ دی۔

یہ بے پرواہی سے دونوں کاغذ لیے انگریز افسر کے پاس پہنچ گیا۔ انہیں پتہ تھا

سائیں بگو شاہ لٹھ لے کر کھڑا ہے۔ اور اندر وظیفہ جاری ہے۔ ڈرنے کی کیا بات۔ سیدھا انگریز افسر کی کوٹھی کے اندر چلا گیا۔ انگریز افسر ابوالفضل کو پرانا جانتا تھا۔ خود نکل کے اپنے بنگلے کے لان میں آیا۔ ہاتھ ملایا۔ حال چال پوچھا۔ ابوالفضل نے دونوں کاغذ اس کے آگے کیے۔ اور بولا صاحب سکھ ڈاکٹر لکھتا ہے پندرہ فٹ سے نظر نہیں آتا۔ آنکھیں اندھی ہوگئیں ہیں میری،

ہاں، ایسے ہی لکھا ہے ڈاکٹر نے۔ انگریز بولا۔

یہ جھوٹ ہے سرکار ابوالفضل بولا۔

وہ دیکھیں میں بتاتا ہوں۔

وہ آپ کے باغیچے کی آخری کیاری میں گلاب کے پھول کھلے ہیں۔

پیچھے دیوار کے ساتھ مٹر دانے کی بیلیں ہیں، ڈنڈیوں پہ چڑھی ہوئیں نیلے آسمانی پھولوں سے بھری ہوئیں۔ بائیں کیاری کے بیچ گیندے کے چار پودے ہیں۔

وہ گیندے کے پھولوں پہ لال پروں والی تتلی اڑی جارہی ہے۔

وہ دیکھیں گلابی رنگ کے پھول پہ بیٹھ گئی ہے۔

پھول کی چھ پنکھڑیاں ہیں۔

وہ پھر اڑی ہے۔

تتلی کے پروں میں نیلی لکیریں ہیں۔

وہ دیوار کے اوپر سے شہد کی مکھی آگئی ہے ایک۔

وہ دو ہو گئیں ہیں۔

ایک اڑتی اڑتی کیاری سے باہر نکل گئی ہے۔

وہ دیکھیں۔

یہ دیکھیں۔

یہ یہ ہے۔ وہ وہ ہے۔

ونڈرفل۔ ایمیزنگ۔

تمھاری نظر بالکل ٹھیک ہے۔ یہ رپورٹ کس نے لکھی؟

انگریز افسر نے رپورٹ پڑھ کر کاغذ پہ اپنا دوسرا ہاتھ مارا۔

صاحب۔ میں نے نوکری کرنی ہے، میرے دو بچے ابھی پڑھتے ہیں، چھوٹے ہیں۔

یس یس۔ تم نوکری کرے گا

جاؤ آج ہی اپنی جگہ پہ ڈیوٹی سنبھالو۔

میں ان سب کو سیدھا کر دوں گا۔

یہ گیا جا کے ڈیوٹی سنبھال لی۔ سراج اپنے میاں جی کے قدموں میں بغیر چھت کے کھلی لمبی سی گاڑی میں سوچوں میں گم تھا۔

یہ آج پھر ڈیوٹی سنبھالنے جا رہے ہیں۔

اسی وعدے پہ جا رہے ہیں۔

سائیں نے ایک رات پہلے آنے کو کہا تھا۔

کیا صرف ایک رات رہ گئی ہے؟

وہ بیٹھا بیٹھا لرز رہا تھا۔ کانپ رہا تھا۔ بیٹھا اپنے باپ کے پیر دبائے جائے اس کے آنسو آنکھوں سے گر کر باپ کے پیروں پہ گرتے جائیں۔ کبھی کبھی وہ سر جھکائے ان کے پیر چوم لے۔ کبھی ان کے پیروں اور پنڈلیوں سے چمٹ جائے۔

گاؤں کے قریب پہنچ گئے۔ پکی سڑک چھوڑ کے گاڑی کچے راستے پہ دھول اڑاتی گاؤں کی طرف بھاگنے لگی۔ کھلا کچا ویرانہ تھا۔ ریتلی زمین تھی۔ درخت نہ ہونے کے برابر تھے۔ کہیں کہیں کماد اور مکئی کے اونچے قد کے سہمے کھیت کھڑے تھے۔ اکا دکا سرسوں کے کھیت بھی تھے۔ جنکے چہرے کسی کرب سے پیلے پڑے ہوئے تھے۔ سامنے افق پہ سورج غروب ہونے کے لیے گاؤں کے کچے گھروں کی چھتوں سے نیچے

اتر گیا تھا۔ آسمان پہ لالی تھی۔ جو بادلوں کی اکا دکا ٹکڑیوں میں ذبح ہوئے قربانی کے جانور کے خون کی طرح جمی ہوئی تھی۔ دریا کنارے کے جنگل کی طرف پرندوں کے غول اڑتے جا رہے تھے۔ گاؤں کی طرف آتی راہ میں پہلے کچی سڑک کنارے سائیں بگوشاہ کا ڈیرہ آتا تھا۔ سڑک کے دونوں طرف اونچے اونچے تھوہر کے جھنڈ کھڑے تھے۔ گاڑی سائیں بگوشاہ کے ڈیرے پہ پہنچی تو افطاری کا وقت ہو گیا۔

گاڑی رک گئی۔

فضل اور بدر دونوں اتر کے سائیں کا پتہ کرنے لپکے۔ ڈیرے کے اندر سے سائیں کا ایک پرانا خدمت گار عیدو بھاگتا آ گیا۔ ابوالفضل کو بڑھ کے اس نے سلام کیا اور بولا سائیں جی تو ایک ہفتے سے دور کے ایک گاؤں میں اپنے مریدوں کے پاس گئے ہوئے ہیں۔ آج شام تو ادھر نیاز بٹنی ہے۔ ادھر ہی رہیں گے۔ ابوالفضل نے یہ سنا تو اس کے چہرے پہ شفق کی ذرا سی ٹمٹماتی روشنی بھی بجھنے لگی۔

کار کی اگلی سیٹ پہ سر ٹیک دیا۔

دونوں ہاتھ اٹھا کے سر کے دونوں طرف لپیٹ لیے۔

آنکھیں بند کر لیں۔

آدھا منٹ تک وہ یونہی بیٹھے رہے۔

فضل دین ان کے قریب جا کر کھڑا ہو گیا۔ ہاتھ اٹھا کر اس نے باپ کے کندھوں بیچ رکھ دیا۔ ایکا ایکی میں ابوالفضل نے سر اٹھایا اور فضل کی طرف دیکھ کے تیزی سے کہا۔

پتر بھاگ کے جا۔

وہ سامنے سڑک پار تھوہر کے پیچھے تیرا تایا ہے۔

تھوہر بہت اونچا اور گھنا ہے۔ اسے راہ نہیں مل رہی۔

جا جا کے لے آ۔ بھاگ کے۔

فضل دین ایک دم سے ادھر بھاگا۔ کوئی پچاس گز اوپر سے چکر لگا کے فضل دین گیا۔ دیکھا تو سامنے شام کے ملگجی اندھیرے میں سائیں بگوشاہ اپنے ڈنڈے سے تھوہر کے کانٹوں بھرے جھنڈ کے اندر راہ ڈھونڈنے میں لگا ہے۔ تھوہر میں ڈنڈا مار مار کے راہ بنا رہا ہے۔ فضل دین بھاگ کے گیا اور اس سے لپٹ گیا۔ سائیں بولا،

پتر لے آئے اپنے باپ کو۔ فضل دین اس سے لپٹے لپٹے رونے لگا۔

لے کملا، روتا کیوں ہے۔

یہ تھوہر گھنا ہو گیا ہے، راہ نہیں دیتا گزرنے کی،

سامنے میرا ڈیرہ ہے۔ چل

اوپر سے ہو کر چل۔

فضل دین اسکا بازو پکڑ کے لے کے آیا۔ ابوالفضل کی آنکھوں میں غروب ہوا سورج چمک رہا تھا۔ سائیں لاٹھی زمین پہ لگاتے قدم قدم چلتے آیا۔ قریب آیا، تو ابوالفضل نے دونوں ہاتھ اوپر اٹھا لیے۔ اور بولا،

بائی میں آ گیا۔

میں آ گیا۔ بائی۔

اپنے وعدے پہ آ گیا۔

سائیں نے قریب آ کر لاٹھی چھوڑ دی اور ابوالفضل کے اٹھے کھلے دونوں بازوؤں میں اپنا جسم رکھ دیا۔

ابوالفضل نے سائیں بگوشاہ کو اپنی بانہوں میں لپیٹ لیا۔

دو تین منٹ خاموشی کے ایک زمانے کی طرح گزرے۔

وہ دونوں گلے لگے لپٹے رہے۔

کوئی کچھ نہ بولا۔

پرندوں کے غول پھڑ پھڑ کرتے ہوئے اوپر سے گزرتے رہے۔

بن کے اندر سے چڑیاں پر مار مار کے اچھلتی رہیں۔ ابوالفضل کے تینوں بیٹوں کی آنکھوں سے ٹپ ٹپ آنسو خاموشی سے بہنے لگے۔ بھاگو اپنی بڑی سی چادر میں منہ دے کر گٹھڑی سی بنی بیٹھی رہی۔ سکھ ڈرائیور سٹیرنگ پہ دونوں ہاتھ رکھے گردن گھما کے دونوں گلے لگے بوڑھوں کو خاموشی سے تکتا رہا۔ پھر سائیں بگوشاہ نے سر اٹھایا۔ اور ابوالفضل کے کندھوں پہ اپنا بازو لپیٹ کے کھڑا ہوگیا۔ فضل دین سائیں بگوشاہ کے پاس سر جھکا کے کھڑا تھا۔ ابوالفضل نے اپنا دائیاں بازو پھیلا کے فضل کی کلائی پکڑی اور سائیں بگوشاہ کی طرف بڑھاتے ہوئے آہستگی سے بولا۔

بائی، اب ان کے سر پہ تو نے ہاتھ رکھنا ہے۔

سائیں نے فضل کا ہاتھ اپنے دونوں ہاتھوں میں لے لیا اور پیار سے کھینچ کے سینے پہ رکھ لیا۔ فضل دین سر جھکا کے سائیں کے بائیں کندھے سے چپک گیا اور دوسرا بازو پھیلا کے سائیں کو جپھی ڈال لی۔ ٹپ ٹپ اس کی آنکھوں سے آنسو گرنے لگے۔ سائیں نے فضل دین کے کندھوں پہ تھپکی دی۔ پھر زور سے ایک بار گلے لگایا۔ اس کا ماتھا چوما۔ اور پھر ایک دم دونوں ہاتھوں سے اسکے کندھے پکڑ کے اپنے سامنے کیا۔ اور اسکی آنکھوں میں آنکھیں ڈال کے بولا۔

پتر فضل دین، تیرے میاں جی نے تمہیں تیری ذمہ داری بتائی کہ نہیں؟

فضل دین نے چونک کے اپنے باپ کی طرف دیکھا۔

اسکا باپ گردن موڑ کے سائیں بگوشاہ کے ڈیرے میں کھڑے پرانے بن کے درخت کے نیچے گہرے ہوتے سائے میں سوئی زمین کو تکنے لگا۔

سائیں نے پھر فضل دین کو کندھے سے پکڑ کے جھنجھوڑنے کے انداز میں ہلا کے اپنی طرف متوجہ کیا۔ اور بولا

پتر اس بن کے نیچے میری جگہ ہے۔

تو جہاں بھی ہوا آجانا۔ اب تیرے ہاتھوں سے میں نے اس مٹی میں اترنا ہے۔

ایک دن اور ایک رات پہلے اطلاح تمھیں مل جائے گی۔ جدھر بھی ہوا تو۔

اور یہ بھی سن لے

کان کھول کے، میری طرح ڈنڈے والا بے شک بنو۔

پر میری طرح چھڑا چھانٹ نہیں پھرنا۔

اپنے میاں جی کی طرح گھر بار بسانا ہے۔

بائی، فضل کا صحیح بیاہ تو نے نہیں کیا۔

وہ ابوالفضل سے مخاطب ہوا۔

اب یہ کام میں کروں گا۔

کڑی میں نے دیکھ لی ہے۔

شاہ زور پتر یہی ہے تیرا۔ رب کے شیر کا پتر ہے تو وہ بھی پہلوان کی دھی ہے، لدھیانہ شہر کی۔ فضل کی ماں بڑے بیٹے کی شادی کی باتیں سن کے خوش ہوگئی۔ سائیں بگو شاہ نے اپنی بات جاری رکھی، بولا۔

ان دونوں کے نصیب اتنے سوہنے ہونے ہیں کہ تو خوش ہو جائے گا۔ انشاء اللہ کہہ دے اسے کہ ساری عمر سار جنٹی نہیں کرنی گھر بھی بسانا ہے۔ بات میری نہیں ٹالنی۔

ہاں پتر،

جیسے تیرا تایا کہے، ویسے کرنا ہے۔

سن لیا، اپنے میاں جی سے۔

اب چل میرا شیرا اپنے پیو کو گھر لے چل۔ میں آیا۔

پھر ابوالفضل کے کندھوں پہ جھک کے اسکے دائیں کندھے کو چوما اور کان میں بولا میں درگاہ خواجہ روشن ولی سے ہو کر آیا۔

گاڑی گاؤں کی طرف مڑ گئی۔

سائیں بگوشاہ، اپنا ڈنڈا ڈیرے پہ چھوڑ کے کدال اٹھا کے شام کے اندھیرے میں خواجہ روشن ولی کی درگاہ کی طرف نکل گیا۔ گاڑی میں بیٹھے کسی نے سائیں کو درگاہ کی طرف جاتے نہیں دیکھا، صرف ابوالفضل گردن موڑ کے ادھر تکتا رہا تھا۔ جدھر سائیں جارہا تھا۔ باقی سب کا دھیان آگے گاؤں کے کچے راستوں پہ تھا۔ راہ میں چڑھائی تھی۔

گاؤں ٹیلے پہ تھا۔

انکی گلی بھی چڑھائی والی تھی۔ کار اوپر تک نہ گئی۔ فضل دین کار کا دروازہ کھول کے گھٹنے ٹیک کے اپنے باپ کے سامنے بیٹھ گیا۔ اور باپ کو اپنے کندھوں پہ بٹھالیا۔ باقی لوگ ساتھ چلتے گھر پہنچ گئے۔ گھر میں فضل کی بہن نذیر بی بی تھی۔ وہ لپک کے آئی اور باپ سے چمٹ کر رونے لگی۔ ابوالفضل نے جھڑک دیا۔

روتے نہیں۔

پھر خود سراج کی طرف مڑا جو ٹوٹے ہوئے پتوار والی کشتی کی طرح نڈھال ڈولتا ساتھ چپکا کھڑا تھا۔ اس کے سر پہ ہاتھ پھیرا۔ اسے اپنے بازو سے سینے سے چپکا یا اور فضل دلین سے کہا۔

یہ بیل کا تونبہ ہے، پھول ہے بیل کی شاخ کا۔

بیلا مرجھانے والی ہے۔ یہ سوکھ نہ جائے خیال رکھنا اسکا۔

دونوں بیٹے پھر ابوالفضل سے لپٹ گئے۔

اندھیرا ہو گیا۔

سردیوں کے دن تھے۔ سب اندر کوٹھریوں میں بیٹھ گئے۔ برآمدے میں دری بچھا دی۔ لالٹین جل گئی۔ ایک دو دیے جلا کے راستوں میں رکھ دیے۔ اڑوس پڑوس سے لوگ آنے لگے۔ نائی بھی آ گیا۔ ابوالفضل نے نائی کو پاس بٹھالیا۔ اک اک کر کے اپنے سارے یار بیلی۔ ساتھی سنگی، سب کے نام اسے بتائے۔ اور کہا

ابھی جا، سب کو بول۔ ابھی آ کے مل جائیں۔

جا بلا لا سب کو۔ ابراہیم کو لا،

سگنے وال ضرور جانا۔

فوجو وال میرے دوست ہیں۔ عزیز، محمد دین، نظام دین، سب کو بلا لا۔ کہنا ملا کہتا ابھی آؤ مجھے ملنے۔ جا دوڑ کے جا۔

خیر ہے۔ جو آئے آ جائے، باقی سویرے سہی۔ بھاگو پاس بیٹھی نائی سے بولی۔ ابوالفضل پھر ایک دم سے جھلا کے اٹھ کے بیٹھ گیا۔

بولا، تو پھر بات نہ سمجھیں،

اے اللہ کی بندی سویرے میری گڈی ہے۔ وہ پکڑنی ہے۔

تو جا۔ جیسا میں نے کہا ہے۔ وہ کر۔ نائی چلا گیا تو ابوالفضل بھاگو کو پاس بٹھا کے عجیب محبت بھری نگہ سے دیکھ کے بولا۔

پانی کی ایک پتیلی گرم کر دے، غسل کرنا ہے۔ اور وہ جو تو نے اپنے ہاتھ سے کپاہ چنی تھی اور چرخے پہ بیٹھ کے جس کا دھاگا بنا کے کھڈی پہ کاتا تھا۔ وہ کھدر کا کرتا شلوار لے آ۔ وہ پہن کے گاڑی چڑھوں گا۔ جا جلدی کر۔

بھاگو نے ٹرنک، ٹرنکیاں ہٹا کے اپنے ہاتھ کے کاتے ہوئے کھدر کے کپڑے ڈھونڈ لیے اور اونچی اونچی سوچنے لگی۔

سویرے کونسی گاڑی ہے۔

ہاتھ کھول کے بند کیے۔ سر کو حیرانی سے دائیں طرف ہلایا۔ اور پھر منہ ہی منہ میں بولی، اللہ جانے کدھر جانا ہے۔ ابھی تو آئے ہیں۔

دوست احباب آ گئے۔

چائے پک پک کے پیالوں میں آنے لگی۔

حقہ درمیان میں لگ گیا۔

خوش گپیاں ہونے لگیں۔

دو ڈھائی گھنٹے بعد سائیں بگو شاہ بھی آ گیا۔ ابوالفضل کے پاس اسکے بستر پہ بیٹھ گیا۔ پہلے اسکے سر پہ ہاتھ پھیرتا گیا۔ پھر اسی ہاتھ سے اسکے بستر کی چادر کو سہلانے لگا۔ جیسے چادر استری کر رہا ہو۔ بل نکال رہا ہو۔ پھر آہستہ سے بولا۔

تیرا بستر صاف کر آیا ہوں۔

کوئی کنڈا نہیں رہنے دیا۔ تیرے آس پاس۔

ابوالفضل نے اسکا ہاتھ پکڑ کے دونوں ہاتھوں کو سینے میں اڑس لیا۔ پھر دونوں خاموشی سے ایک دوسرے کو دیکھ کے لمبی لمبی باتیں کرنے لگے۔ آنکھوں آنکھوں میں، داستانیں کہہ رہے تھے۔ داستانیں سن رہے تھے۔ بچے سو گئے۔ فضل دین ساری رات ساتھ اسی چارپائی پہ رہا۔ ابوالفضل اس سے باتیں کرتا رہا۔

بولا، اندر ٹرنک سے میرا رجسٹر لے آؤ۔

وہ لے آیا۔

ابوالفضل کی زندگی کا وہ روزنامچہ تھا۔

سارے اہم واقعات وہ اس میں لکھتا آیا تھا۔ پہلے صفحے سے آخر تک وہ سارا رجسٹر دیکھتا رہا۔ جیسے گزری زندگی کو پھر سے بیت رہا ہو۔ کبھی مسکراتا، کبھی روتا۔ بیچ بیچ میں کہیں کہیں لینا دینا بھی لکھا ہوا تھا۔ فضل دین سے بولا۔

پتر جو جو میں نے دینے ہیں وہ اب تجھے دینا ہوں گے۔

ہاں میاں جی۔

فضل کی آنکھیں چپ چاپ خاموشی سے قطرہ قطرہ آنسو بہائے جا رہی تھیں۔

ابوالفضل پھر بولا، جو جو میں نے لینے ہیں۔ وہ نہ لینا۔

میں نے دوستی میں دوستوں کو دیے تھے۔ تم مانگنا نہ۔

فضل دین کے آنسو تیز ہو گئے۔

ساتھ لیٹ جا۔ میرے ساتھ۔

فضل دین لیٹ گیا۔

سوا چھ فٹ کا کڑیل جوان تھا فضل دین۔ پورے ضلعے میں اسکی کلائی پکڑنے والا کوئی نہ تھا۔ جو بھی پکڑتا ایک دو انگلی کی جگہ باقی رہتی۔ کلائی اتنی چوڑی تھی۔ خود پکڑ لیتا تو کسی سے ہلائی نہ جاتی۔ وہ اپنے باپ کی پراندی بیٹھا۔ انکے پیر دباتے ہوئے گیلی پھٹی بوسیدہ بنیان کی طرح نچڑے جا رہا تھا۔ اندر ہی اندر کوئی اسے بل دے رہا تھا۔

نچوڑ رہا تھا۔

توڑ رہا تھا۔

سحری کا وقت گزرنے لگا تو سراج اٹھ کے آ گیا۔ فضل دین ساتھ آنکھیں بند کیے لیٹا تھا۔ ابوالفضل سراج سے بولا پانی کا گلاس لے آ۔ مجھے روزہ تو رکھا دے۔ اذان ہونے والی ہے۔ وہ گلاس بھر کے لے آیا۔ ابوالفضل نے ایک گھونٹ پانی پیا۔ بھاگولیک کے گلاس پکڑنے آ گئی۔ اتنے میں بند دروازے کی درزوں سے اذان کی آواز اندر آئی۔ اسے کہا، تو وضو کر کے آئی ہے، نماز پڑھ لے۔ وہ نماز کے لیے چارپائی کے برابر فرش پہ چادر بچھا کے کھڑی ہوگئی۔ سراج کمر داب رہا تھا۔ اسے کہا بیٹا سینہ اندر سے کسی نے پکڑا ہوا ہے۔ ذرا میری پسلیاں پکڑ۔ ہاتھ رکھ دونوں طرف۔ میں کھانسی کر لوں۔ سراج نے دونوں ہاتھ انکی بغلوں کے نیچے سے لیجا کر انکی پسلیوں پہ رکھے۔ دو دفعہ ابوالفضل نے کھانسی کی۔ دوسری کھانسی کے بعد نڈھال ہو گئے۔ کھانسی کی آواز کے ساتھ آواز لگائی۔ اللہ جی آ گیا۔ اور گردن دائیں طرف ڈھیلی کر دی۔

میاں جی، میاں جی

سراج نے تڑپ کے دو بار پکارا۔ پھر چیخ ماردی۔

فضل دین لیٹا ہوا اٹھ بیٹھا۔ سامنے کا دروازہ اسی وقت کھلا اور سائیں بگو شاہ ہاتھ میں پانی کا بھرا گلاس لیے اندر آیا۔ پانی میں انگلیاں ڈبو کے ایک چھینٹا چہرے پہ دیا۔ فضل دین نے پکڑ کے باپ کو سیدھا لٹایا۔ ایک سانس ابوالفضل نے باہر نکالا اور ہاتھ پاؤں سیدھے کر دیے۔ سائیں بگوشاہ نے میاں جی کے سر پہ ہاتھ پھیرا۔ ہاتھ چومے اور پراندی کھڑے ہو کے ہاتھ اٹھا کے سلام کیا۔ جیسے گاڑی پہ جاتے ہوئے افسر کو سلام کرتے ہیں، پھر کوٹھری کے ایک کونے سے اپنی کدال اٹھا کے گھر سے باہر نکل گیا۔ سیدھا خواجہ روشن ولی کی خانگاہ کے ساتھ پھتو شاہ کی قبر کے سراہنے ابوالفضل کی ماں کی قبر کی پراندی رات کی کھودی ہوئی قبر کو اور کھلا کرنے لگا۔ قبر تیار ہو گئی تو خود اس میں لیٹ گیا۔ جب تک جنازہ تیار ہو کے آیا وہ قبر میں لیٹا پڑھتا رہا۔

آخری جمعہ کے بعد گاؤں کی مسجد میں نماز جنازہ ہوئی۔

سائیں بگوشاہ نے خود اپنے ہاتھ سے کھودی ہوئی لحد میں اتر کے ابوالفضل کو اتار دیا۔ ان کے پیروں کو ہاتھ لگا کے باہر آیا۔ دعا مانگی اور کندھے کا اپنا پٹکا اتار کے ستر قدم پیچھے مڑ کے فضل دین کے سر پہ باندھ دیا۔ اور اسے اپنے گلے سے لگا کے آہستگی سے بولا، پتر ہر ایک کا وقت ہے، ہر ایک کی جگہ ہے۔ سوہنا وقت ملا ہے۔ سوہنی جگہ ملی ہے تیرے باپ کو۔

تو میری جگہ نہ بھولنا

میں یاد دلا دوں گا۔

یاد تو تمہیں بھی دلاتا رہتا ہوں۔

بھولی تو نہیں نا، تم؟

کونسی جگہ؟

وہیں، جہاں قبرستان کے اندھیرے ویرانے میں تم نے میرے ہاتھ سے ماچس لیکر اپنے ہاتھ میں پکڑا ہوا مٹی کا چراغ جلایا تھا، وہاں۔

تم پوچھوگی، کیسے پتہ چلا مجھے؟

پتہ کیا چلنا، تم ہی نے دیا جلا کے سارا بھید کھولا تھا۔ کہا تو تھا میں نے سنگ تراش
پتھر کی سِل کے اندر مجسمہ دیکھ لینے کے بعد پتھر تراشتا ہے۔

تم نے خدا جانے کیسے دیے کی جگہ دیکھ لی تھی۔

میری جان،

میں نے بھی بہتی ہوئی دودھ کی نہر دیکھ کے تیشہ اٹھایا ہے۔

تو یہ نہ سوچ لینا، کہ کسی کے بلاوے سے اس کی باتیں ختم ہو جاتی ہیں۔ وہ چپ
ضرور ہو جاتا ہے۔ مگر کہانی چلتی رہتی ہے اس کی۔ کبھی کبھی تو کہانی ایسی ہوتی ہے جو
بلاوے کے بعد سمجھ میں آنے لگتی ہے۔

تمہیں ابھی کیسے سمجھ آئے!

◼